한국명품가사 100선 2

한국명품가사 100선 2

초판 1쇄 발행 2019년 6월 25일

역주자 최한선·박영주·백숙아 외
펴낸이 지현구 **펴낸곳** 태학사 **등록** 제406-2006-00008호
주소 경기도 파주시 광인사길 223
전화 마케팅부 (031)955-7580 **전송** (031)955-0910
홈페이지 www.thaehaksa.com **전자우편** thaehaksa@naver.com

값은 뒤표지에 있습니다.

ISBN 979-11-6395-069-1 94810
ISBN 979-11-6395-067-7 (세트)

한국 명품가사 100선

❷

최한선 · 박영주 · 백숙아 외

태학사

《한국명품가사 100선》 발간에 부쳐

2020년은 담양군에 소재한 한국가사문학관이 문을 연 지 20주년이 되는 해이다. 그간 한국가사문학관에서는 가사문학학술진흥위원회를 구성하여 담양군의 보조와 지원을 받아 20회에 걸친 가사문학전국학술대회, 가사문학전국낭송대회, 한국가사문학대상 공모전, 가사문학 청소년 유튜브 제작 대회를 개최했고, 가사문학자료의 구입, 해제 작성, 데이터베이스 구축을 진행했으며, 계간지《오늘의 가사문학》발간,《한국 가사시歌辭詩 100인선》과《한국 가사동화 100인선》 간행 등 여러 방면에 걸쳐 가사문학 연구와 홍보, 문화 콘텐츠화 방안 마련을 위해 심혈을 기울여왔으며 그에 걸맞은 적지 않은 결실을 거뒀다고 자부한다.

이와 같이 많은 사업들이 큰 성과를 이룬 반면, 한국가사문학의 진수를 감상하고 음미하는 데 도움을 줄 만한 마땅한 안내서를 마련하지 못한 것은 매우 아쉬운 일이었다. 만시지탄이나마《한국명품가사 100선》을 발간하여 가사문학에 나타난 우리말의 아름다움과 미학적 성취를 감상함은 물론 가사문학에 투영된 삶의 지혜와 당대적 거울로써 오늘을 반추하고 내일을 설계하는 데 도움이 되기를 바란다. 나아가 가사문학에 관심을 가진 작가, 학생, 창작 지망생, 낭송가 등의 요구에 부응하는 등 가사문학의 대중화에 기여할 수 있다면 큰 보람이 될 것이다.

본서를 간행하기 위해 가사문학학술진흥위원회에서는 먼저 가사문학 전문가를 중심으로 '한국명품가사 100선 간행위원회'를 구성하여 작품을 선정하고 작자 소개, 출전, 해제, 현대역 등을 담당할 연구진을 꾸렸다. 하지만 1만여 편도 더 되는 가사문학 유산 가운데서 100여 편만을 선정한다는 것은 그리 만만한 작업이 아니었다. 간행위원회의 안목 부족과 작품 수의 제한 등으로 훌륭한 작품이 선정되지 못했다면 그것은 전적으로 우리의 책임이다.

《한국명품가사 100선》은 모두 109편의 가사를 대상으로 1권에 54편, 2권에 55편을 수록하여 두 권으로 편집했다. 109편 중 91편은 가사의 내용과 성격, 작품성에 따라 선정했고, 나머지 18편은 담양에서 창작했거나 담양과 관련 있는 인물의 작품을 수록하였다. 이른바 '담양가사' 18편이 모두 명품가사라고 단정할 수는 없겠으나, 담양은 한국가사문학관의 소재지며 담양과 관련 있는 〈면앙정가〉 등 여러 작품이 명품가사의 반열에 든다는 점에서 함께 수록하기로 했다.

본서의 기획과 발간에 수고를 아끼지 않으신 류연석 가사문학학술진흥위원회 위원장님과 가사문학 연구의 대가이신 김학성 성균관대 명예교수님, 그리고 김용찬, 이상원, 백숙아, 김교은, 한성금, 임준성, 황수정, 국윤주, 황민선 교수님 등 연구진 여러분께 감사드린다. 특히 연구와 교정에 수고를 아끼지 않으신 박영주 강릉원주대 교수님께 더욱 깊은 감사를 드린다. 또한 담양군 남면을 가사문학면으로 개명하는 등 가사문학에 남다른 애정과 열정으로 많은 예산과 지원을 해주신 최형식 담양군수님께 큰 감사를 드리며, 가사문학관 임윤택 관장님, 박명선 주사님 등 관계자 분들께도 고마운 인사를 드린다.

본서가 가사문학의 이해와 감상, 나아가 현대 가사시, 가사로 쓰는 동화, 수필, 소설 등의 창작에 도움이 됨은 물론, 현대 가사의 성격을 지닌 랩rap 문화 확산 등 가사문학 유산이 문화콘텐츠 개발의 원생성 자원이 되길 바란다. 무엇보다도 가사문학이 세계기록문화유산으로 등재되어 세계인이 함께 향유하고 누리며 계승·발전시켜 나아가기를 소망한다. 끝으로 본서의 간행에 도움을 주신 태학사 지현구 대표님을 비롯한 출판사 식구들께도 고마운 인사를 드린다.

2019년 5월 1일

간행위원 및 연구진 대표 최한선 근지

〈2권 목차〉

담양의 가사문학

〈1권 목차〉

55. 성주중흥가聖主中興歌

① 작품명 : 성주중흥가聖主中興歌

② 작자명 : 정훈(鄭勳, 1563～1640)

정훈은 조선 중기의 시인으로, 자는 방로邦老, 호는 수남방옹水南放翁이다. 고려 때 대제학을 지낸 정현영鄭玄英의 후손이다. 요절한 형 때문에 부모들이 몸이 상할까 걱정하여 수학할 기회를 주지 않아서 독학으로 공부했다고 한다. 벼슬을 하지 않고 평생 초야에서 일생을 보냈으나 임진왜란·인조반정·병자호란 등을 겪으며 시대적인 영향을 많이 받았다. 또한 강직하고 정의로운 성품으로 1624년(인조 2) 이괄李适의 난 때 61세의 나이로 의병을 모아 출전했고, 정묘·병자 두 차례의 호란 때는 아들을 대신 출정시켰다. 이런 우국정신은 그의 가사 작품인 〈성주중흥가〉·〈계해반정후계공신가癸亥反正後戒功臣歌〉·〈탄오성한음완평찬적가歎鰲城漢陰完平竄謫歌〉·〈탄강도함몰대가출성가歎江都陷沒大駕出城歌〉 등과 같은 시조 작품 일부에 드러난다. 이 외에도 〈성주중흥가〉를 비롯한 가사 작품 5편과 시조 20편, 한시 30여 편이 남아 있다.

③ 출전 : 필사본 《수남방옹유고水南放翁遺稿》

④ 해제

이 작품은 정훈이 61세 때인 1623년에 지은 것이다. 그의 가사 5편 중에서 유일하게 지은 연대가 분명하다. 〈성주중흥가〉는 인조의 성덕을 찬양하면서 선정을 베풀어주기를 축원하는 내용으로, 전체 8단의 구성이다. 1단에서는 반정의 감격을 노래하고 있고, 2단에서는 인조에 대한 찬사를, 3단에서는 광해군 당시의 전반적인 국정상황에 대한 설명을,

4단에서는 광해군 때의 부패한 조정의 모습을, 5단에서는 신하로서의 근심과 반정의 정당성을, 6단에서는 반정의 환희를, 7단에서는 정치의 정도를, 8단에서는 인조에 대한 소망과 축수를 읊었다. 매우 계획적인 구조를 가지고 뚜렷한 고발의식을 나타낸 점에서 시사적 의의가 크다.

⑤ 원문과 현대역

갓고로 ᄃᆞᆯ렷다가 글러나 니러셔셔
거꾸로 매달렸다가 풀려나 일어서서
春風에 숨내쉬여 北極을 바라보니
봄 바람에 숨 내쉬어 북극성을 바라보니
陰雲이 消盡ᄒᆞ고 白日이 中天ᄒᆞ샤
먹구름이 다 사라지고 밝은 해가 중천에 떠
人間 冤枉을 곳고지 다 빗최니
어지러운 인간 세상 곳곳을 다 비추니
어와 살앗다가 이 時節 보관지고
어와 살았다가 이 시절을 보았구나
北向 再拜ᄒᆞ니 눈물이 절로 난다
북쪽 향해 재배하니 눈물이 절로 난다
人倫을 ᄇᆞᆯ키시니 萬姓이 咸服ᄒᆞ고
인륜을 밝히시니 온 백성들이 감복하고
舊人을 ᄡᅳ시니 녯 法이 새롭도다
옛 사람을 쓰시니 옛 법이 새롭도다
龍樓 問寢에 孝誠도 至極ᄒᆞᆯ샤
용루[1]의 문안 인사에 효성이 지극한데

1 임금이 있는 궁궐을 말함, 대궐에서 대비에게 문안 드림.

이 孝誠 푸믄 가슴 얼마나 서기신고

이 효성 품은 가슴 얼마나 썩이셨을까

여ᄋᆞ 숡 虎狼이 城闕의 ᄀᆞ득ᄒᆞ니

여우 삵 호랑이가 성궐에 가득하니

하ᄂᆞᆯ이 놉다 ᄒᆞᆫ들 몸을 곳게 니러셔며

하늘이 높다 한들 몸을 곧게 일어서며

ᄯᅡ히 두터운ᄃᆞᆯ 발ᄋᆞᆯ 편히 드딀런가

땅이 두터운들 발을 편히 디딜런가

天命을 굿게 너겨 그대도록 驕態ᄒᆞᆯ샤

천명을 굳게 어겨 그토록 교만할 새

天常을 모ᄅᆞ거든 하ᄂᆞᆯ을 고일소냐

천상[2]을 모르거든 하늘을 받들소냐

邦本을 흐ᄂᆞᆯ거든 百姓이 조출런가

나라의 근본을 흔들거든 백성이 따르겠나

宮闕을 만히 딧다 몃 間의 살고마ᄂᆞᆫ

궁궐을 많이 지어도 몇 칸에 살고 마는데

無辜ᄒᆞᆫ 窮民을 그대도록 보챌셰고

무고한 백성을 그토록 보채시고

八方 貢膳을 얼마 먹고 니블 거ᄉᆞᆯ

온 나라 곳곳에서 공선[3]을 얼마나 먹고 입었는가

벼ᄉᆞᆯ ᄑᆞ라 銀 뫼화 어듸 두로 ᄡᅡ하시며

벼슬 팔아 은 모아 어디에 두고 쌓았으며

私進上 바다드려 므어싀 다 ᄡᅳ던고

사사로운 진상 품 받아서 무엇에 다 썼던고

---

2 하늘의 상리常理, 오상五常의 도.

3 중앙과 지방의 관아에서 왕실에 물건을 진상하던 일. 또는 그 물건.

우히 그러커든 아래히 ᄀᆞ자ᄒᆞᆯ가
위에가 그러한데 아래가 화목[4]할까
上下 交證ᄒᆞ니 國體ᄅᆞᆯ 진일런가
위와 아래 서로 다투니 나라 체면 지키겠는가
數百年 基業이 一髮에 危殆ᄒᆞ니
수백년 왕업이 일발[5]에 위태하니
江湖애 ᄇᆞ려신ᄃᆞᆯ 社稷을 니ᄌᆞᆯ손가
강호에 버려진들 사직을 잊을손가
柴扉ᄅᆞᆯ 닷고 안자 애ᄃᆞᆯ와 닐은 말이
사립문을 닫고 앉아 애달파하며 하는 말이
大臣이 업거든 世臣이나 이시 되야
대신이 없거든 세신[6]이라도 남았을까
다 기운 宗社ᄅᆞᆯ 바칠 줄ᄅᆞᆯ 모로ᄂᆞ다
다 기울어진 종사를 받칠 줄을 모르는구나
千愁 萬恨을 ᄀᆞ업시 품엇더니
천만 가지 근심 한탄 끝없이 품었더니
丕塞이 已極이라 泰運이 도라오니
막힌 운세[7] 이미 극에 달해 큰 운수가 돌아오니
天視 自民이라 聖人이 나단 말가
하늘이 굽어 살피시어 성인이 난단 말인가
天人 助順도 眞實로 올커니와
천인이 돕고 순종함도 진실로 옳거니와

---

4 개제愷悌를 말함. 화목함.
5 한 가닥의 머리털, 극히 작음을 말함.
6 대대로 한 가문이나 왕가를 섬기는 신하.
7 비색은 막힌 운세.

穆陵 先靈인돌 곳 無心 ᄒᆞ실런가
목릉[8]의 선령인들 곧 무심 하시겠나
撥亂 反正에 功德이 巍巍ᄒᆞ니
어지러운 세상 반정의[9] 공덕이 높고 크니
아므리 三讓ᄒᆞᆫ들 天命을 어이 ᄒᆞᆯ고
아무리 세 번 사양한들 천명을 어이 할꼬
貧賤 獨夫는 어듸 가 容身ᄒᆞᆯ다
빈천하고 외로운 이 몸은 어디에 의지할까[10]
京城은 눈에 보고 外方은 귀예 듯고
한양은 눈으로 보고 외방[11]은 귀로 듣고
一時 鼓舞ᄒᆞ니 有光타 뎌 新王아
일시에 고무하니 빛나도다 저 신왕이여
다 이운 草木애 時雨인돌 이러ᄒᆞᆯ가
다 시들은 초목에 때맞은 비가 온들 이러할까
東方 十六年이 夷狄이 다 되얏더니
우리나라 십육 년 동안 오랑캐가 다 되었다가
一朝 匡復ᄒᆞ니 반가옴이 ᄀᆞ이 업다
하루 아침에 회복하니 반가움이 끝이 없다
이 몸이 이제 죽다 셜운 일이 이실손가
이 몸이 이제 죽어도 서러운 일이 있을손가
誠歡 誠喜라 머근 뜻이 업건마는
진실로 기쁘고 즐거워라 먹은 뜻 없건마는

8 선조宣祖와 그의 비인 의인 왕후懿仁王后 및 계비繼妃 인목 왕후仁穆王后의 능.
9 《후한서後漢書》에 나온 말로 난리를 평하여 질서 있는 세상으로 회복한다는 뜻임. 여기서는 인조반정을 뜻함.
10 세상에 겨우 몸을 붙이고 살아감.
11 서울 밖의 모든 지방.

龍顔이 遠隔ᄒᆞ니 누를 조차 ᄉᆞᆯ오려뇨

용안이 멀고 머니 누구를 따라 살아갈까

純孝 至誠은 宣廟도 아르시니

순수한 효성과 지극한 정성은 선묘[12]께서도 알고 계시니

中興 盛德을 고칠 주리 업거니와

다시 일어난 성덕을 고칠 것이 없거니와

人心이 물 ᄀᆞᄐᆞ여 引導로 마히 되니

인심이 물 같아서 공을 세운 사람 많을지니

群臣 邪正을 내죵내 ᄀᆞᆯ희쇼셔

군신들의 옳고 그름을 끝끝내 가리소서

忠言이 逆耳ᄒᆞ고 順志ᄂᆞᆫ 易狎ᄒᆞ니

충언은 귀에 거슬리고 뜻 따라주면 버릇없기 쉬우니

自古 賢君이 몃치나 고쳐 된고

자고로 현군이 몇 번이나 바뀌었나

一人이 正ᄒᆞ면 一國이 正ᄒᆞ고

한 사람이 바르면 한 나라가 바르고

一人이 貪戾ᄒᆞ면 一國이 作亂이라

한 사람이 비루하면 한 나라에 난이 일어난지라[13]

興亡 前轍이 긔 아니 거울인가

흥망의 전철이 그 아니 거울인가

---

12 선조를 말함.

13 《고본대학古本大學》에 "한 집안이 어질면 한 나라가 인하고 한 집안이 겸양하면 한 나라가 겸양하고 한 사람이 탐욕하고 도리에 어긋나면 한 나라에 난이 일어난다. (일가인 일국흥인 일가양 일국흥양 일인빈려 일국작란 一家仁 一國興仁 一家讓 一國興讓 一人貪戾 一國作亂)"라는 구절에서 나온 말, 빈려貪戾는 탐욕스럽고 도리에 어긋남을 말함.

冕旒 蔽目ᄒᆞ나 末形을 ᄉᆞᆯ피시며

면류관이[14] 눈을 가리어도 끝 모양을 살피시며

黈纊이 塞耳ᄒᆞ나 無聲의 드르쇼셔

주광[15]이 귀를 가리나 소리 없음을 들으소서

創業은 쉽거니와 守成이 어려우니

창업은 쉽거니와 수성이 어려우니

芻蕘 一言을 힝혀 흔 적 ᄇᆞ외쇼셔

꼴 베는 아이[16] 말도 귀 기울여 들어보소

이 몸이 ᄒᆞ올 일이 업서 祝壽無疆 ᄒᆞ나이다.

이 몸이 할 일 없으므로 임금의 만수무강 비나이다

---

14 면류관 앞뒤에 드리워진 구슬꿰미로 임금이 지나치게 밝혀 살피는 것을 막는다는 경계의 뜻을 가짐. 폐목은 눈을 가림.

15 황색 솜으로 공을 만들어 관의 양쪽에 걸고 양쪽 귀 옆에 늘어뜨린 것으로 왕이 함부로 들음을 경계하는 뜻을 가짐. 색이는 귀를 막음.

16 추요는 소를 먹이는 목동, 지위가 낮은 사람.

56. 송여승가送女僧歌

① 작품명 : 송여승가送女僧歌

② 작자명 : 미상

③ 출전 : 이용기李用基 편, 《악부樂府》(고려대학교 중앙도서관 소장)

④ 해제

〈송여승가〉는 남철이 지었다는 주장과 작자와 창작 시기를 알 수 없는 가사 작품이라는 주장이 있는데, 전체 4수의 작품으로 구성된 〈여승가〉 연작 중 한 편이다. 〈여승가〉 연작은 이 작품을 비롯하여, 〈승답사僧答辭〉·〈재송여승가再送女僧歌〉·〈여승재답사女僧再答辭〉 등으로 구성되어 있다. '여승가' 연작은 각각 남성 화자가 여승에게 전하는 내용(〈송여승가送女僧歌〉·〈재송여승가再送女僧歌〉)과 이에 대해 여승이 그 답변을 보내는 형식(〈승답사僧答辭〉·〈여승재답사女僧再答辭〉)으로 구성되어 있어, 수창酬唱 형식으로 편지를 왕래하고 있다는 특징을 지닌다. 이 작품에 대한 답가는 〈승답사〉이다. 이 작품의 작자를 18세기에 활동했던 남철과 옥선玉禪이라는 여승이 주고받은 작품으로 파악하는 견해도 제기되어 있으나, 아직까지 작자를 확정할 수 있는 근거는 확실치 않다고 판단된다. 여기에서는 고려대학교 도서관 소장본 《악부》(이용기 편)에 수록된 이본을 대상으로 하였다. 작품의 내용은 화자가 우연히 마주친 여승을 짝사랑하여 그녀에게 편지를 보내면서 그리워하는 심정을 읊고 있다.

⑤ 원문과 현대역

어와 보와지고 這 禪師 보와지고
어와 보았구나 저 선사 보았구나
반갑기도 기지업고 깃부기도 測量 옵네
반갑기도 그지없고 기쁘기도 헤아릴 수 없네
네 女人의 嬌容으로 男子 服色 무삼 일고
네 여인의 용모로 남자 복장 무슨 일인가
저럿타시 고흔 얼골 은 縷緋의 싸인 貌様
저렇듯이 고은 얼굴 은 누비옷에 쌓인 모양
三五夜 밝은 달이 쪠구름의 싸엿는 닷
보름날 밝은 달이 떼구름에 쌓였는 듯
臘雪 中 寒梅花가 老松의 걸엿는 듯
동짓달 내리는 눈 가운데 매화가 늙은 소나무에 걸렸는 듯
玳瑁緞 簇道里를 어이하야 마다하고
대모단[1] 족두리를 어이하여 마다하고
鳥嶺木 흰 곡갈을 굴게 누벼 쎠 잇노니
조령목 흰 고깔 깊게 푹 쓰고 있느니
윤주라 너울을는 어이하여 마다하고
윤주라[2] 너울은 어이하여 마다하고
全羅道 세대삿갓 잘게 겨러 쎠 잇노
전라도 가는 대로 만든 삿갓 잘게 엮어 쓰고 있나
月花水紬 활옷을는 무삼 일노 마다ᄒᆞ고
월화수주[3] 활옷[4]은 무슨 일로 마다하고

1 거북의 등껍질의 일종인 대모玳瑁로 치장한 비단.
2 윤주라는 비단의 한 종류. 여울은 여인들이 얼굴을 가리기 위해 쓰던 물건.

뵈繖옷 두루막이를 意思 업시 입엇는고
베창옷 두루마기를 생각 없이 입었는가
白方水紬 네 幅 바지를 어이하여 마다하고
백방수주 네 폭 바지를 어이하여 마다하고
大同木 唐바지를 模樣 업시 입엇난고
대동목 당바지를 모양 없이 입었는가
六花紅裳 綾羅裙을 무ᄉᆞᆷ일로 마다하고
육화홍상[5] 능라 치마를 무슨 일로 마다하고
麤布 속것 常木 바지를 열읍시 입엇는고
거친 베 속옷 상목 바지를 겸연쩍게 입었는가
緋緞 唐鞋 어ᄃᆡ두고 六緫草鞋를 시넌는고
비단 가죽신 어디 두고 여섯날 짚신을 신었는가
十二 雲髮 어듸 두고 돌수박이 되엿는고
열두자 머리칼 어디 두고 돌수박[6]이 되었는가
玉佩 金環 어ᄃᆡ 두고 百八念珠를 거럿는고
옥패와 금반지 어디 두고 백팔염주 걸었는가
엽헤 ᄎᆡ인 三升 鉢囊 七寶 香囊 대신인가
옆에 찬 삼승 바랑[7] 칠보 향주머니 대신인가
容模의 곱고 밉기 治裝으로 가랴마는
용모의 곱고 밉기 치장으로 될까만
這 花容 虛老하기 그 안니 앗가올가
저 꽃다운 얼굴 헛되이 늙기 그 아니 아까운가

---

3 달과 꽃이 수놓아진 품질이 좋은 수화주水禾紬. 수화주는 비단의 한 종류.
4 새색시가 혼인식을 할 때 입는 예복 차림.
5 꽃 여섯 송이가 그려진 붉은 치마.
6 돌수박은 동그란 수박 곧 머리칼이 없는 모습.
7 발낭鉢囊. 승려가 등에 지는 다니는 자루 같은 큰 주머니 바랑.

갓득이 보흰 樣姿 半粉씌을 올니고져
가뜩이 뽀얀 얼굴 반분대半粉黛[8]를 올리고자
桃花 갓흔 불근 입의 臙脂 빗츨 도치 고져
복사꽃 같은 붉은 입에 연지 빛을 돌게 하고자
十八珠 月璣彈을 져 귀 밋헤 걸고 지고
십팔 주 월기탄[9]을 저 귀 밑에 걸고 싶어
八子 青山 春色으로 這눈셥 그리고져
팔자 청산 봄빛으로 저 눈썹 그리고자
구름 갓튼 머리 一二年 길너너여
구름 같은 머리 일이 년 길러내어
銀竹節 金鳳釵로 압 단장 꿈인 後에
은비녀 금비녀로 앞 단장 꾸민 후에
石雄黃 眞珠 套心 뒤 허울 너고 지고
석웅황 진주 투심[10] 뒤 꾸밈 내고 싶네
셩숨 단셔 열벗으니 手品도 조커니와
성삼 단서 엷으니 솜씨도 좋거니와
ㄱㄴㄷㄹ 諺文도 익을시고
ㄱㄴㄷㄹ 한글도 익혔구나
家門을낭 뭇지 마라 萬戶侯의 小嬌女라
가문은 묻지 마라 만호후[11]의 작은 딸이라
大賢后도 그럿커든 爲妾爲室 고이 하랴
어진이의 부인도 그렇거든 첩실 삶을 하려 할까

---

8 살짝 칠한 엷은 화장.
9 월기탄은 귀걸이.
10 어린아이의 댕기에 다는 장식.
11 만 호나 되는 넓은 토지를 식읍食邑으로 하는 제후. 여기에서는 부잣집이라는 뜻.

착하고 어진 配匹 갈히고 다시 골나
착하고 어진 배필 가리고 다시 골라
글 잘하고 활 잘 쏘는 兩班 書房 맛기고져
글 잘하고 활 잘 쏘는 양반 서방 맡기고자
香名을 발셔 듯고 한 번 보기 願하더니
고은 이름 벌써 듣고 한 번 보기 원하더니
明天이 뜻을 안지 鬼神이 感動한지
하늘이 뜻을 알았는지 귀신이 감동했는지
月下의 緣分인지 三生의 怨讐런지
중매장이의 연분인지 삼생의 원수인지
斗尾 月溪 됴분 길에 남 업시 두리 만나
두미 월계 좁은 길에 남 없이 둘이 만나
秋波를 보닐 적에 눈의 가시 되단 말가
웃음을 보낼 적에 눈엣가시 되었단 말인가
廣나루 함게 건너 밧場門 도라들 제
광나루 함께 건너 밖장문 돌아들 때
그이 가는 길이 南北을 난호엿소
그들 가는 길이 남북을 나누었네
皓齒 丹脣 半開하고 三節 竹杖 잠간 드러
흰 이 붉은 입술 반쯤 열고 삼절 지팡이 잠깐 들어
平安이 行次하시오 後日 다시 보사이다
편안히 행차하시오 훗날 다시 봅시다
말革 잡고 바라보니 限읍는 情이로다
말고삐 잡고 바라보니 한없는 정이로다
아장아숫 것는 거름 가삼의 불이 난다
아장아장 걷는 걸음 가슴에 불이 난다

한 거름 두 거름의 길이 漸漸 머러 가니
한 걸음 두 거름에 길이 점점 멀어 가니
이 前에 듯든 말이 어이 그리 재아졋노
이 전에 듣던 말이 어찌 그리 생각났나
春郊의 노는 새는 肝腸을 바아ᄂᆞᆫ 듯
봄 들판에 노는 새는 간장을 빻아내는 듯
別路의 구름 ᄭᅵ고 離程의 안ᄀᆡ 자욱하다
이별 길에 구름 끼고 헤어지는 길에 안개 자욱하다
어린 듯 醉한 듯 말게 실녀 도라오니
눈물이 어린 듯 취한 듯 말에 실려 돌아오니
草堂 秋夜 寂寞한ᄃᆡ 헤아림도 만을시고
초당 가을밤 적막한데 생각도 많구나
寒梅花 한 가지를 窓前에 심으고져
한매화[12] 한 가지를 창 앞에 심고 싶네
碧桃花 한 가디를 六曲 欄干에 ᄭᅩᆺ고 지고
벽도화 한 가지를 여섯굽이 난간에 꽂고 싶네
ᄭᅮᆷ의는 만나보나 잠 ᄭᆡ면 虛事로다
꿈에는 만나 보나 잠 깨면 허사로다
못 보아 病이 되고 못 잇져 寃讐로다
못 보아 병이 되고 못 잊어 원수로다
九曲 心臟 萬斛愁를 當할데 전혀 읍다
구곡 심장 가득한 근심[13]을 당할데 전혀 없다
弱水 三千里의 靑鳥를 겨우 으더
약수 삼천리의 심부름꾼 겨우 얻어

12 겨울에 피는 매화.
13 만곡수는 가득한 근심.

一幅 花牋 펼쳐노코 細細成文 그려ᄂᆡ니
한폭 화선지 펼쳐놓고 상세한 문장 그려내니
한 잠 ᄌᆞᆫ 누의 속의 ᄒᆞ든 실 갓흔지고
한 잠 잔 누에 속에 만들어진 실 같구나
行人臨發 又開封의 다시 보고 傳하ᄂᆞᆫ 말이
떠나기 전에 봉투 열어[14] 다시 보고 전하는 말이
西窓에 ᄒᆡ 지도록 消息을 기다리니
서창에 해 지도록 소식을 기다리니
答書는 말지라도 ᄭᅮ짓지ᄂᆞᆫ 마소 그려
답장은 말지라도 꾸짖지는 마소 그려
無情도 험도 할사 野俗다도 하리로다
무정도 많고 많거니와 야속타고 하리로다
왼손 편 못 울기ᄂᆞᆫ 옛말도 드럿드니
한 쪽 손만으로 소리 못 내기는[15] 옛말도 들었더니
짝사랑 외기럭이 나 혼자 ᄲᅮᆫ이로다
짝사랑 외기러기 나 혼자 뿐이로다
禪師任 헤여 보소 ᄂᆡ 아니 可憐한가
선사님 생각해 보소 내 아니 가련한가
偶然이 만나보고 無罪이 죽게 되니
우연히 만나보고 죄 없이 죽게 되니
이것이 뉘 탓인가 不詳토 안이한가
이것이 뉘 탓인가 불쌍하지도 아니한가

---

14 행인임발우개봉行人臨發又開封. 장적張籍의 시 〈추사秋思〉의 한 구절로, 편지를 가지고 떠나기 전에 다시 편지 내용을 확인한다는 뜻.

15 왼손은 외로운 손, 한 쪽 손의 의미.

져근듯 싱각하여 다시음 혜여보소
잠깐만 생각하여 다시금 생각하소
大丈夫 한 목숨을 살녀주면 엇더할고.
대장부 한 목숨 살려주면 어떠할까.

57. 수남방옹가水南放翁歌

① 작품명 : 수남방옹가水南放翁歌

② 작자명 : 정훈(鄭勳, 1563～1640)

정훈은 조선 명종 때의 문학가로, 자는 방로邦老, 호는 수남방옹水南放翁이며 경주慶州 사람이다. 가사문학 창작에 능했다. 임진왜란壬辰倭亂, 이괄李适의 난, 정묘호란丁卯胡亂, 인조반정仁祖反正, 병자호란丙子胡亂 등을 겪으면서 5편의 가사와 20수의 시조를 남겼다.

③ 출전 : 필사본 《수남방옹유고水南放翁遺稿》

④ 해제

이 작품은 17세기에 창작된 가사이다. 자연 속에서 한가롭게 지내는 즐거움을 노래한 것이다. 그 짜임새가 서사·춘사·하사·추사·동사·결사로 이루어져, 송순의 〈면앙정가〉, 정철의 〈성산별곡〉 등과 연결지어 생각할 수 있다. 다만 현재 전하는 필사본 《수남방옹유고》에는 끝부분이 없어지고 92구만 남아 있다.

⑤ 원문과 현대역

溪山(계산)이 님재 업서 雲水間(운수간)의 ᄇᆞ렷거ᄂᆞᆯ

계산에 임자 없어 구름 아래 버렸거늘

荊茅(형모)ᄅᆞᆯ 헤혀고 數間(수간)을 얼거ᄆᆡ니

가시덤불[1] 헤치고 몇 칸 집을 얽어매니

1 형모는 가시덤불.

흙이 술지거니 ᄉᆞ염(思念)은 어이 ᄃᆞ돗던고

흙이 기름지니 근심은 어찌 돋아나겠는가

生事(생사)ᄂᆞᆫ 豊(풍)쟈녀도 ᄠᅳᆮ조차 饒足(요족)ᄒᆞ니

일하여 풍년 되니 뜻조차 넉넉하니

簞瓢(단표) 屢空(누공)도 셜운 줄 모ᄅᆞ리다

살림살이 어려워도[2] 설운 줄 모르리라

東窓(동창) 日晏(일안)ᄒᆞ고 北郊(북교) 風和(풍화)커늘

동창에 햇볕 들고 북쪽에서 따뜻한 바람 불어오니[3]

青藜(청려)ᄅᆞᆯ 뵈와 집고 東皐(동고)애 비겨 셔니

지팡이 바삐[4] 짚고 봄 논에 비껴 서니

金孫(금손)ᄋᆞᆫ 柳影(유영)이오

고양이 털[5] 같은 버드나무

雪色(설색)은 梅花(매화)로다

눈처럼 흰 매화꽃이로다

山鳥(산조)ᄂᆞᆫ 봄을 마자 노래ᄒᆞᄂᆞᆫ 소릐어ᄂᆞᆯ

산새는 봄을 맞아 노래하는 소리거늘

林花(임화)ᄂᆞᆫ 비ᄅᆞᆯ 지나 우음을 머금엇다

숲속 꽃은 비를 맞아 웃음[6]을 머금었다

온 가지 時景(시경)을 슬토록 다 본 後(후)에

온 가지 풍경을 싫증나게 다 본 후에

아바 아희들아 西疇(서주)에 일이 잇다

이봐라 아이들아 서쪽 밭[7]에 일이 있다

---

2 단표누공은 밥그릇 표주박 자주 비는 것. 살림살이 어려움을 비유.

3 동창의 해와 북쪽의 바람.

4 재촉하여.

5 금손은 털빛이 하얀 고양이.

6 우음은 웃음.

ᄯᅡ부 호ᄆᆡ 다 제곰 ᄀᆞ져스라

따비 호미 모두 다 제각각 갖추어라

갈거니 지거니 數畝(수무)ᄅᆞᆯ ᄆᆞ춘 후에

갈거니 매거니 여러 이랑 마친 후에

傾筐(경광)을 드러메고 뒷 ᄆᆡ희 올라가니

광주리 둘러메고 뒷산에 올라가니

어린 취 못다 크고 薇蕨(미궐)이 채 ᄉᆞᆯ졋다

어린 취나물 못다 크고 고사리[8]는 살이 졌다

걱그며 다므며 바구리 못다 차셔

꺾고 담아서 바구니를 못다 채워

峰頭(봉두)에 올라 안자 采薇歌(채미가)ᄅᆞᆯ 기리 내며

산 위에 올라 앉아 채미가[9]를 길게 부르며

響徹(향철) 雲宵(운소)애 胸中(흉중)이 洒落(쇄락)ᄒᆞ니

메아리[10]가 구름 울려 마음을 맑게 하니

風乎(풍호) 舞雩(무우)인ᄃᆞᆯ 이예셔 더ᄒᆞᆯ런가

풍호에서 비기다린들 이보다 더할손가[11]

져근덧 흣거러 蝸室(와실)ᄋᆡ 도라오니

잠시 걸어서[12] 누추한 집에 돌아오니

稚子(치자)ᄂᆞᆫ 侯門(후문)이요 새 술은 니거 잇다

어린 아이 기다리고 새 술은 익어 있다[13]

---

7 서주는 서쪽에 있는 논밭.

8 미궐은 고사리.

9 고사리 캐는 노래. 백이와 숙제를 지칭하는 절의지사節義志士의 노래를 이름.

10 향철은 메아리.

11 공자와 관련한 고사. 〈논어〉에 나옴.

12 흩어지게 걸어, 되는대로 걸어, 산보散步하여.

13 도연명의 〈귀거래사〉에 나오는 말.

一盃一盃(일배일배) 復一盃(부일배) 마신 後(후)에

한 잔 한 잔 또 한 잔 마신 후에

낙싯대 빗기 들고 苔磯(태기)를 ᄎᆞ자가니

낚싯대 빗겨 들고 이끼 낀 물가 찾으니

밋기 업슨 낙시예 고기마다 다 몬ᄂᆞ다

미끼 없는 낚시라도 고기마다 무는구나

魚鳥(어조)도 뜻즐 바다 다 疑心(의심) 아니ᄒᆞᄂᆡ

물고기도 뜻을 알고 모두 의심하지 않고

美哉(미재) 洋洋(양양)은 晝夜(주야)를 쉬쟌커ᄂᆞᆯ

아름다운 강물[14]은 밤낮으로 쉬지 않고

臨流(임류) 賦詩(부시)ᄒᆞ고 登皐(등고) 舒嘯(서소)ᄒᆞ야

시냇가에 시를 지어 언덕에서 읊조린다

日復(일부) 日日(일일)에 山水(산수)로 消日(소일)ᄒᆞ니

하루하루 또 하루 산수에서 노니니

山水(산수) 之樂(지락)을 날 밧긔 뉘 아ᄂᆞᆫ고

산수의 즐거움을 너 외에 뉘 알까

天衢(천구)에 日永(일영)ᄒᆞ고 綠樹(녹수)에 陰濃(음농)커ᄂᆞᆯ

하늘에는 해가 길고 나무 그늘 시원하니

松根(송근)을 비겨 누어 긴 ᄌᆞᆷ을 못다 ᄭᅵ여

솔뿌리에 비스듬히 누워 긴 잠을 못내 깨운 것은

間關(간관) 鶯語(앵어)ᄂᆞᆫ 嬌態(교태)ᄒᆞᄂᆞᆫ 소ᄅᆡ로다

지저귀는 꾀꼬리[15] 애교 부리는 소리로다

---

14 배를 그 성문에 대면 참으로 흐르는 강물이 아름답다. 소식蘇軾(중국 북송 시대의 시인이자 문장가·학자·정치가)의 의주우문倚舟于門 미재양양美哉羊羊 인용.

15 간관은 새가 아름답게 지저귀는 소리, 앵어는 꾀꼬리 소리 꾀꼬리의 울음소리.

新凉(신량)이 郊(교)애 들고 纖雲(섬운)이 四捲(사권)ᄒᆞ니
서늘함이 들에 들고 잔 구름이 사방에서 걷히니
天光(천광) 水影(수영)이 ᄒᆞᆫ 빗치 도여 잇다
하늘빛 물그림자 한 빛으로 둘러있다
白蘆(백로) 헤혀고 紅蓼(홍료)ᄅᆞᆯ ᄀᆞᆯ아 안자
흰 갈대를 헤치고[16] 붉은 여귀 깔고 앉아
黃花(황화)ᄅᆞᆯ 잔의 ᄯᅴ워 皓月(호월)을 마자 오니
국화를 잔에 띄워 밝은 달을 맞아 오니
ᄀᆞ업슨 淸景(청경)을 나 호자 맛다 잇다
끝없는 맑은 경치 나 혼자 보고 있다
北風(북풍)이 蕭瑟(소슬)ᄒᆞ야 白雲(백운)이 飄散(표산)ᄒᆞ니
북풍이 쓸쓸하여 흰 구름이 흩어지고
遠近(원근) 丘壑(구학)이 瓊瑤窟(경요굴)이 되엿거ᄂᆞᆯ
가깝고 먼 골짜기가 옥 동굴[17]이 되었거늘
皺眉(추미) 吟詩(음시)ᄒᆞ니 詩興(시흥)이 더 새롭다
찡그리고 시 읊으니[18] 시흥이 더 새롭다
四時(사시) 佳景(가경)이 다 제곰 뵈와거든
네 계절 좋은 경치 제각각 재촉하니
게으른 이 몸이 언제야 閑暇(한가)ᄒᆞᆯ고
게으른 이내 몸은 언제나 한가할까
歡娛(환오) 已極(이극)ᄒᆞ니 秋思(추사)도 만히 난다
즐거움이 지극하니 가을 생각 많이 난다

---

16 헤치고.

17 경요굴은 옥으로 만든 동굴.

18 눈 내리는 가운데 나귀 탄 맹호연이 찌푸린 눈썹으로 시를 읊을 때 산처럼 솟은 어깨를 한 그림. 소식蘇軾(중국 북송 시대의 시인이자 문장가·학자·정치가)의 설중기려맹호연雪中騎驢孟浩然 임청유이부시臨淸流而賦試 인용.

關西(관서) 將士(장사)ᄂᆞᆫ 언제나 도라오며

관서의 장사는 언제나 돌아오며

九重(구중) 宵旰(소간)은 엇지곰 ᄒᆞ샤ᄂᆞᆫ고

궁궐의 임금님[19]은 어떻게 지내시나

盖簪多士(개잠다사)들아 - - 이하 낙장.

개잠다사들아 - - 이하 낙장.

19 소의간식宵衣旰食의 준말. 곧 날이 밝기 전에 옷을 입고, 해가 진 후에 식사를 한다는 뜻으로 천자가 정사에 근로함을 이름.

58. 순창가淳昌歌

① 작품명 : 순창가淳昌歌

② 작자명 : 이운영(李運永, 1722～1794)

이운영의 호는 옥국재玉局齋이고, 통정대부돈령부도정通政大夫敦寧府都正을 지낸 바 있어 도정공都正公이라고도 한다. 이운영은 면천군수·황간현감·금산군수 등을 역임했으며, 문집으로 《옥국재유고》가 전하고 있다.

③ 출전 : 필사본 《언사諺詞》(1863)

④ 해제

이 작품은 이운영과 그의 아들 이의현의 가사를 모아 필사한 《언사》에 수록되어 있으며, 《언사》는 한글로 필사한 7편의 가사가 포함된 총 37면으로 구성되어 있다. 특히 이 문헌은 이전까지 학계에 알려지지 않았던 〈착졍가〉·〈슌챵가〉·〈슈로죠천힝션곡〉·〈초혼ᄉ〉·〈셰장가〉·〈임천별곡〉·〈뎡쥬가〉 등 7편의 가사를 소개하고 있다는 점과, 18세기 가사문학의 면모를 살펴볼 수 있다는 측면에서 중요한 자료로 평가되고 있다. 이 문헌에 '슌챵가 도뎡공가ᄉ'라는 기록으로 작품의 제목과 작자를 밝히고 있다. 〈순창가〉는 순창의 하리下吏인 최윤재가 사또에게 자신이 경험한 사실을 고발하는 형식을 빌려 당시 관리들의 잘못을 꼬집고 억울하게 죄를 입게 된 기생들의 참담한 생활상을 폭로하고 있다. 특히 그 발문에 따르면 《언사》의 필사 경위는 이승검李承儉의 요청으로 필사한 것으로 기록되어 있다.

⑤ 원문과 현대역

순창 하리 최윤ᄌᆡᄂᆞᆫ 지원극통 발괄소지

순창 하리下吏 최윤재는 지극히 원통하여 발괄소지白活所志[1]

ᄉᆞ도 젼의 알외오니 명정쳐결 ᄒᆞᄅᆞ실가

사또 앞에 아뢰오니 공정하게 처결處決 하실까

구월 십ᄉᆞ일은 담양 안전 ᄉᆡᆼ신이라

구월 십사일은 담양 원님[2] 생신이라

소인의 관ᄉᆞ쥬ᄂᆞᆫ 젼기 삼일 치진ᄒᆞᆯ 졔

소인이 주관하는 일은 전기傳騎[3] 삼일 빠르게 나아갈 때

소인이 수ᄇᆡ로셔 힝ᄎᆞ를 ᄇᆡ힝ᄒᆞ야

소인이 우두머리 사령으로서 행차를 모시고 다니는데

광주光州 고을 목ᄉᆞ도와 화순 창평 남평 원님

광주 고을 목사 나리와 화순 창평 남평 원님

십ᄉᆞ일 죠식 후의 일제이 모히시니

십사일 아침 식사 후에 일제히 모이시니

방장 셩찬은 ᄃᆡ탁의 버러노코

바로 차린 상은 큰 탁자에 벌려놓고

ᄉᆞ듁 관현은 화각의 나렬ᄒᆞ되

온갖 악기와 음악은[4] 화려한 누각에 나열하되

쳔운묘곡 장셩한 놈 상좌의 안자 잇고

하늘의 구름 같은 묘한 음악 장성한 놈 상좌上座에 앉아 있고

---

1 고소장을 올려 낱낱이 밝힘. 발괄은 백활白活이라고도 씀.

2 귀한 사람이 앉아 있는 자리의 앞을 가리키는 말로, 여기에서는 담양 원님을 가리킴.

3 명령을 전달하는 일을 맡아보던 기병.

4 사죽관현絲竹管絃은 관악기와 현악기를 말함.

도ᄂᆡ의 졔일곡은 담양 슌창 명기들이
도내道內의 제일곡은 담양 순창 이름난 기녀들이
가무를 ᄃᆡ령ᄒᆞ여 이 날을 보ᄂᆡᆫ 후의
노래와 춤을 대령하여 이 날을 보낸 후에
십오야 ᄇᆞᆰ은 달의 후약이 어듸메오
보름날 밝은 달에 훗날 약속이 언제인가
호남 소금강의 쳔셕을 차ᄌᆞ시랴
호남 소금강小金剛의 자연을 찾았으랴
뉵쥬 화ᄀᆡᄂᆞᆫ 쳥산의 나붓기고
여섯 고을 꽃들은 청산靑山에 나부끼고
오마 빵련은 풍님으로 드러갈 제
검은 말 쌍가마 타고 방풍림防風林으로 드러갈 때
징징 옥픽는 거름거름 우러 잇고
쟁쟁錚錚 옥 장식은 걸음걸음 울어 있고
낭낭 항언은 마샹의셔 슈답ᄒᆞᆯ 제
낭랑朗朗한 이야기를 말 위에서 주고받을 때
동산 아류와 용문 상셜힝의
민둥산[5] 아류亞流와 용문 눈서리 길에
녀기의 다로기ᄂᆞᆫ ᄌᆞ고로 잇ᄂᆞᆫ지라
기녀의 다루기는 예부터 있는지라
도화춘ᄉᆡᆨ ᄇᆡᆨ옥안이 냥냥이 셩군ᄒᆞ야
복사꽃 핀 봄날 옥처럼 흰 얼굴이 또렷하게 치장하여
세마 경군으로 힝헌이 뒤를 셔니
관청의 말과 관군들이 바삐 뒤에 서니

---

5 초목이 없는 황폐한 산. 곧 민둥산을 일컬음.

챵안ᄇᆡᆨ발 화순 원님 녀낭의게 다졍ᄒᆞ사
창안백발[6] 화순 원님 낭자에게 다정하여
산희 수곡처의 돌쳐보기 자즈시니
산 좋고 물 깊은 곳에 돌아보기 잦으시니
소인은 하인이라 말게 안기 황송ᄒᆞ와
소인은 하인이라 말에 앉기 황송하여
올낫다가 나렷다가 나렷다가 올낫다가
올랐다가 내렸다가 내렸다가 올랐다가
삼각산 고골 풍뉴 몃 번인 쥴 모를로다
삼각산 옛날 풍류 몇 번인 줄 모르겠다
망망이 나렷다가 다시 올나 타노라니
바쁘게 내렸다가 다시 올라 타려하니
셕양 ᄃᆡ노하의 실쪽ᄒᆞ야 너머지니
석양 큰 길 가에 실족失足하여 넘어지니
셕각이 죵횡ᄒᆞᆫ듸 콩ᄐᆡ ᄌᆞ로 잣바지니
새김돌이 여기저기 있는데 큰 대 자로 자빠지니
팔다리도 부러지고 엽구리도 쒸다르니
팔다리도 부러지고 옆구리도 부러지니
에혈이 황용ᄒᆞ와 흉격이 펴지압고
어혈瘀血[7]이 선명하여 가슴이 철렁하고
금녕이 지엄ᄒᆞ와 ᄀᆡᄯᅩᆼ도 못 먹ᄉᆞᆸ고
금령禁令이 지극히 엄하여 개똥도 못 먹고
병셰가 긔괴ᄒᆞ와 날노 졈졈 위즁ᄒᆞ니
병세가 기괴奇怪하여 날로 점점 위중하니

---

6 늙은이의 쇠한 얼굴빛과 센 머리털.
7 맞거나 부딪쳐 피가 잘 돌지 못해 살 속 한곳에 퍼렇게 피가 맺혀 있는 증세.

푸닥거리 경 닑기ᄂᆞᆫ 다 ᄡᅳ러 거즛 일의
푸닥거리 경 읽기는 다 쓸어 거짓 일이다
이제ᄂᆞᆫ ᄒᆞᆯ 일 업셔 쥭을 쥴노 아홉더니
이제는 할 일 없어 죽을 줄로 알았더니
곰곰 안자 ᄉᆡᆼ각ᄒᆞ니 이거시 뉘 탓신고
곰곰이 앉아 생각하니 이것이 뉘 탓인가
장청셔 비힝ᄒᆞ던 기ᄉᆡᆼ들의 탓시로다
감영監營에서 행차했던 기생들의 탓이로다
네 쇠ᄲᅮᆯ이 아니런들 ᄂᆡ 담이 문허지랴
네 소뿔이 아니런들 내 담이 무너지랴
속담의 니른 말ᄉᆞᆷ 예붓터 이러ᄒᆞ니
속담에 이른 말씀 예부터 이러하니
소인의 쥭ᄂᆞᆫ 못슘 그 아니 불샹ᄒᆞᆫ가
소인의 죽는 목숨 그 아니 불쌍한가
소인이 쥭ᄉᆞᆸ거든 져 년들을 상명ᄒᆞᄉᆞ
소인이 죽거든 저 년들을 상주라 명하여
불샹이 쥭ᄂᆞᆫ 넉슬 위로ᄒᆞ야 쥬ᄋᆞᆸ실가
불쌍하게 죽는 넋을 위로하여 주실까
실낫 ᄀᆞ치 남은 목슘 하ᄂᆞᆯ 갓치 ᄇᆞ라ᄂᆡ다
실낱 같이 남은 목숨 하늘 같이 바라오니
어화 놀나고야 살육이 나단 말가
어와 놀랍구나 살육殺戮이 났단 말인가
형방 녕니 가음아라 뎡범을 잡혀셰라
형방刑房 영리營吏 감으로 알아 진범을 잡았구나
도하신 츈우신은 담양부의 발관ᄒᆞ고
도하신 춘우신은 담양부潭陽府에 발관發關[8]하고

슈화긴 차겸신은 슌챵군의 발관ᄒᆞ니

수하긴 차겸신은 순창군淳昌郡에 발관하니

지ᄌᆞᄂᆞᆫ 팔 자르고 셩화를 만이 박아

지자持字[9]는 팔 자르고 성화를 많이 받아

형방 ᄉᆞ령 압녕ᄒᆞ여 도관 즉시 착송ᄌᆡ라

형방刑房 사령使令 압송하여 도착 즉시 보냈더라

션화당 ᄃᆡ죄리의 분부를 듯자와라

선화당宣花堂[10] 죄를 기다리는 가운데 분부를 들었더라

너희ᄂᆞᆫ 어이ᄒᆞ야 사ᄅᆞᆷ을 쥭게 ᄒᆞᆫ다

너희는 어찌하여 사람을 죽게 하였는가

상인자 져죄ᄒᆞ고 살인자 쥭ᄂᆞᆫ 법은

사람을 다치게 한 자는 죄를 묻고 살인자는 죽는 법을

뉼문이 소소ᄒᆞ니 네 무ᄉᆞᆫ 발명ᄒᆞᆯ다

법령이 자세하니 네 무슨 변명하랴

슌챵하리 최윤ᄌᆡ가 쥭기곳 ᄒᆞ게 되면

순창 하리 최윤재가 죽기만 한다면

너희 동 ᄉᆞ기신이 무ᄉᆞ키 어려우니

너희들 네 사람이 무사하기 어려우니

장팔십이 되올넌지 ᄐᆡ오십이 되올넌지

장杖 팔십이 될지 태笞 오십이 될지

형문 일ᄎᆞ 거졔 남ᄒᆡ 위원 벽동 삼슈 갑산

형벌 한 차례 후에 거제 남해 위원 벽동 삼수 갑산

8 공문을 발송하는 일.

9 지방 관아官衙에서 공문이나 물건을 지고 다니던 사람.

10 관찰사觀察使가 집무하던 정당正堂.

동셔남북 간의 어ᄃᆡ로 보ᄂᆡᆯ넌지
동서남북 사이에 어디로 보내든지
상쳐 유무를 ᄌᆞ셔이 젹간 후의
상처 유무有無를 자세히 파헤친 후에
속ᄃᆡ젼 펼쳐 노코 죠률을 ᄒᆞᆯ 거시니
속대전續大典 펼쳐 놓고 법조문에 맞게 할 것이니
우션 너희 등은 다짐을 두엇셰라
우선 너희들은 다짐을 하여두라
흰 ᄇᆡᆨᄌᆞ 도릐치고 그 어ᄅᆡ 좌촌ᄒᆞ고
흰 백자로 도리를 치고 그 아래 수결手決[11]하고
크나큰 칼 목의 메워 영옥으로 나리우니
크나큰 칼 목에 메고 감옥으로 내려오니
의녀 츈옥신은 금년이 ᄉᆞ오옵고
의녀 춘옥신은 금년이 이십세요
의녀 도화신은 금년이 삼팔이오
의녀 도화신은 금년이 이십사세요
의녀 슈화신은 금년이 오오옵고
의녀 도화신은 금년이 이십오세요
의녀 차겸신은 금년이 삼칠이라
의녀 차겸신은 금년이 이십일세라
죄범이 듕타 ᄒᆞ샤 져리 힝하오시니
범죄가 중하다 하나 저리 행하시니
슈화의 들나신들 감히 거역 ᄒᆞ리잇가
물과 불에 들어가라 한들 감히 거역 할까

11 좌촌. 조선 시대 도장 대신 쓰던 수결手決의 하나.

쥭입시나 ᄉᆞ로시나 쳐분ᄃᆡ로 ᄒᆞ려니와
죽이시나 살리시나 처분대로 하려니와
의녀 등도 원통ᄒᆞ와 소회를 알외리니
의녀들도 원통해서 소회를 아뢰리니
일월 갓치 ᄇᆞᆰ자오신 슌찰ᄉᆞ도 젼의
일월日月 같이 밝으신 관찰사 사또 앞에
ᄒᆞᆫ 말솜만 알외옵고 쟝하의 쥭어지라
한 말씀만 아뢰고 곤장 아래 죽겠노라
의녀 등은 기ᄉᆡᆼ이오 최윤ᄌᆡᄂᆞᆫ 아젼이라
의녀들은 기생이요 최윤재는 아전衙前이라
기ᄉᆡᆼ이 아젼의게 간셥ᄒᆞᆯ 일 업ᄉᆞ옵고
기생이 아전에게 간섭할 일 없고
화슌 ᄉᆞ관 뒤도라보시기ᄂᆞᆫ 굿타여 의녀 등을 보시려 ᄒᆞ시던지
화순 사또 뒤돌아보시기는 구태여 의녀들을 보시려 하였던지
산 죠코 물 죠흔듸 단풍이 욱어지니
산 좋고 물 좋은데 단풍이 우거지니
경물을 완상ᄒᆞ려 우연이 보시던지
경치를 감상하려 우연히 보셨던지
아젼이 졔 인ᄉᆞ로 졔 말긔 ᄂᆞ리다가
아전이 제 일로 제 말에서 내리다가
우연이 낙마ᄒᆞ여 만일의 쥭ᄉᆞ온들
우연히 낙마落馬하여 만일에 죽는다 한들
이 어인 의녀 등의 살인이 되리잇가
이 어찌 의녀들의 살인殺人이 될까
기ᄉᆡᆼ이라 ᄒᆞᄂᆞᆫ 거ᄉᆞᆫ 가련ᄒᆞᆫ 인ᄉᆡᆼ이라
기생이라 하는 것은 가련한 인생이라

젼답 노비가 어ᄃᆡ 잇ᄉᆞ오며
논밭 노비가 어디 있으며
ᄡᆞᆯ ᄒᆞᆫ 줌 돈 ᄒᆞᆫ 푼을 뉘랏셔 쥬을넌가
쌀 한 줌 돈 한 푼을 누가 줄까
먹ᄉᆞᆸ고 닙ᄉᆞᆸ기를 졔 버러 ᄒᆞ옵ᄂᆞᆫᄃᆡ
먹고 입기를 제 스스로 하는데
교방 습악의 오일 마다 ᄃᆡ령ᄒᆞ고
교방敎坊[12] 음악 연습에 오일 마다 대령하고
셰누비 ᄡᅣᆼ침질과 셜면ᄌᆞ 소음 퓌기
가는 누비 쌍침질과 설면자雪面子[13] 솜 피기
관가 이력 맛ᄌᆞ와셔 죽야로 고초ᄋᆞᆸ고
관가 이력 마치려고 주야晝夜로 고치고
ᄃᆡ소 별셩이 오락가락 지나갈 제
크고 작은 관원들이 오락가락 지나갈 때
차모야 슈쳥이야 구실노 나셧ᄂᆞᆫᄃᆡ
다모茶母야 수청守廳이야 맡은 일로 나섰는데
ᄒᆞᆫ 벌 의복이나 하츄케나 아니 ᄒᆞ고
한 벌 의복이라도 고린내[14]나 아니 나고
큰머리 노리개를 남만치나 ᄒᆞ노라니 기ᄉᆡᆼ인쥴 원ᄒᆞ더니
큰머리 노리개를 남만큼이나 하노라니 기생인 줄 원망하더니
갓득의 셜운 듕의 운슈가 고이ᄒᆞ와
가뜩이나 서러운 중에 운수運數가 고약하여

---

12 기생들의 음악과 예절을 가르치던 기관.
13 풀솜을 달리 이르는 말.
14 하츄케. 여름에 땀에 절인 냄새로, 곧 고린내를 일컬음.

슌ᄉᆞ도 분부 ᄂᆡ여 벗 보기를 금ᄒᆞ시니

순사또巡使道 분부 내어 벗 보기를 금하시니

어러도 쥭게 되고 굴머도 쥭게 되여

얼어도 죽게 되고 굶어도 죽게 되어

이제ᄂᆞᆫ ᄒᆞᆯ 일 업시 쥭을 쥴노 아ᄋᆞᆸ더니

이제는 할 일 없이 죽을 줄로 알았더니

죵아리를 맛ᄉᆞ와도 만만이 원통ᄒᆞᆯᄃᆡ

종아리를 맞아도 만만히 원통하되

연연약질이 젼목全木 칼을 목에 메고

연연娟娟한 약질弱質[15]이 통나무 칼을 목에 메고

뇌정 갓튼 엄위 하의 정신이 아득ᄒᆞ와

뇌정牢定[16] 같은 위엄 아래 정신이 아득하여

문목 ᄂᆡᄉᆞ영을 황공 지만 ᄒᆞᄂᆞ이다

심문하는 내사령內史令을 황공 지만遲晩[17] 하나이다

어허 그럿터냐 상품 그러ᄒᆞ다고야

어허 그렇든가 아뢰는 말이 그러하다면

슌창 하리 의송 ᄉᆞ연 졀졀이 모이요

순창 하리 항소[18] 사연 절절이 모함이요

너의 등 ᄉᆞᄀᆡ신을 ᄒᆡ가 방송 ᄒᆞ기는

어희들 네 사람을 금방 석방하기는

너의 말 드러ᄒᆞ니 졀졀이 ᄀᆡ연ᄒᆞ다

너희 말 들으니 절절이 그럴 듯하다

---

15 아름답고 어여쁘며 약한 몸.

16 자리를 잡아서 확실하게 정함.

17 죄인이 자복하면서 '너무 오래 속여서 미안하다'는 뜻으로 쓰여, 자기의 자복함을 이르는 말.

18 의송. 조선 시대 민사 사건의 항소抗訴.

감병ᄉᆞ 수령님ᄂᆡ 듕僧이어니 쇽俗이어니
감사監使와 병사兵使 수령님네 중이거니 속인이거니
상덕을 ᄒᆞᆯ작시면 ᄒᆞᆯᄃᆡ곳 ᄒᆞ엿세라
덕을 숭상 하려면 하는대로 하여라
그려도 션븨를 ᄯᅡ롸야 오복이 구젼ᄒᆞ리라.
그래도 선비를 따라야 오복五福이 온전하리라.

59. 승답사僧答辭

① 작품명 : 승답사僧答辭

② 작자명 : 미상

③ 출전 : 《역대가사문학전집》(임기중 편, 아세아문화사, 1998)

④ 해제

이 작품은 1723년 남철이 한 여승을 길에서 우연히 만나 연정을 품고 자신의 사랑을 받아달라고 하소연하는 내용의 연정가사 〈송여승가送女僧歌〉에 대한 답사라고 알려져 있다. 여승은 옥선이라고 하는데, 불가에 귀의하기까지 자신의 불행한 일생을 이야기하고 있다. 어버이를 여의고 서러운 마음을 둘 데 없어 머리를 깎고 산에 들어가 중이 된 자신이 다시는 환속할 수도 없는 몸이니 잊어 달라고 한 것이다.

⑤ 원문과 현대역

어와 그뉘신고 京華豪傑 아니신가

어와 그 뉘신가 경화호걸[1] 아니신가

ᄂᆡ일홈 언제듯고 ᄂᆡ얼골 언제본가

내 이름 언제 듣고 내 얼굴 언제 봤는가

無心이 가는즁을 반긔기는 무삼일고

무심히 가는 중을 반기는 것은 무슨 까닭인가

---

1 번화한 서울에 사는 호걸.

머리ᄭᅡᆨ근 즁의얼골 덜미운ᄃᆡ 어ᄃᆡ완ᄃᆡ
머리깎은 중의 얼굴 덜 미운데 어디길래
져ᄃᆡ도록 눈의드러 病이참아 나단말가
저리도록 눈에 들어 병이 차마 낫단 말인가
어버이 여흰後에 셜은마음 둘데업서
어버이 여읜 후에 설운 마음 둘 데 없어
入山削髮 爲僧하여 世念을 ᄭᅳᆫ쳣으니
입산삭발 종이 되어 세념[2]을 끊었으니
秋月春風 지나가고 玉窓櫻桃 붉엇는데
추월춘풍 지나가고 옥창앵도[3] 붉었는데
光陰을 혤작시면 三七이 昨年이라
광음[4]을 할 것이면 삼칠[5]이 작년이라
窈窕淑女 아니여든 君子好逑 어이되며
요조숙녀 아니거든 군자호구[6] 어이 되며
桃夭芳年 느졋거든 摽梅詩를 願할손가
도요방년[7] 늦었거든 표매시[8]를 원하는가
世念을 ᄭᅳᆫ친後에 情欲을 아조잇고
세념을 끊은 후에 정욕을 아주 잊고

---

2 세상살이에 대한 여러 가지 생각.
3 옥창玉窓 밖에 있는 앵두. 옥창은 여인의 방에 나 있는 창문.
4 세월. 시간.
5 21세.
6 《시경》 〈주남〉 '관저'에 나오는 말로 아리따운 아가씨는 군자의 좋은 짝.
7 《시경》 〈주남〉 '도요', '표유매'에 나오는 말로 여자의 꽃다운 나이로, 시집가기에 적당한 때.
8 《시경》 〈주남〉 '표유매' '도요',에 나오는 말로 여자가 시집갈 시기를 놓치지 않으려는 모습.

헌衣服 잠자리를 님의살맛 모로거든
헌의복 잠자리를 님의 살맛 모르거든
少年風度 고흔樣姿 ᄭᅮᆷ에나 生覺할가
소년풍도[9] 고운 양자 꿈에나 생각할까
달바위 這便에셔 兩班보고 졀하기와
달바위 저편에서 양반 보고 절하기와
살곳 이 便의서 下直하여 人事키는
살곳 이 편에서 하직하여 인사하기는
내몸이 즁이여니 즁의行實 안이할가
내 몸이 중이어니 중의 행실 아니할까
하로길 同行하니 그아니 緣分인가
하룻길 동행하니 그 아니 연분인가
마음의 품은懷抱를 잇셧든지 읍셧든지
마음의 품은 회포 있었던지 없었던지
無端한 一封書는 어ᄃᆡ로서 오단말가
무단한 일봉서[10]는 어디에서 온단 말인가
반기는듯 ᄯᅴ여보니 못잇는 情懷로다
반기는 듯 뜯어보니 못 잊는 정회로다
慇懃한 깁흔ᄯᅳᆺ이 感謝는 하거이와
은근한 깊은 뜻이 감사는 하거니와
즁다려 하신말삼 ᄒᆡᆼ여 남알셰라
중더러 하신 말씀 행여 남 알세라
덧업시 離別하고 佛堂으로 도라오니
덧없이 이별하고 불당으로 돌아오니

9 풍채와 태도.
10 한 통의 편지.

셥셥한 이ᄂᆡ마음 업다 하랴마는
섭섭한 이 내 마음 없다 하라마는
回書를 알외랴고 붓을들고 生覺하니
답장을 알리려고 붓을 들고 생각하니
心神이 散亂하여 무삼말삼 아리올디
심신이 산란하여 무슨 말씀 아뢰오리
아득한 이ᄂᆡ心思 살월말삼 바이업네
아득한 이 내 심사 아뢸 말씀 전혀 없네
不詳트라 하신行下 曖昧한들 어이하리
불쌍터라 하신 말씀 따뜻하지만 어이하리
世緣 未盡하여 還俗을 하량이면
세속의 인연 끊지 못하여 환속[11]을 할 양이면
才質이 魯鈍하니 妾의도리 어이하며
재질이 노둔[12]하니 첩의 도리 어이하며
微賤한 이내몸이 迷惑한 人事로서
미천한 이 내 몸이 미혹한 인사로서
性品이 强强하니 남의시앗은 실고
성품이 강강하니 남의 씨앗[13]은 싫으니
날갓튼 인싱을 생각도 마르시고
나 같은 인생을 생각도 말으시고
醫術을 모르거든 남의病을 어이알고
의술을 모르거든 남의 병을 어이 알고

11 승려의 생활 그만두고 속세로 돌아감.
12 재주가 없고 미련함.
13 남편의 첩妾.

人命이 在天커든 내어이 살여내리
인명이 재천커든 내 어이 살려내리
千金갓흔 貴한몸을 부질업시 傷치말고
천금같이 귀한 몸을 부질없이 상치 말고
功名의 뜻을두어 속졀업시 이즈시고
공명의 뜻을 두어 속절없이 잊으시고
不関한 즁의몸을 더러이 아옵시고
불결한 중의 몸을 더럽게 아시옵고
榮華로 지닉다가 紅顔粉面 고흔任을
영화로 지내다가 홍안분면[14] 고운 님을
다시어더 求하서서 千歲나 누리소셔
다시 얻어 구하셔서 천세나 누리소서

14 예쁜 얼굴에 분을 바른 모습으로, 아름답게 화장한 여자.

60. 십계명가十誡命歌

① 작품명 : 십계명가十誡命歌

② 작자명 : 정약전丁若銓, 권상학權相學, 이총억李寵億

③ 출전 : 영인본 《만천유고蔓川遺稿》(가톨릭대학교 소장)

④ 해제

〈십계명가〉는 〈천주공경가〉와 함께 숭실대학교 박물관 소장 필사본 《만천유고》에 전한다. 〈천주공경가〉와 함께 우리나라 초기의 천주가사로, 천주교의 십계명을 차례대로 노래하고 있다. 미신타파, 서구 신앙 발견과 인식, 서학의 긍정 등이 나타나 있으며, 충효의 대상이 임금과 부모에서 천주로 옮겨지고 있다. 다른 종교가사와 달리 난해한 한문보다는 쉽고 평이한 표현을 쓰고 있다는 점이 눈에 띈다.

⑤ 원문과 현대역

셰ᄉᆼᄉᆞᄅᆞᆷ 션비님네 이아니 우수운가
세상 사람 선비님네 이 아니 우스운가
ᄉᆞᄅᆞᆷᄂᆞᄌᆞ ᄒᆞᆫ평ᄉᆡᆼ의 므슨귀신 그리ᄆᆞᆫ노
사람나자 한 평생의 무슨 귀신 그리 많은가
아침져녁 죵일토록 ᄒᆞᆸᄌᆞᆼᄇᆡ례 쥬문외고
아침저녁 종일토록 합장배례合掌拜禮[1] 주문呪文[2]외고

1 불교의 전통 인사법.

2 주술적呪術的인 작용을 낳게 하기 위하여 입으로 외는 글귀.

잇ᄂᆞᆫ돈 귀ᄒᆞᆫ재물 던져주고 바텨주고
있는 돈 귀한 재물 던져주고 바쳐주고
ᄌᆞ고ᄭᆡ쟈 횡선언동 각긔귀신 모셔봐도
자고깨자 행선언동行先言動[3] 각기 귀신 모셔봐도
허망ᄒᆞ다 마귀미신 우ᄆᆡᄒᆞᆫ고 ᄉᆞᄅᆞᆷ드라
허망하다 마귀귀신魔鬼鬼神[4] 우매愚昧[5]한고 사람들아
허위허례 마귀미신 밋지말고 텬쥬밋세
허위허례虛威虛禮 마귀 미신 믿지 말고 천주天主 믿세
ᄒᆞᄂᆞᆯ우에 계신텬쥬 버레갓탄 우리보쇼
하늘 위에 계신 천주 벌레 같은 우리 보소
광ᄃᆡ무ᄒᆞᆫ 이우쥬에 인간목숨 ᄂᆡ여쥬셔
광대무한廣大無限[6] 이 우주에 인간 목숨 내어주셔
ᄃᆡ혜디각 ᄭᆡᄃᆞ르며 우쥬셥리 알고ᄂᆞ면
대혜대각大慧大覺[7] 깨다르며 우주섭리宇宙攝理[8] 알고 나면
텬쥬은회 발ᄀᆞᆫ빗츨 무궁토록 바드련가
천주은혜天主恩惠 밝은 빛을 무궁토록 받으련가
ᄉᆞᄅᆞᆷ지혜 우둔ᄒᆞ여 ᄭᅩᆨᄯᅩ각시 ᄂᆞ무신막
사람지혜 우둔하여 꼭두각시 나무신막[9]
외고우러 복바드냐 절ᄒᆞᆫ다고 효ᄌᆞ되냐
외고 울어 복받으냐 절한다고 효자되냐

---

3 아침에 자리에서 일어나자마자 행하는 말과 행동.
4 사람에게 해를 끼치는 귀신이나 수행修行을 방해하는 사신邪神.
5 어리석고 몽매함.
6 넓고 끝이 없음.
7 온갖 사물의 이치를 크게 깨달음.
8 세상과 우주 만물를 다스리는 하느님의 뜻.
9 나막신.

ᄌᆞᆯᄃᆡ여서 ᄌᆡ복이라 못ᄃᆡ며ᄂᆞᆫ ᄂᆞᆷ타시네
잘 되면 제 복이라 못 되면 남 탓이네[10]
죄짓고셔 우ᄂᆞᆫᄌᆞ요 텬지신명 외ᄎᆞᆺᄂᆞᆫ뇨
죄 짓고서 우는 자요 천지신명天地神明 왜 찾는가
가ᄂᆞᆫᄒᆞ야 굼쥬리ᄌᆞ 죠물쥬란 외ᄎᆞᆺᄂᆞᆫ냐
가난하여 굶주리자 조물주를 왜 찾는가
음양ᄐᆡ극 선비님네 ᄉᆞᆼ재ᄉᆞᆼ선 의론ᄒᆞ쇼
음양태극陰陽太極 선비님네 상재상선上帝尙善[11] 의논하소
마리닐러 ᄃᆞᆯ라시ᄃᆡ 이모두ᄀᆡ 텬쥬시네
말이 일러 달랐으되 이 모두가 천주시네
텬쥬니러 거륵ᄒᆞ샤 ᄃᆡ고말고 론치ᄆᆞ쇼
천주 일러 거룩하사 되고말고 논論치 마소
금슈ᄀᆞᆯ길 뎌인고로 ᄉᆞᄅᆞᆷᄀᆞᆯ길 ᄯᅡ로잇네
금수 갈 길 저기 있고 사람갈 길 따로 있네
곤경ᄒᆞ쟈 비지ᄆᆞᆯ고 ᄀᆞᄅᆞ침을 ᄭᅵ쳐보세
곤경하자 빌지 말고 가르침을 깨쳐보세[12]
셰ᄉᆞᆼᄉᆞᄅᆞᆷ 벗님ᄂᆡ야 이ᄂᆡᄆᆞᆯᄉᆞᆷ 드러보쇼
세상 사람 벗님네야 이내 말씀 들어보소
인ᄀᆞᆫ셰ᄉᆞ 희로ᄋᆡ락 뉘ᄅᆞ서 면ᄒᆞᆯᄉᆞᆫ가
안간 세사 희노애락喜怒哀樂 뉘라서 면할손가
인ᄉᆡᆼ칠십 고ᄅᆡ희ᄅᆞ 옛ᄆᆞᆯ부터 닐커르고
인생칠십고래희人生七十古來稀라 옛말부터 일컬었고

---

10 제1계명 흠숭일천주欽崇一天主 만유지상萬有之上. 우상을 숭배하지 말라는 내용.

11 상제는 고대 중국에서 우주만물의 절대적 존재.

12 제2계명 무호천주성명 이발허서 무호천주성명 이발허서 毋呼天主聖名 以發虛誓. 천주의 거룩하신 이름을 불러 거짓 맹세를 하지 말라는 내용.

ᄂᆞᆷ녀칠세 부동셕도 닐곱부터 셩ᄌᆞᆼ일셰
남녀칠세부동석男女七歲不同席도 일곱부터 성장일세
닐곱ᄂᆞᆯ중 엿ᄉᆡᄀᆞᆫ은 근면노력 ᄃᆞᄒᆞ고셔
일곱 날 중 엿새 간은 근면노력 다 하고서
닐곱쨋ᄂᆞᆯ 고요히 텬쥬공경 ᄒᆞ여보셰
입곱째 날 고요히 천주공경 하여보세
ᄀᆞᆸ논을박 쉬지안코 론쟁구궐 무용일셰
갑론을박甲論乙駁 쉬지 않고 논쟁구궐論爭九闕 무용일세[13]
텬디고금 ᄆᆞᆫ물지ᄉᆞ 부모효도 으ᄯᆞᆷ일셰
천지고금 만물지사 부모효도 으뜸일세
부모은혜 모르고서 불효ᄌᆞ식 ᄃᆡ고지면
부모은혜 모르고서 불효자식 되고지면
죄중ᄋᆡ서 뎨일크고 죽근후에 디옥가네
죄 중에서 제일 크고 죽은 후에 지옥 가네
ᄒᆞᄅᆞᆯ갓티 널분ᄃᆡᄌᆞ 부모졍이 닐커러면
하늘같이 넓은 대자大慈 부모 정리情理 일컬으면
인ᄀᆞᆫ금슈 쵸목ᄆᆞᆫ물 그아버지 텬쥬일셰
인간금수人間禽獸 초목만물草木萬物 그 아버지 천주일세
부모효도 알고지면 텬쥬공경 ᄋᆞᆯ고지고
부모효도 알고지면 천주공경 알고지고[14]
영원불멸 큰은혜 ᄒᆞ시필경 어더지네
영원불멸 큰 은혜 하시필경何時畢竟[15] 얻어지네

13 제3계명 수첨례지일守瞻禮之日. 주일을 거룩하게 지켜라는 내용.
14 제4계명 효경부모孝敬父母. 부모를 효도하야 공경하라는 내용.
15 하시필경은 언젠가는 반드시의 의미.

텬ᄌᆞᆼ에서 적을죽겨 츙신된ᄃᆞ ᄒᆡ도
전장戰場에서 적을 죽여 충신된다 해도
ᄃᆡ역을 저지러서 ᄌᆡ인신세 못면ᄒᆡ도
대역大逆을 저질러서 죄인신세 못 면해도
ᄯᅩᄒᆞᆫᄂᆡ가 ᄀᆞᆯ길업서 스스로ᄀᆞ ᄌᆞ결ᄒᆡ도
또한 내가 갈 길 없어 스스로가 자결自決해도
이모드ᄀᆞ 텬쥬ᄯᅳᆺ슬 아지못ᄒᆞᆫ 죄라ᄒᆞ에
이 모두가 천주 뜻을 알지 못한 죄라 하네
옛부터 텬쥬ᄯᅳᆺ슬 ᄉᆞᄅᆞᆷ갓기 이ᄅᆞ스면
예부터 천주 뜻을 사람들이 일렀으면
ᄉᆞᆯᄉᆞᆼᄀᆞᆺᄒᆞᆫ ᄉᆡᆼ디옥은 잇지안코 낙원이라
살상殺傷같은 생지옥은 있지 않고 낙원樂園이라
이ᄌᆡ라도 텬쥬ᄯᅳᆺ슬 ᄉᆞᄅᆞᆷ마ᄃᆞ 지켜보셰
이제라도 천주 뜻을 사람마다 지켜보세[16]
이ᄉᆡᄉᆞᆼ에 ᄂᆡᄀᆞᄂᆞ믄 텬쥬ᄯᅳᆺ과 부모공일셰
이 세상에 내가 태어난 것은 천주 뜻과 부모 공功일세
ᄉᆡᄉᆞᆼ누가 너를불너 ᄒᆞᆫ결ᄀᆞᆺ치 ᄒᆞᄂᆞᆫ말리
세상 누가 너를 불러 한결같이 하는 말이
너네어미 ᄯᆞᆫ곳가서 외도지ᄅᆡ 너낫ᄃᆞ면
너희 어미 딴 곳 가서 외도질 해 너 낳았다면
너ᄂᆞᆫᄯᅩᄒᆞᆫ ᄉᆡᄉᆞᆼ보고 무슨ᄒᆡᆼ신 어이ᄒᆞᆯ고
너는 또한 세상 보고 무슨 행신行身 어이할꼬
큰ᄯᅳᆺ아ᄅᆡ ᄌᆞ식ᄂᆞᆺ코 인ᄀᆞᆫᄒᆡᆼ신 ᄒᆞ렷건ᄆᆞᆫ
큰 뜻 아래 자식 낳고 인간행실 하였건만

16 제5계명인 무살인無殺人. 사람을 죽이지 말라는 내용.

더럽고도 츄악ᄒᆞᆫ짓 ᄆᆞ음썩고 몸버리네

더럽고도 추악한 짓 마음 썩고 몸 버리네

ᄀᆞᆫ음ᄉᆞ힝 멀이ᄒᆞ여 텬쥬ᄯᅳᆺ시 인ᄀᆞᆫ되ᄌᆞ

간음사행奸淫邪行 멀리하여 천주 뜻이 인간되자[17]

ᄃᆡ호ᄂᆞᆫ 죽어저서 가죽글 ᄂᆞᆷ기고

큰 호랑이는 죽어서도 가죽을 남기고[18]

ᄃᆡ인은 죽어저도 이르믈 ᄂᆞᆷ긴다네

대인은 죽어서도 이름을 남긴다네[19]

도적이ᄅᆞᆫ 크고ᄌᆞᆨ고 인륜에 큰죄일셰

도적盜賊이란 크고작고 인륜에 큰 죄일세

ᄆᆞ음속에 도적심도 큰죄된다 못ᄒᆞᆯ쇼냐

마음 속에 도적심도 큰 죄 된다 못할소냐

도적질ᄒᆡ ᄌᆞ손ᄭᅡ지 안이망ᄌᆞ 보왓느냐

도적질에 자손까지 아니 망자亡者 보았느냐

셰ᄉᆞᆼ ᄒᆞᆫ번나서 ᄃᆡ의명분 시ᄉᆡ여서

세상 한 번 나서 대의명분大義名分 내세워서

큰의를 ᄂᆡ가먼저 ᄎᆞᆼᄎᆞᆼ셰셰 전ᄒᆡ보셰

큰 의를 내가 먼저 창창세세蒼蒼世世[20] 전해보세[21]

국운이 기우러저 흥망셩ᄉᆡ ᄯᅮ렷ᄒᆞ네

국운이 기울어져 흥망성쇠興亡盛衰 뚜렷하네

ᄀᆞᆫ신소부 ᄭᅡ막ᄭᅡ치 헐ᄯᅳ더서 ᄊᆞ움일셰

간신소부奸臣小夫 까막까치 헐뜯어서 싸움일세

---

17 제6계명 무행사음毋行邪淫. 사음을 행하지 말라는 내용.

18 호사유피虎死留皮.

19 인사유명人死留名.

20 대를 이에서 아주 멀리 이어짐.

21 제7계명 무윤도毋倫盜. 도적질을 하지 말라는 내용.

ᄌᆞ고로 터ᄊᆞᆷ움에 죽고ᄉᆞᆯ고 얼ᄆᆞ드냐

자고로 터 싸움에 죽고 살고 얼마더냐

예ᄂᆞ제ᄂᆞ 터ᄊᆞᆷ움은 군신셔민 일반일세

예나 지금이나 터싸움은 군신서민 일반일세

우부되고 초부ᄀᆞᆺ치 어질개 살ᄅᆞ드냐

우부愚夫되고 초부樵夫같이 어질게 살라더냐

ᄒᆞᆫᄆᆞᆷ 널개눈ᄯᅥ 텬쥬큰ᄯᅳᆺ 알고ᄂᆞ면

한 마음 넓게 눈 떠 천주 큰 뜻 알고 나면

벌ᄂᆡᄀᆞᆺ튼 인ᄀᆞᆫ셰ᄉᆞ 군ᄯᅳᆺ시 전혀업네

벌레같은 인간세사 군뜻이 전혀 없네[22]

ᄆᆞᆫ인의 쇼원이란 부귀공명 재복이라

만인의 소원이란 부귀공명 재복財福이라

오뉴월 거름겻티 파리ᄯᅦ도 ᄯᅩᆼᄯᅳᆺ일셰

오뉴월 거름 곁에 파리떼도 똥뜻일세

ᄌᆡ일분수 지켜ᄀᆞ지 ᄂᆞᆷ녜소유 탐치마쇼

제 일 분수 지켜가며 남의 소유 탐치마소

ᄆᆞᆫ혹ᄋᆡ 근원이 이로ᄒᆞ여 리러ᄂᆞᄂᆡ

만악萬惡의 근원이 이러하여 일어나네

슈분ᄂᆞᆨ도 알고ᄂᆞ면 큰ᄆᆞ음 편ᄒᆞ건만

수분낙도壽分樂道[23] 알고 나면 큰 마음 편하건만

ᄌᆡᄆᆞ음 기둥업시 재물ᄉᆞ치 ᄐᆞᆷ과ᄒᆞ면

제 마음 기둥 없이 재물사치 탐과貪過[24]하면

---

22 제8계명인 무증망毋證妄. 거짓 증거하지 말라는 내용.

23 분수를 지키면서 욕심없고 편안한 마음으로 도를 즐기며 지내는 생활.

24 제10계명 무탐타인재물毋貪他人財物, 남의 재물을 탐치 말라는 내용.

세ᄉᆞᄀᆞᆺ즌 화근들리 필연코도 과화갓다
세사 갖은 화근들이 필연코도 과화過禍같다[25]

25 재물을 탐하는 것이 지나침.

61. 여손훈사女孫訓辭

① 작품명 : 여손훈사女孫訓辭

② 작자명 : 유중교(柳重敎, 1832～1893)

조선 후기의 학자로, 본관은 고흥高興, 초명은 맹교孟敎, 자는 치정穉程, 호는 성재省齋이다. 이항로李恒老와 김평묵金平默의 문인이다. 김평묵과 함께 척사위정斥邪衛正을 강력히 주장하였다.

③ 출전 : 필사본《여손훈사女孫訓辭》

④ 해제

이 작품은 성재省齋 유중교柳重敎가 그의 장손녀長孫女를 위하여 지은 가사다. 필사본《여손훈사》에 순 한글로 수록되어 있다. 시작 부분에 "성재선생저省齋先生著", "입헌부군등본立軒府君謄本"이라 기록되어 있다. 이로 보아 유중교가 지은 것을 그의 아들인 입헌 유의석柳毅錫이 베껴 쓴 것이 이 필사본임을 알 수 있다. 맨 끝에는 "졍히 졍월 이십삼일 야촉하의 노조의 황필"이라 적혀 있어 이 필사본의 기록 연대가 1887년이라는 것을 알려주고 있다. 창작 연대는 작품 본문 중에 여손이 6세라는 것이 나오고 있어 1885년임을 알 수 있다. 여성이 지켜야 할 교훈적인 내용을 주로 다루고 있다는 점에서 규방가사의 대표 유형 중 하나인 계녀가류와 비슷한 점이 있다. 그러나 계녀가류가 대체로 영남지방에서 출가를 앞둔 여성을 대상으로 시댁에서 지켜야 할 도리를 서술한 것임에 비해 이 작품은 영서지방의 가사로, 6세라는 어린 여손女孫을 대상으로 여자가 평소에 지켜야 할 윤리 교육 내용을 서술한 것이라는 점에서 차이가 있다.

⑤ 원문과 현대역

오세의 언문 ᄇᆡ와 뉵세의 글시 쓰니
오세에 한글 배워 육세에 글씨 쓰니
글ᄌᆞᄂᆞᆫ ᄭᆡ처쓰나 말귀야 알게나냐
글자는 깨쳤으나 말귀야 알겠느냐
네게 당ᄒᆞᆫ 쉬운 말노 일용ᄒᆡᆼ사 적어ᄂᆡ니
네가 아는 쉬운 말로 날로 할 일 적어내니
규감 소학 읽기 젼의 아직 몬져 붓처 보라
규감[1] 소학 읽기 전에 이것부터 챙겨 보라
동방이 발가거든 눈 씻고 이러ᄂᆞ셔
아침이 밝거든 눈 씻고 일어나서
옷 닙고 자리 것고 방 쓸고 소세하라
옷 입고 자리 걷고 방 쓸고 청소하라
옷깃슬 바루 염우이고 치마ᄭᆞᆫ을 졸나ᄆᆡ라
옷깃을 바로 여미고 치마끈을 졸라매라
각 방의 문안 ᄒᆞ오ᄃᆡ 소리를 나즉이 ᄒᆞ라
각 방에 문안하되 소리를 낮게 하라
어룬의 교훈ᄃᆡ로 진심하여 익히거라
어른의 교훈대로 진심으로 익혀라
언셔 한 장 부처 보고 글시 한 쥴 의방ᄒᆞ라
편지 한 장 부쳐 보고 글씨 한 줄 베껴 쓰라
구구도 알녀니와 육갑인덜 모를게냐
구구단도 알려니와 육갑[2]인들 모를쏘냐

1 여성 교육서의 일종.
2 육십갑자. 십천간(갑·을·병·정·무·기·경·신·임·계)과 십이지지(자·축·인·묘·

사방은 어느 편고 날슈를 혜여 보라
사방은 어느 쪽인가 날수를 헤아려 보라[3]
네 성이 무어시니 본이나 아랏너냐
네 성이 무엇이니 본이나 알았느냐
부조의 이름자는 자자이 지녀 두고
부모 조상 이름자는 하나하나 익혀 두고
외가의 셩시도 몰나셔는 못쓰나니
외가의 성 씨도 몰라서는 못 쓰나니
션ᄃᆡ의 졔ᄉᆞ날과 여러 어른 ᄉᆡᆼ신날을
선대의 제삿날과 여러 어른 생신날을
쪽조의에 적어 가져 죵신불망 하야거라
무명옷[4]에 적어 갖고 종신토록 잊지 마라
문ᄂᆡ 지친 항렬 차리기 원건족의 촌수 헤기
가까운 친족[5] 항렬 챙기기 원근 친척 촌수 따지기
어리다 핑계 말고 총긔 조하셔 ᄇᆡ와 두라
어리다 핑계 말고 총기 있게 배워 두라
아츰상이 드러오니 손길 잡고 이러서라
아침상이 들어오니 손길 잡고[6] 일어서라
어른이 하져ᄒᆞ기 젼의 몬져 먹지 못ᄒᆞᄂᆞ니라
어른이 먹기[7] 전에 먼저 먹지 못하느니라

진·사·오·미·신·유·술·해)를 순차로 배합하여 육십 가지로 늘어놓은 것.

3 방위와 손이 활동하는 날을 헤아려 보라는 말. 손은 날수에 따라 사방으로 돌아다니며 사람의 활동을 방해하는데 1~2일은 동쪽, 3~4일은 서쪽, 5~6일은 남쪽, 7~8일은 북쪽에 나타남. 9~10일은 손이 하늘로 올라간다고 하여 '손 없는 날'이라 함.

4 쪽빛 무명옷.

5 가문 내 아주 가까운 친족.

6 두 손을 펴서 서로 잡음.

7 젓가락을 댐. 음식을 먹음.

자근 음식 투졍 말고 맛는 반찬 ᄉᆡᆼ각 마라
음식 적다 투정 말고 맛난 반찬 생각 마라
아희덜 양 큰 거슨 남의게 붓그러음이오
아이들 양 많은 건 남에게 부끄럼이요
녀ᄌᆞ의 입 놉흔 거슨 어늬 곳에 쓰잔 말고
여자의 입 높은 건 어느 곳에 쓰잔 말인가
진지상 물닌 후의 마루 걸네 네 ᄒᆞ여라
진지상 물린 후에 마루 걸레질 네 하여라
나갈 ᄉᆡᆼ각 두지 말고 ᄃᆡ문 안희셔 ᄌᆞᆼ일ᄒᆞ라
나갈 생각 두지 말고 대문 안에서 날 보내라
자모 슬ᄒᆞ의 뫼셔 안져 신부룸인덜 져글소냐
어머니 곁에 앉아 있으면 심부름인들 적을쏘냐
바늘도 쒜여 주고 실ᄑᆡ도 ᄎᆞ져 쥬라
바늘도 꿰어 주고 실패도 찾아 줘라
부인방의 아희 보고 곡셕 그릇셰 닭 쏘차라
부인 방에 아이 보고 곡식에서 닭 쫓아라
잔신부룸 하는 틈의 녀공인덜 아니 ᄇᆡ우랴
잔심부름 하는 틈에 길쌈[8]인들 안 배우랴
면화 고루고 고치 말기 길삼의 시작이오
면화 고르고 고치 말기 길쌈의 시작이요
줌치 짓고 보션 깁기 침션의 시작이라
주머니 짓고 버선 깁기 바느질의 시작이라
첫 솜시 오작ᄒᆞ냐 그런ᄃᆡ로 익히거라
첫 솜씨 오죽하랴 그런대로 익혀라

---

8 길쌈질. 실을 내어 옷감을 짜는 일.

ᄃᆡ소가 제ᄉᆞ ᄯᅢ의 잔 씻기 네 소임일다
일가친척 제사 때에 잔 씻기 네 소임이다
나물도 뭇처 보고 고기도 쎠러 보라
나물도 무쳐 보고 고기도 썰어 보라
어렵다 앙탈 마라 식히ᄂᆞᆫ 니도 짐작 잇다
어렵다 앙탈 마라 시키는 이도 짐작 있다
잘헌다 요공 마라 겻헤사람의 우음이라
잘한다 자랑[9] 마라 옆 사람이 비웃는다
일ᄒᆞ기도 ᄇᆡ이랴니와 몸 가지기 더옥 어렵다
일하기도 바쁘거니와 몸 가지기 더욱 어렵다
혀 굿기 젼의 존ᄃᆡᄒᆞ고 ᄲᅧ 세기 젼의 졀 ᄇᆡ여라
혀 굳기 전에 존대하고 뼈 쇠기 전에 절 배워라
어룬이 츌입할 졔 잇지 말고 ᄀᆡ거ᄒᆞ며
어른이 출입할 때 잊지 말고 일어서며
무어슬 쥬시거든 두 손으로 밧ᄂᆞ니라
무엇을 주시거든 두 손으로 받느니라
조부모를 뫼셔 안져 부모의 존ᄃᆡ 아니코
조부모를 모실 때는 부모에게 존대 않고
부모 압희 뫼셔 안져 형의 존ᄃᆡ 아닛난다
부모님을 보실 때는 형에게 존대 안 한다
얼굴은 바루 들고 허리는 곳게 가지거라
얼굴은 바로 들고 허리는 곧게 하라
눈셥춤 추지 말고 고ᄀᆡ짓 ᄒᆞ지 마라
눈썹춤 추지 말고 고갯짓 하지 마라

---

9 자기의 공을 스스로 드러내어 남이 칭찬해 주기를 바람.

단닐 적의 압흘 보고 안즐 적의 뒤 보아라
다닐 적에 앞을 보고 앉을 적에 뒤 보아라
머리 우희 돌 인 다시 다슈곳 ᄒᆞ고지고
머리 위에 돌 인 듯이 다소곳하게 행동하라
입속의 남글 문 다시 잠자코 잇고지고
입속에 나무 문 듯 잠자코 있거라
긔롱의 말 ᄒᆞ지 마라 ᄒᆡᄐᆡ한 마음 자라너니
기롱의 말 하지마라 게으른 마음 자라나니
거즛부리 ᄒᆞ지 마라 그른 사람 되ᄂᆞ니라
거짓말 하지마라 그른 사람 되느니라
뭇지 아닌 말의 깃 달지 말고 당치 아닌 일의 ᄂᆡ닷지 마라
묻지 않은 말에 토 달지[10] 말고 당치 않은 일에 내닫지 마라
ᄎᆡᆨ권이나 보아노라고 문자 쓰는 거시 쳔격이오
책권이나 보았노라고 문자 쓰는 것은 천한 것이요
글시 임ᄂᆡ ᄂᆡ노라고 벽의 쓰는 거시 악증이라
글씨 흉내[11] 내느라고 벽에 쓰는 것이 악질이라
밧갓일 엿보지 말고 사랑 말 엿듯지 마라
바깥일 엿보지 말고 사랑 말 엿듣지 마라
밧분 일이 잇다 ᄒᆞ고 어룬 몬져 가지 말며
바쁜 일이 있다 하고 어른 앞서 가지 말며
지친 집의 아희라고 남녀 혼쳐 ᄒᆞ지 마라
친척 집의 아이라고 남녀 함께 있지 마라
덥다 ᄒᆞ고 ᄂᆡᆼ슈 켜지 말고 칩다 ᄒᆞ고 화로 세지 마라
덥다고 냉수 마시지 말고 춥다고 화로 쬐지 마라

10 먼저 한 말에 말을 덧붙여 함.
11 흉내.

곤ᄒᆞ다 ᄒᆞ고 낫잠 자지 말고 가렵다 ᄒᆞ고 이 잡지 마라

곤하다고 낮잠 자지 말고 가렵다고 이 잡지 마라

어룬 압헤 불경ᄒᆞᆷ이라

어른 앞에 무례한 것이다

그네 쒸고 널쒸기난 여염 계집 작난이오

그네 뛰고 널뛰기는 서민 계집들 놀이요

상뉵 치고 윳놀기ᄂᆞᆫ 규즁의셔 알 ᄇᆡ 아니라

쌍륙[12]과 윷놀이는 부녀자가 알 바 아니라

녀공 녀힝도 ᄒᆞ려니와 심덕 닥는 거 제일이라

여자 할 일 하려니와 심덕 닦기 제일이라

어질거라 바르거라 너르거라 둣텁거라

어질거라 바르거라 너르거라 두텁거라

어버이의 효셩이오 동ᄉᆡᆼ의 은졍이라

어버이껜 효성이요 동생에겐 은정이라

죵의 ᄌᆞ식 홀ᄃᆡ 말고 동ᄂᆡ 아희 박ᄃᆡ 마라

종의 자식 홀대 말고 동네 아이 박대 마라

병신 보고 웃지 말고 걸인 보고 멸시 마라

병신 보고 웃지 말고 거지 보고 멸시 마라

어린나무 썩지 말고 긔는 버레 밥지 마라

어린나무 꺾지 말고 기는 벌레 밟지 마라

흉즁에는 거울이오 면상에는 츈풍이라

가슴속엔 거울이요 얼굴에는 봄바람이라

젹은 깃붐의 이 드러ᄂᆡ지 말고

적은 기쁨에 이 드러내지 말고

---

12 여러 사람이 편을 갈라 차례로 두 개의 주사위를 던져서 나오는 사위대로 말을 써서 먼저 궁에 들여보내는 놀이.

좀체 노호흠의 눈물 ᄂᆡ지 마라
좀체 노여움에 눈물 내지 마라
그릇시 얏트면 담길 거시 업고
그릇이 얕으면 담길 것이 없고
사람이 얏트면 바들 셩이 업ᄂᆞ니라
사람이 얕으면 받을 마음이 없느니라
것치례 ᄒᆞ랴 말고 속치례 ᄒᆞ여써라
겉치레 하려 말고 속치레 하였거라
처음을 쉽게 말고 맛참을 가의ᄒᆞ여라
처음을 쉽게 말고 마침을 신경 써라[13]
사사이 조심ᄒᆞ고 언언이 조심ᄒᆞ라
일마다 조심하고 말마다 조심하라
문견이 업다 ᄒᆞ여도 조심의 실슈 업고
듣고 본 게 없다 해도 조심해야 실수 없고
쳔품이 낫다 ᄒᆞ여도 조심 덕은 입느니라
가진 기품 낮다 해도 조심 덕은 입느니라
조심이여 조심이여 ᄇᆡᆨ덕의 읏듬이라
조심이여 조심이여 백덕의 으뜸이라
ᄒᆡ가 져무러 문 다쳐스니 방안의 불 켜거라
해 저물어 문 닫혔으니 방안에 불을 켜라
어룬의 자리 펴고 발치의 요강 버려라
어른의 자리 펴고 발치에 요강 놔라
당 아ᄅᆡ 급한 일 잇셔도 초불 아니면 못 ᄂᆞ리ᄂᆞ니
마루 아래 급한 일 있어도 촛불 아니면 못 내리나니

13 특별히 마음을 씀.

소음조각도 푸여 보고 물ᄂᆡ바람도 ᄲᆡ야 보라
솜조각도 풀어 보고 물레바람도 빼어 보라
죵일의 읽은 말삼 귀졀 귀졀 ᄉᆡᆼ각ᄒᆞ고
종일에 읽은 말씀 구절 구절 생각하고
어룬의 훈계ᄒᆞᆫ 말ᄉᆞᆷ 다시옴 착념ᄒᆞ라
어른의 훈계 말씀 다시금 잘 새겨라
눕지 마라 졸지 마라 기지ᄀᆡ 합희암 항여 마라
눕지 마라 졸지 마라 기지개 하품 행여 마라
이경 삼경 되온 후의 어룬이 자리ᄒᆞ시거든
이경 삼경 된 후에 어른이 주무시거든
그제야 취침ᄒᆞ여 얏치 ᄌᆞ고 일즉 ᄭᆡ라
그제야 취침하여 얕게 자고 일찍 깨어라
허구헌 날 이리ᄒᆞ여 차차 장셩 ᄒᆞ여지면
허구한 날 이리하여 차차 장성 하게 되면
큰 사람이야 쉬우냐마는 돈견이나 면할넌가
큰 사람이야 쉬우랴마는 개돼지나 면할는지

62. 여승재답사女僧再答辭

① 작품명 : 여승재답사女僧再答辭

② 작자명 : 미상

③ 출전 : 이용기李用基 편, 《악부樂府》(고려대학교 중앙도서관 소장)

④ 해제

〈여승재답사〉는 남철이 지었다는 주장과 작자와 창작 시기를 알 수 없는 가사 작품이라는 주장이 있는데, 전체 4수의 작품으로 구성된 〈여승가〉 연작 중 한 편이다. 〈여승가〉 연작은 이 작품을 비롯하여, 〈송여승가送女僧歌〉·〈승답사僧答辭〉·〈재송여승가再送女僧歌〉 등으로 구성되어 있다. 〈여승가〉 연작은 각각 남성 화자가 여승에게 전하는 내용(〈송여승가〉·〈재송여승가〉)과 이에 대해 여승이 그 답변을 보내는 형식(〈승답사〉·〈여승재답사〉)으로 구성되어 있어, 수창酬唱 형식으로 편지를 왕래하고 있다는 특징을 지닌다. 따라서 이 작품은 〈재송여승가〉에 대한 답가이다. 이 작품의 작자를 18세기에 활동했던 남철과 옥선玉禪이라는 여승이 주고받은 작품으로 파악하는 견해도 제기되어 있으나, 아직까지 작자를 확정할 수 있는 근거는 확실치 않다고 판단된다. 여기에서는 고려대학교 도서관 소장본 《악부》에 수록된 이본을 대상으로 하였다. 연작의 마지막 작품으로, 화자인 여승 역시 상대와 함께 하고 싶지만 가능하지 못하기에 다음 생을 기약하자는 내용이다.

⑤ 원문과 현대역

長安 豪傑 紛紛ᄒᆞᆫ데 强暴ᄒᆞᆫ 辱을 免ᄒᆞ고져
장안 호걸 많은데 강폭한 욕을 면하고자
父母 사랑 下直ᄒᆞ고 緋緞 華服 훌이치고
부모 사랑 하직하고 비단 화려한 옷 뿌리치고
山中에 깁히 드러 佛前의 焚香ᄒᆞ고
산속에 깊이 들어 부처님 앞에 향을 사르고
왼팔에 영비ᄒᆞ고 血誠으로 盟誓ᄒᆞ며
왼팔에 연비[1]하고 정성으로 맹세하며
외로이 깁히 잠겨 男女 情慾 ᄭᅳᆫ쳣드니
외로이 깊이 잠겨 남녀 정욕 끊었더니
偶然ᄒᆞᆫ ᄒᆞᆫ 出入의 君子 書簡 밧ᄌᆞ오니
우연히 한번 출입에 군자의 편지 받으니
女子의 구든 節ᄀᆡ 變치 마ᄌᆞ ᄒᆞ엿더니
여자의 굳은 절개 변치말자 하였더니
滿幅 事緣 살펴보니 春雪肝臟 온쳔ᄒᆞᆯ가
절절하게 쓴 사연 살펴보니 봄눈 같은 마음 온전할까
열 번 찌어 구든 나무 古今에 읍다드니
열 번 찍어 굳은나무 고금에 없다더니
내 마음 열이라도 ᄎᆞ마 防塞 어려워라
내 마음 열이라도 차마 막기 어려워라
削髮ᄒᆞᄌᆞ 계교ᄒᆞᆯ 졔 鐵石 肝臟 구지 먹고
삭발하자 생각할 때 철석같이 마음 굳게 먹고

---

1 불교에서 계를 받을 때 향불로 팔을 태우는 의식.

歲月을 지촉ᄒᆞ여 白髮을 바랏더니

세월을 재촉하여 백발을 바랐는데

光陰이 더듸 든디 봄빗치 支離턴디

세월이 더디 가는지 봄빛이 지리하더니

君子 所見 다르든디 바린 몸 눈의 걸녀

군자 소견 다르든지 버린 몸이 눈에 걸려

靑鳥 消息 한두 番에 平生 工夫 흣터딘다

청조[2] 소식 한두 번에 평생 공부 흩어진다

春情이 無心ᄒᆞ여 깁히 든 잠 졀노 ᄭᆡᆫ다

춘정이 무심하여 깊이 든 잠 절로 깬다

人間 滋味 ᄭᅳᆫ친 後에 佛道만 崇尙터니

인간 세상 재미 끊긴 후에 불도만 숭상하더니

白雪 紅顔 뉘 아드야 春風이 건듯 부러

흰머리와 붉은 얼굴 누가 아는가 봄 바람이 잠깐 불어

三色 桃花 피는 곳에 봄 나뷔 논일면셔

삼색 복사꽃 피는 곳에 봄 나비 노닐면서

柯枝마다 안질 젹과 空山 落葉 흣터딜 뎨

가지마다 앉을 때와 빈 산에 낙엽 흩어질 때

元央 밉다 ᄒᆞ고 ᄶᅡᆨ근 머리 恨ᄒᆞ오니

원앙새 밉다 하고 깎은 머리 한탄하니

如此 心思 收拾ᄒᆞ여 다시금 ᄉᆡᆼ각이라

이러한 심사 수습하여 다시금 생각이라

丈夫의 허튼 말ᄉᆞᆷ이 가온ᄃᆡ ᄶᅥ러디니 周變[3]이 어렵도다

장부의 허튼 말씀이 가운데 떨어지니 마음 추스리기 어렵구나

---

2 반가운 편지나 소식을 가지고 전해주는 것을 의미함.

3 주섭은 마음을 추스림.

ᄂᆡ 비록 回心ᄒᆞ나 모든 耳目 어이ᄒᆞ리
내 비록 마음을 돌리나 모든 이목 어찌하리
繾綣之情이 이러ᄒᆞ니 辭讓키도 어렵도다
깊이 든 정[4]이 이러하니 사양하기도 어렵구나
雲母 屛風 둘너치고 巾櫛을 밧들난즉
구름 병풍 둘러치고 수건과 빗을 받든다면
郎君의 千金一身 病드다 稱托ᄒᆞ면
낭군의 천금 같은 한 몸 병들다 핑계대면
아모리 뉘웃친들 넉시나 구경ᄒᆞᆯ가
아무리 뉘우친들 넋이나 구경할까
妾의 行實 젼혀 밋고 醫術을 먼져 ᄇᆡ와
첩의 행실 전혀 믿고 의술을 먼저 배워
郎君의 깁히 든 病 不死藥을 나오랸덜
낭군의 깊이 든 병 불사약을 낸다 해도
唐甘土 으드랴고 月外廛에 出入읍고
당감초 얻으려고 월외전[5]에 출입하고
견막이 큰 赤古里 어ᄂᆡ 市井 外上 쥴가
곁마기[6] 큰 저고리 어느 시장 외상을 줄까
닷는 말 것는 종을 挾門 밧게 세웟다가
달리는 말 걷는 종을 쪽문 밖에 세웠다가
月黃昏 겨워갈 졔 가나오나 안이 ᄒᆞᆯ가
달뜨는 황혼 넘어갈 때 가나오나 아니 할까

4 마음속에 정이 깊이 들어서 끊을 수 없음.
5 월외전은 가발 등을 팔았던 인사동 거리.
6 저고리 겨드랑이 부분에 바탕감과 배색이 다르게 댄 감.

如此 道理 放恣ᄒᆞ나 이 다 郎君 爲ᄒᆞ미라
이런 도리 방자하나 이 다 낭군 위함이라
이 말이 漏洩ᄒᆞ면 넉시라도 븟그리리라
이 말이 새나가면 넋이라도 부끄러우리
極樂世界 다시 나서 宰相女로 나쵸더면
극락세계 다시 나서 재상 딸로 태어난다면
針線 紡績 내 所任을 남의 손을 안이 빌며
침선과 방적 내 소임을 남의 손을 아니 빌리며
百年 和樂 ᄉᆡ로우문 郎君의게 달녀스니
백년 화락 새로움은 낭군에게 달렸으니
恩德을 드리오ᄉᆞ 至極히 사랑ᄒᆞ면
은덕을 드리워서 지극히 사랑하면
白骨이 塵土ㅣ 될디라도 平生을 섬기리라.
백골이 가루가 될지라도 평생을 섬기리라.

63. 역대전리가歷代轉理歌

① 작품명 : 역대전리가歷代轉理歌

② 작자명 : 신득청(申得淸, 1332～1392)

신득청의 자는 징수澄叟, 호는 이유헌理猷軒으로, 신용희의 둘째 아들이다. 27세 때 문과에 급제, 공민왕 때 신돈의 전횡을 탄핵하였으나 이를 받아들이지 않자 벼슬을 버리고 경북 영덕으로 낙향, 1392년 고려가 망하자 동해에 몸을 던져 순절하였다.

③ 출전 : 《화해사전華海師全》 권6, 《한국가사선집》(이상보 편저, 집문당, 1979)

④ 해제

이 작품은 초기 가사로 꼽히는 〈서왕가〉와 함께 신득청이 고려 말인 공민왕恭愍王 20년(1371) 겨울에 지어서 임금께 바친 것이다. '역대전리'란 역대 치란흥망治亂興亡이 변전무상變轉無常함은 천리天理라는 뜻으로, 고려 공민왕의 실정失政을 바로잡기 위해 중국의 역대 제왕과 관련된 인물을 함께 엮어 나라의 흥망성쇠와 인과관계를 중심으로 전개하고 있다. 《화해사전華海師全》과 《영녕승람盈寧勝覽》에 실려 전하며, 이두식 한자 표기에 한글을 덧붙이고 있다.

⑤ 원문과 현대역

貪虐無道탐학무도 夏桀伊難하걸이는 丹朱商均단주상균 不肖爲也불초ᄒᆞ야

탐학무도 하나라 걸왕[1]은 단주상균[2]이 아버지를 닮지 못하여

堯舜禹矣요순우의 禪位相傳선위상전 於以他可어이타ᄀ 不知爲古부지ᄒᆞ고

요임금 순임금 우임금의 선위상전[3] 어찌하여 알지 못하고

妹喜女色매희여색 大惑爲也대혹ᄒᆞ야 可憐割叓가련ᄒᆞᆯ사 龍逄忠臣용방충신

말희라는 여자에게[4] 크게 혹하여 가련하구나 용방충신[5]

一朝殺之일조살지 無三日高무삼일고

하루 아침에 죽임 당하니 이 무슨 일인가

淫虐尤甚음학우심 宰辛伊難재신이ᄂᆞᆫ 所見無識소견무식 自疾爲多ᄌᆞ질ᄒᆞᄃᆞ

음학우심 재신[6]이는 소견무식 자질하다

夏桀爲鑑하걸위감 全昧爲高전매ᄒᆞ고 妲己冶容달가야용 狂惑下也광혹ᄒᆞ야

하나라 걸왕을 거울삼소 어리석기 끝이 없어 달기[7] 미색에 미친 듯 광혹하여

又亡國우망국 自甘爲尼자감ᄒᆞ니 六七聖人육칠성인 先王廟乙선왕묘를 保存何里보존ᄒᆞ리

또 망국을 자초하니 육칠성인 선왕묘를 어찌 보존하리

亡國人達망국인ᄃᆞᆯ 業矢孫可업실손ᄀ 微子仁兄미자인형 保宗吉奴보종길노

망국인들 없을손가 미자[8] 인형 나라 보존코자

---

1 하夏나라 말세의 임금.

2 단주는 요堯의 아들이며, 상균은 순舜의 아들.

3 제위를 아들에게 물려주지 않고 뛰어난 인물에게 물려주는 정치 형태.

4 하나라 걸왕의 애첩이었던 말희.

5 중국 하夏나라의 걸왕桀王의 신하로 걸왕에게 직간直諫하다가 피살被殺됨.

6 음탕하고 잔인함을 일삼았던 은나라 주왕紂王.

7 은나라 주왕紂王의 애첩.

去國時乙거국시를 曼羅西羅만ᄂᆞ셔라 殺剖比干살부비간 觀心活濟관심홀제

나라 떠날 때를 만났어라 살부비간[9] 관심할제

佯狂爲奴양광위노 箕子至仁기자지인 何故得罪하고득죄 若此漢古약차ᄒᆞᆫ고

양광위노[10] 기자[11]지인 어찌하여 이와 같은 죄를 얻었는가

九侯鄂侯구후악후 並脯活齊병포홀제 周侯歎息주후탄식 無奈奴多무내로ᄃᆞ

구후악후[12] 병포할제 주나라 무왕 탄식 소용없네

天下大老천하대로 姜太公以강태공이 窮困八十궁곤팔십 避紂河也피주ᄒᆞ야

천하의 선비 강태공[13]이 궁곤팔십에 폭군 주왕을 피하여

金相玉色금상옥색 姬聖人矣희성인의 善養老선양로 造欣末乙조흔말을 飽聞爲古포문ᄒᆞ고

금상옥색 희성인[14]이 늙은이 섬기는 좋은 말을 듣고

渭水陽위수양 磻溪石矣반계석의 廣張三千광장삼천 六百釣難육백조난

위수의 남쪽 반계석[15]에서 삼천육백날 낚시하며

---

8 중국 고대 은殷나라의 현인. 미자는 폭군 주왕의 형으로 주왕의 폭정에 대해 누차 간했으나 듣지 않자 국외로 망명. 비간, 기자와 함께 삼인(三仁)으로 불림.

9 은나라 현인. 주왕紂王의 숙부, 주왕이 죽여서 심장을 살펴본다면서 도려냄.

10 거짓으로 미친 체하여 노비가 됨.

11 고조선 시대의 전설상의 기자 조선 시조.

12 은나라 때의 제후諸侯로 창昌과 함께 삼공三公으로 이름 났음.

13 주周나라 초기의 정치가. 강상姜尙·여상呂尙·태공망太公望 등 다양하게 불림.

14 주나라 문왕.

15 강태공이 낚시하던 곳.

待時流送대시유송 歲月而理세월이라 周侯獵車주후엽차 行次亂而행차는이

때를 기다려 세월 보냈구나 주나라 문왕이 사냥 나왔으니

太公行道태공행도 天授魯多천수로ᄃᆞ 相佐武王상좌무왕 伐罪爲尼벌죄ᄒᆞ니

태공행도 하늘이 주었도다 무왕을 도와 폭군 주왕을 벌하니

殷封孤竹은봉고죽 豆兒達隱두아ᄃᆞᆯ은 제신지악帝辛之惡 모를손가

은나라 고죽의 두 아들은 폭군 주왕의 악 모르는가

避居北海피거북해 此時魯多차시로ᄃᆞ

북해로 피했음이 이 때로다

八百諸侯팔백제후 尊周河也존주ᄒᆞ야 武王聖人무왕성인 踐位漢而천위ᄒᆞ니

팔백제후 주나라 섬기려 무왕성인[16] 추대하니

不食周粟불식주속 仗義爲高장의ᄒᆞ고 隱於首陽은어수양 採薇爲也채미ᄒᆞ야

불식주속[17] 의로이 여겨 수양산에 숨어[18] 고사리 캐다가

餓死自盡아사자진 可憐河多가련ᄒᆞ다

굶어 죽었으니 가련하다

幽王宮洹유왕궁원 大惡無道대악무도 自亡特甚자망특심 如此爲也여차ᄒᆞ야

유왕궁열은 대악무도하여 스스로 망함이 이처럼 심하여도

伯陽父言백양부언 諫災異간재이 不聽河高불청ᄒᆞ고

백양부[19]가 재앙이 있다 간한 말을 듣지 않고

---

16 중국 주周나라의 제2대 왕.

17 주나라 땅에서 난 곡식을 먹지 않음.

18 백이숙제가 숨어살던 산 이름.

19 주나라 대부.

欲笑褒姒욕소포사 烽火等於봉화들어 見弒犬戎견시견융 自孼日多자얼일다

포사[20]를 웃기고자 봉화를 올렸다가 오랑캐에게 죽음당했으니 스스로 부른 재앙이다

强暴天子강포천자 秦始皇隱진시황은 趙高之惡조고지악 全昧爲高전매ᄒᆞ고

강폭한 천자 진시황[21]은 조고의 악행에 눈 어두워

仁能太子인능태자 扶蘇殺之부소살지 可憐爲多가련ᄒᆞ다 無三日高무삼일고

어질고 유능한 태자 부소[22]를 죽게 하니 가련하다 무슨 일인가

築長城축장성 北方河高북방ᄒᆞ고 送徐芾송서불 東海爲羅동해ᄒᆞ나

장성을 북방에 쌓고 서불[23]을 동해로 보냈으나

天下豪傑천하호걸 爭起爲而쟁기ᄒᆞ니 燕臺壯士연대장사 荊卿匕臥형경비와

천하호걸 다투어 일어서니 연나라 장사 형경[24]의 비수와

韓室忠臣한실충신 子房椎難자방추는 切齒報讎절치보수 其安人歌그안인가

한나라 충신 장자방 철퇴는 절치보수[25] 그 아닌가

漢武帝한무제 求仙割齊구선ᄒᆞᆯ제 汾水秋風분수추풍 悔心爲也회심ᄒᆞ야

한무제[26]는 신선 구할제 분수의 가을 바람에 마음 돌이켜

---

20 유왕幽王이 총애했던 여인.

21 진秦나라의 초대황제.

22 진시황의 첫째 아들.

23 진시황 때의 방사方士로 불사약을 구하려고 동쪽으로 길을 나섰던 인물.

24 중국 전국시대 제齊나라 사람 형가荊軻로, 연燕나라의 태자太子 단丹으로부터 부탁을 받고 진秦나라 왕을 죽이려다 실패하고 피살됨.

25 이를 갈면서 복수하기를 다짐했던 한나라 고조의 신하 장량.

亡秦跡망진적 不係咸隱불계흠은 艱辛河那간신ᄒᆞ나 擧錄爲多거록ᄒᆞᄃᆞ

망한 진나라 자취 좇지 않아 위태로웠지만 거룩하도다

事佛明帝사불명제 繪像咸焉회상흠은 亡國之兆망국지조 不知河高부지ᄒᆞ고

한나라 명제가 부처를 섬기고 불상을 그리게 함이 망국의 조짐임을 모르고

夷狄君長이적군장 之於刀以지어죄이 蘭臺石室난대석실 其高眞可그고진ᄀᆞ

오랑캐 임금 위해 지었으니 난대석실[27] 그곳인가

史策庫사책고 無三日魯무삼일로 佛經閣불경각 刀也難高되야ᄂᆞᆫ고

서고는 무슨 일로 불경각 되었는가

垂統萬世수통만세 罔測爲多망측ᄒᆞ다 王家事佛왕가사불 代作爲也대작ᄒᆞ야

수통만세[28] 망측하다 왕실 부처 대대로 섬겨

覆宗絕祀복종절사 這人君伊저인군이 佛門矣奴불문으로 日於羅일어나

종실 제사 끊은 저 임금이 불문으로 들어가서

荒迷迷滅황미미멸 道也難以되냐ᄂᆞᆫ이 明心見性명심견성 韓丹末隱한단말은

미혹하여 멸망했으니 마음 밝혀 본성 본다는 말은

一身破作일신파작 二物而羅이물이라 羅到南나도남 南道乃家남도ᄂᆡ가

한 몸 깨어 두 개를 만듦이라 나도 남이 되고 남도 내가

到也本可되야본ᄀᆞ 獲罪天矣획죄천의 無所禱難모소도ᄂᆞᆫ

되어 보았는가 하늘에 죄지으면 용서받을 곳 없다는

---

26 중국 전한前漢의 제7대 황제.

27 초왕의 궁전.

28 왕통이 만세토록 이어짊.

萬古大聖만고대성 孔子末三공자말삼 日月中天일월중천 發斤末魯발근말노

만고의 성인 공자의 말씀 하늘에 해와 달같이 밝은 말로

布在方册포재방책 墨卿跡而묵경적이 乃嫩狎喜닉눈압희 發可益高발ᄀ잇고

두루 퍼져 있는 묵경[29]의 자취가 내 눈 앞에 밝아 있고

乃貴聰明닉귀총명 又在下尼우재ᄒᆞ니 無見無聞무견무문 底羅韓古저러ᄒᆞᆫ가

내 귀 총명하여 또 남아 있으니 보지 못하고 듣지 못함이 저러한가

漢帝子楚王英而한제자초왕영이 卽地跋西즉지발셔 劍下塵검하진 道丹末可되단말ᄀ

한제자 초왕 영이 그곳 칼 아래 티끌이 되었단 말인가

佛鬼於世불귀어세 無靈咸隱무령ᄒᆞᆷ은 誰人不知수인부지 割家馬亂ᄒᆞᆯ가마는

세상에 불교귀신 영험 없음 어느 누가 모를까마는

蜀漢後帝촉한후제 劉禪伊道유선이도 凶宦妖巫흉한요무 惑韓末魯혹ᄒᆞᆫ말로

촉한 후제 유선[30]이도 흉악한 환관과 요사스러운 무당의 혹한 말로

西域佛說서역불설 借誣爲齊차무ᄒᆞᆯ제 四百年사백년 大漢基業대한기업

서역 불설에 속아서 4백 년 한나라 터전이

一夕軀亡일석구망 全昧河高전매ᄒᆞ고 酷信巫佛혹신무불 無三日魯무삼일로

하루 저녁에 무너짐을 모르고 무불에 혹하여 무슨 일로

29 중국 전국시대 초기의 사상가인 묵자墨子.

30 촉한의 두 번째 임금 이름. 유비劉備의 아들.

昭烈皇孫소열황손 北地王果북지왕과 丞相子승상자 諸葛瞻乙제갈첨을

소열[31]황손 북지왕과 승상 아들 제갈첨을

虛委劍塵허위검진 可憐爲多가련ᄒᆞ다

허무하게 칼 티끌이 되었으니 가련하다

晉代衣冠진대의관 倏忽爲也숙홀ᄒᆞ야 淸談浮屠청담부도 橫行活諸횡행홀제

진나라 문물 덧없으니 청담부처[32]가 횡행할제

咈諫逆理불간역리 這人君伊저인군이 朝得暮失조득모실 多尤習多다우습ᄃᆞ

간언 듣지 않고 이치 거스른 임금이 아침에 나라 얻어 저녁에 잃으니 다 우습기 그지없다

羲皇上人희황상인 陶元亮而도원량이 今是昨非금시작비 始覺爲也시각ᄒᆞ야

희황상인 도원량[33]이 어제 그르고 오늘 옳음 비로소 깨달아

彭澤印綬팽택인수 乃解河高내해ᄒᆞ고 就荒三逕취황삼경 都羅溫而도라오니

팽택의 인장 끈을 풀어놓고 우거진 삼경길로 돌아오니

歡迎谷口환영곡구 僮僕而五동복이오 候門持點후문지점 穉子達以치자ᄃᆞᆯ이

동네 어귀 어린 노복이 환영하고 문 앞에 기다리는 어린 자식들이

典午老人전오노인 麻齋刃可마져인ᄀᆞ 携幼入室휴유입실 自酌河而자작ᄒᆞ니

전오[34]노인 맞이 하는가 아이들과 함께 들어가 자작하니

---

31 한나라 유비劉備.

32 청담은 노장老莊, 부도는 불교.

33 중국 동진東晉의 도연명陶淵明.

34 말을 관리하는 관직명. 또는 진晉나라의 별칭.

漉酒葛巾녹주갈건 翟夫人隱적부인은 秫酒盞前출주잔전 更勸爲高갱권ᄒᆞ고

녹주갈건[35] 적부인은 기장 술을 잔에 부어 다시 권하고

北窓枕북창침 無絃琴焉무현금은 能知翁意능지옹의 含情爲乃함정ᄒᆞᄂᆡ

북창 머리맡에 줄 없는 거문고는 노인의 품은 뜻 능히 알겠네

門前柳문전류 籬下菊果이하국과 園中松원중송 庭畔柯亂정반가는

문 앞 버드나무 울타리 아래 국화는 뜰안 소나무와 뜰밖 가죽나무는

晉時光色진시광색 尙帶爲羅상대ᄒᆞᄂᆞ 山外世界산외세계 刀羅本而도라본이

진나라 때 빛을 아직도 하고 있으나 산밖 세상 돌아보니

寄奴草色기로초색 劉宋日世유송일셰

기노초[36]색 유송[37]일세

南北朝남북조 紛競河古분경ᄒᆞ고 五胡五季오호오계 擾亂時隱요란시은

남북조가 분주히 다투고 오호오계[38] 시끄러울 때

唱歌草起창가초기 割也爲而ᄒᆞᆯ야ᄒᆞᆫ이 管子毛生관자모생 汚穢下高오예ᄒᆞ고

노래지어 읊으려 하니 관자[39] 붓털이 땀으로 더럽힐 듯하고

---

35 갈건으로 술을 걸러냄.

36 중국 남조 송나라 초대 황제 유유劉裕의 어릴 적 이름이 기노寄奴로 그가 어릴 적에 몸을 다쳐 출혈이 있지 어떤 풀로 치료했다고 하여 그 풀을 기노초라 부름.

37 중국 남송시대 유씨 왕가.

38 한진대漢晉代에 북방에서 이주한 다섯 무리의 이민족. 곧 흉노와 갈·선비·저·강을 오호라 하고, 오계는 오대의 문란한 상태를 말함.

39 중국 춘추시대 제나라의 정치가로 제나라 환공桓公을 도와 패자가 되게 한 관중管仲을 말함. 포숙아鮑叔牙와의 깊은 우정으로 유명하여 '관포지교管鮑之交'라 부름.

大唐大宋대당대송 可觀跡焉가관적은 墨卿與議묵경여의 闊也爲伊홀야ᄒᆞ니

대당대송의 볼만한 자취는 묵경과 더불어 의논하려 하니

枚枚盡說매매진설 難處中矣난처중의 宮淫溺寵궁음익총 大唐而五대당이오

일일이 다 말하기 어려운 중에 궁음익총은 당나라요

帝心暗弱제심암약 南宋日世남송일셰 仙學佛術선학불술 蠱惑咸果고혹흠과

황제 마음 어둡고 약한 것은 남송일세

阿諛苟容이유구용 蠹悅咸道두열흠도 前世秦漢전세진한 同轍以五동철이오

아첨 여색에 빠져 탐닉함도 앞시대 전한과 같음이요

宦寺寵貴환시총귀 振動咸果진동흠과 忠賢嘉謨충현가모 戮逐含道육축흠도

환관충신 일어나 진동함과 충신현신 모함하여 죽이고 쫓아냄도

前世秦漢전세진한 不鑑日世불감일셰 不鑑前世불감전세 河女五以ᄒᆞ여오니

앞 시대 전한을 거울삼지 않았네 앞 시대 귀감삼지 않으니

善安從生선안종생 興平河高흥평ᄒᆞ고 亂亡不至난망부지 安在爲高안재홀고

어찌 평생 흥하고 평화롭고 어지러이 망하지 않고 편히 있겠는가

創興治平창흥치평 安社稷道안사직도 前世興王전세흥왕 同轍伊五동철이오

나라 세워 다스려 사직을 편안히 함도 앞 시대 나라 흥하게 한 임금과 같고

敗亂家國패란가국 亡社稷刀망사직도 前世不君전세불군 同轍日世동철일셰

나라 어지럽혀 사직을 망하게 함도 앞 시대 망한 임금과 같도다

烈士忠直열사충직 眞儒賢伊진유현이 亂世羅高난세ᄅᆞ고 邑室孫可읍실손가

열사와 충신 참선비와 어진이가 난세라고 없겠는가

蠹小奸諛두소간유 凶賊臣以흉적신이 平時羅高평시ᄅᆞ고 邑室孫可읍실손ᄀᆞ

좀벌레 같은 간사하고 아첨하는 적신들이 평시라고 없겠는가

人君心事인군심사 如何中矣여하중의 蠹反忠두반충 忠反蠹충반두

임금의 마음 어떠한가에 간신이 충신되고 충신이 간신되어

日於爲高일어ᄒᆞ고 亂反平난반평 平反亂평반난 日於爲尼일어ᄒᆞ니

이러하니 난세가 평화되고 평화가 난세되어 이러하니

胡爲不思호위불사 無三日高무삼일고 嗚呼人君오호인군 獨豈然可독기연ᄀᆞ

어찌하여 생각지 않아 무슨 일인가 아 임금만 유독 어찌 그러하리오

嗟亦人臣차역인신 多其於以ᄃᆞ글어니 一時寵貴일시총귀 造他馬所조타마소

슬프다 신하 또한 다 그러니 한 때 총예와 귀함 좋다 마소

季世誤君계셰오군 貪榮家矣탐영가의 媚諛要華미유요화 富貴身以부귀신이

말세 그릇된 임금과 영화를 탐하는 자 미유요화[40] 부귀영화 누리는 몸

傾國前矣경국전의 屠戮爲刀도륙ᄒᆞᄂᆡ 殉忠死義순충사의 不顧家矣불고가의

나라 기울기 전에 도륙하네 충의 위해 죽음 돌보지 않으니

---

40 요직과 화려한 직위에 있는 권신에게 아부하며 예쁘게 보임.

殺身夷族살신이족 樂節人隱낙절인은 他國矣道타국의도 師則爲刀사즉ᄒᆞ니

죽어 절개 지킨 이족 사람들은 다른 나라 사람이어도 배울만 하네

昭昭史册소소사책 春秋筆以춘추필이 無私爲尼무사ᄒᆞ니 萬代眸羅반대모라

밝고 밝은 역사책 춘추필법은 무사하니 만대의 눈이라

興世事跡홍세사적 披閱爲高피열ᄒᆞ고 季世事跡계세사적 揣摩漢而취마ᄒᆞ니

흥할 때 사적 모두 살피고 망한 때의 사적 헤아려보니

可憐賢人가련현인 榮華道也영화도야 千世萬世천세만세 遺芳爲古유방ᄒᆞ고

불쌍한 현인 영화롭게 되어 천세만세에 꽃향기 남기고

富貴小人부귀소인 可憐道也가련도야 千世萬世천세만세 恒殺日世항살일세

부귀 누린 소인 불쌍하게 되어 천세만세 늘 죽음일세

致身行志치신행지 活也爲面ᄒᆞᆯ야ᄒᆞ면 百諫一謨백간일모 無用爲也무용ᄒᆞ다

조정에 나가 뜻을 펴려하며 백마디 간언 소용없다

退終巖穴퇴종암혈 ᄒᆞᆯ야ᄒᆞ면活也爲面 林水之樂임수지락 豈窮闊也기궁ᄒᆞᆯ야

물러나 암혈에서 일생 마치려 하면 산수의 즐거움 어찌 다 하겠는가

天理此間천리차간 順命爲面순명ᄒᆞ면 無恨爲尼무한ᄒᆞᆫ이 安身日世안신일셰

하늘과 땅 사이에 천명을 따르면 무한하니 이 몸 편하겠네

比干見殺비간견살 殷仁而羅은인이ᄂᆞ 止則止道지즉지도 聖人日世성인일셰

비간은 죽음당했으나 은나라 어진이라 그칠 곳에 그치는 것도 성인일세

一章歌言일장가언 荒澁爲那황삽ᄒᆞᄂᆞ 節節懇惻절절간측 刀也西羅도야셔라

한 장의 노래 거칠고 성글지만 마디마디 간절한 슬픔 되었구나

人君爲鑑인군위감 爲也時面ᄒᆞ야시면 傳世無窮전세무궁 爲狎時古하압시고

임금이 거울로 삼는다면 전세무궁 할 것이고

人臣取則인신취즉 爲也時面ᄒᆞ야시면 永命無窮영명무궁 都如難而되여ᄂᆞ니

신하가 교훈으로 삼는다면 그 생명 영원무궁 될 것이니

於噫乎오희호 世世上세세상 爲君臣以也兮위군신이야혜

아! 이 세상에 임금과 신하된 자여

64. 영삼별곡寧三別曲

① 작품명 : 영삼별곡寧三別曲

② 작자명 : 권섭(權燮, 1671～1759)

권섭의 호는 옥소玉所·삼기자三奇子 등이며, 안동인으로 유학의 대가 권상하의 조카이다. 권섭은 서울에서 태어나 젊은 시절 세상사에 관심을 갖기도 했으나 주변 인물들의 정치적 영락을 목도하고 재야에서 문필 활동을 하며 일생을 마쳤다. 전국 명승 탐방 경험을 노래한 작품들이 많다. 한시 3,000여 수, 시조 75수, 가사 2편 등의 방대한 작품이 전한다.

③ 출전 : 필사본 《옥소고玉所稿》

④ 해제

〈영삼별곡〉은 작자의 나이 34세 때인 1704년에 창작한 작품으로, 영월을 출발하여 삼척에 이르는 여정 체험을 노래한 유람기행가사다. 영삼은 영월·삼척을 줄인 말이다. 전원에 묻혀 지내는 작자의 정황 서술을 시작으로, 춘삼월 호시절에 영월 명승 유적을 돌아보며 느낀 소회, 동으로 여정을 계속하며 마주친 산천경개와 산촌의 생활풍정, 대관령·청옥산·무릉계를 거쳐 삼척에 이르는 도중의 수려한 풍경과 흥취, 삼척 동해바다 일대의 기이한 경관, 성내 누정에 앉아 마주한 달밤의 정취, 여정을 마치는 소회 등을 노래했다. 정철의 〈관동별곡〉에서 영향을 받은 것으로 보이며, 시상의 안배와 조절, 섬세한 표현과 감각적 이미지, 우리말 구사에 개성이 돋보이는 작품이다.

⑤ 원문과 현대역

이 몸이 텬디간天地間의 ᄡᅵ올 ᄃᆡ 젼혀 업서
이 몸이 천지 간에 쓰일 곳 전혀 없어
삼십년三十年 광음光陰을 흐롱하롱 보내여다
삼십 년 세월을 흐지부지 보내는도다
풍정風情이 호탕浩蕩ᄒᆞ여 믈외物外예 연업緣業으로
풍모 정회 호탕하여 세상 바깥의 인연 업보로
녹슈綠水 청산青山의 분대로 ᄃᆞᆫ니더니
녹수 청산에서 분수대로 다니더니
져근덧 병病이 드러 님장林庄을 닷아시니
잠시 동안 병이 들어 풀로 이은 집 닫았더니
엇던 뒷졀 즁이 헌ᄉᆞ도 ᄒᆞᆯ셰이고
어떤 뒷절 중이 말을 많이도 하는구나
쥬령을 느지 집고 날ᄃᆞ려 닐온 말이
주장자를 느슨히 짚고 나더러 이르는 말이
네 병病을 내 모ᄅᆞ랴 슈셕水石의 고황膏肓이니
네 병을 내 모르랴 자연 탐닉하는 고질병이니
츈풍이 완만緩晩ᄒᆞ여 ᄇᆡᆨ화百花ᄂᆞᆫ 거의 딘 제
봄바람 산들 불어 온갖 꽃이 거의 진 무렵
산듕山中의 비 ᄀᆞᆺ 개니 텬긔天氣도 ᄆᆞᆰ을시고
산중에 비 막 개이니 날씨도 맑을시고
어와 이 사ᄅᆞᆷ아 쳘 업시 누어시랴
어와 이 사람아 시절 모르고 누워 있으랴
청녀당青藜杖 ᄇᆡ야 집고 갈대로 가쟈스라
명아주 지팡이 서둘러 잡고 발길 닿는 대로 가자꾸나

결의 니러 안자 창窓을 열고 ᄇᆞ라보니
꿈결에 일어나 앉아 창을 열고 바라보니
청풍淸風이 건듯 불고 새소ᄅᆡ 지지필 제
맑은 바람 문득 불고 새소리 지저귈 때
시냇ᄀᆞ 방초芳草 길히 동협東峽의 니어셰라
새냇가 풀꽃 길이 동쪽 산골로 이어졌구나
아ᄒᆡ 죵 블너 내여 쌔 걸닌 여읜 ᄆᆞᆯ께
아이 종 불러내어 뼈 앙상한 여윈 말에
채직을 거더 쥐고 임의任意로 노아 가니
채찍을 거두어 쥐고 내맡겨 놓아 가노라니
삼삼三三 가졀佳節이 째마촘 됴흘시고
봄 삼월 멋진 시절이 때마침 좋을시고
산동야로山童野老들이 츈흥春興을 못내 겨워
산골 동자 시골 노인들이 춘흥을 못 이기어
탁쥬濁酒병 두러 메고 촌가村歌를 느초 불며
탁주 병 둘러 메고 민요 가락 느리게 부르며
오락가락 ᄃᆞᆫ니는 양 한가閑暇토 한가閑暇ᄒᆞᆯ샤
오락가락 다니는 모습 한가롭기도 한가롭구나
ᄆᆞᆯ 등의 느즌 ᄌᆞᆷ을 셕양夕陽의 빗기 드러
말 등에서 늦은 잠을 석양에 잠깐 들어
쳔봉千峰 만학萬壑을 ᄭᅮᆷ속의 디내치니
겹겹 산봉우리 첩첩 골짜기를 꿈속에 지나치니
듀쳔酒泉 ᄂᆞ린 믈이 청녕포淸泠浦로 다ᄒᆞ셰라
주천강 내린 물이 청령포로 닿았어라
ᄆᆞᆯ ᄂᆞ려 ᄉᆞ빈ᄒᆞ고 에에쳐 울온 말이
말에서 내려 사배하고 곡하며 우는 말이

셕벽石壁은 참텬參天ᄒᆞ고 인적人跡이 긋쳣ᄂᆞᆫᄃᆡ
석벽은 하늘 찌르듯 솟아 있고 인적은 그쳤는데
동청수冬靑樹 녯가지예 쵹ᄇᆡᆨ셩蜀魄聲은 ᄆᆞᄉᆞᆫ 일고
사철나무 옛 가지에 두견새 소리는 무슨 일인가
창오산蒼梧山 졈은 구름 갈 길도 깁흘시고
창오산 저무는 구름 갈 길도 깊고 깊구나
동강東江을 건너리라 믈ᄀᆞ의 ᄂᆞ려오니
동강을 건너리라 물가에 내려오니
샤공沙工은 어ᄃᆡ 가고 뷘 ᄇᆡ만 걸렷ᄂᆞ니
사공은 어디 가고 빈 배만 걸렸는가
사앗대 손조 잡아 거스러 올라가니
상앗대 손수 잡아 거슬러 올라가니
금강졍錦江亭 블근 난간闌干 표묘縹渺히 내ᄃᆞᆺ거ᄂᆞᆯ
금강정 붉은 난간 아득히 내닫거늘
져근덧 올라 안자 머리를 드러ᄒᆞ니
잠깐 올라 앉아 머리를 들어보니
봉ᄂᆡ산蓬萊山 제일봉第一峯의 ᄎᆡ운彩雲이 어ᄅᆡᄂᆞᆫᄃᆡ
봉래산 제일봉에 채색구름이 어려 있는데
션옹仙翁을 마조 보아 ᄆᆞᄉᆞᆫ 일 뭇ᄌᆞ올 듯
신선을 마주 보고 무슨 일 묻자고 하는 듯
머흔 내 스므 구ᄇᆡ 건너고 곳쳐 건너
험한 시내 스무 굽이 건너고 다시 건너
청산은 은은ᄒᆞ고 벽계슈碧溪水 둘럿ᄂᆞᆫᄃᆡ
청산은 은은하고 푸른 새냇물 둘러 있는데
운니촌雲離村 뫼밋 ᄆᆞ을 일흠도 됴흘시고
운리촌 산 밑 마을 이름도 좋을시고

산가山家의 손이 업서 개와 ᄃᆞᆰ ᄲᅮᆫ이로라
산골집에 손님이 없어 개와 닭 뿐이도다
귀오리 데친 밥의 풋ᄂᆞ믈 ᄉᆞᆱ마 내여
귀리를 데친 밥에 풋나물 삶아 내어
포단蒲團 펴 안쳐 노코 슬토록 권ᄒᆞᄂᆞᆫ다
부들방석 펴 앉게 하고 싫도록 권하는도다
어와 이 ᄇᆡᆨ셩百姓들 긔특奇特도 ᄒᆞᆫ져이고
어와 이 백성들 기특도 하도다
십니十里 쟝곡長谷의 졀벽絕壁은 됴커니와
십 리 긴 골짜기에 절벽은 아름다우나
서덝길 머흔 곳의 냥협兩峽이 다ᄒᆞ시니
자갈 산길 험한 곳 양편 골짜기 닿았으니
머리 우 조각 하늘 뵈락말락 ᄒᆞᄂᆞ고야
머리 위 조각 하늘 보일락 말락 하는구나
밀거니 ᄃᆞᄅᆡ거니 곳드르며 나간 말이
밀거니 달리거니 꽃내음 맡으며 나가는 말이
별이別異실 외ᄯᆞᆫ ᄆᆞ을 ᄒᆡᄂᆞᆫ 어이 쉬 넘거니
별천지 골 외딴 마을 해는 어이 쉬넘는가
봉당封堂의 자리 보아 더 새고 가쟈스라
흙마루에 자리 보아 밤을 지내고 가자꾸나
밤듕만 사립 밧긔 긴 ᄇᆞ람 니러나며
밤중쯤 사립문 밖에 긴 바람 일어나며
삿기곰 큰 호랑虎狼이 목 ᄀᆞ라 우ᄂᆞᆫ 소ᄅᆡ
새끼 곰 큰 범 승량이 목소리 바꿔 우는 소리
산ᄭᆞᆯ의 울혀 이셔 긔염氣焰도 흘난ᄒᆞᆯ샤
산골에 울려 퍼져 사나운 기세 어지럽구나

칼 ᄲᆡ여 겻희 노코 이 밤을 계유 새와
칼 빼어 곁에 놓고 이 밤을 겨우 새워
압내희 빠딘 오슬 쥡짜셔 손의 쥐고
앞내에 빠진 옷을 쥐어짜서 손에 쥐고
긴 별로別路 도로 ᄃᆞ라 벌ᄊᆡᆯ의 ᄢᅬ야 닙고
길게 난 길 돌아 달려가 벌판 볕 쬐어 입고
진秦 적의 숨은 ᄇᆡᆨ셩百姓 이제 와 보게 되면
진나라 때 숨어 산 백성 이제 와 보게 되면
도원桃園이 여긔도곤 낫닷 말 못ᄒᆞ려니
무릉도원이 여기보다 낫단 말 못하리니
텬변天邊의 ᄀᆞᄅᆞ진 뫼 대관녕大關嶺 니어시니
하늘가에 가려진 산 대관령을 이었으니
위ᄐᆡ危殆코 놉흔 댓재 쵹도란蜀道難이 이러턴가
위태롭고 높은 고개 촉도난[1]이 이러하던가
하ᄂᆞᆯ의 도든 별을 져기면 ᄆᆞᆫ질노다
하늘에 돋은 별을 어쩌면 만지겠도다
망망대양茫茫大洋이 그 알ᄑᆡ 둘러 이셔
끝없이 넓은 바다가 그 앞에 펼쳐져 있어
대디大地 산악山岳을 일야日夜의 흔드ᄂᆞᆫ ᄃᆞᆺ
대지와 산악을 밤낮으로 흔드는 듯
밋 업슨 큰 굴헝의 ᄒᆞᆫ恨업시 빠힌 믈이
바닥 없는 큰 구렁에 한없이 쌓인 물이
만고萬古의 ᄒᆞᆫᄀᆞᆯᄀᆞ티 영튝盈縮이 잇돗던가
만고에 한결같이 차고 줄어듦이 있었던가

1 촉蜀으로 가는 길은 험하고 어렵기 이를 데 없음. 이백은 〈촉도난蜀道難〉이라는 시에서 사천성 검문관劍門關 주변의 험한 지리를 인생살이의 어려움에 비견하였음.

텬디간天地間 장壯ᄒᆞᆫ 경계境界 반半 남아 믈이로다
천지 간 장대한 경계 반이 넘게 물이로다
아마도 져 긔운氣運이 무어스로 삼겻ᄂᆞᆫ고
아마도 저 기운이 무엇으로 생겨났는가
셩인을 언제 만나 이 니理를 뭇ᄌᆞ오리
성인을 언제 만나 이 이치를 묻자오리
바회길 닉은 듕의 대 남녀藍輿 느초 메워
바위길 익숙한 중에게 대나무 가마 느슨히 메게 해
ᄯᅧ러진 험險ᄒᆞᆫ 빙애砯崖 얼ᄂᆞᆫ ᄃᆞᆺ 디내티여
낭떠러지 험한 벼랑 얼른 거쳐 지나가게 해
청옥산靑玉山 한 속으로 쳡쳡疊疊이 도라드니
청옥산 큰 골짜기로 첩첩이 돌아드니
운모병雲母屛 금슈장錦繡帳이 자우左右로 펼쳐셰라
운모 병풍 비단 장막이 좌우로 펼쳐있구나
운교雲橋를 걸어 건너 솔 속의 쉬여 안자
구름다리를 걸어 건너 솔숲에 쉬어 앉아
나모 ᄒᆞᄂᆞᆫ 아ᄒᆡ들아 디난 일 뭇쟛고야
나무 하는 아이들아 지난 일 물어보자
블암의 움즉인들 ᄂᆞᆯ 여젼디 긔 몃 ᄒᆡ며
바람이 움직인들 날이 여전한지 그 몇 해며
ᄧᅡᆨ 업슨 녯 셩문城門이 어ᄂᆞ 적의 ᄡᆞ닷 말고
짝 없는 옛 성문 어느 적에 쌓았단 말인가
이 손님 뉘시완ᄃᆡ 어이 들어 와 계신고
이 손님 누구신데 어이 들어 와 계시는가
낫 ᄉᆞᆺ기 메오 ᄎᆞ고 압졀의 샹재上佐러니
낫과 새끼 메어 찬 앞 절의 상좌러니

나무섭 ᄯᆞ라 와셔 무심이 ᄃᆞ니오네
나무와 섶 하러 와서 무심히 다니오니
진관암眞觀庵 폐廢ᄒᆞᆫ 줄은 우리 다 알거니와
진관암 없어진 것은 우리 모두 알거니와
그 밧긔 물을 일은 목적牧笛의 부쳐셰라
그 밖에 물을 일은 목동 피리에 부쳐야겠구나
뫼 밋회 설인 뇽龍이 변화도 무궁無窮ᄒᆞ야
산 밑에 서린 용이 변화도 무궁하여
음심陰深ᄒᆞᆫ 오랜 소희 굴ᄐᆡᆨ窟宅을 삼아 이셔
검고 깊은 오래된 소에 굴 집을 삼고 있어
층애層厓 ᄇᆡᆨ쳑百尺의 일필년一疋練 거러 두고
층층 벼랑 백 척 길이에 한 필 비단[2] 걸어 두고
ᄇᆡᆨ일白日 뇌졍雷霆이 동학洞壑의 ᄌᆞ자시니
대낮 우레소리가 골짜기에 울려 퍼지니
구프려 보던 줄이 내일이 섬써올샤
귀 닫고 보던 것이 내일이라고 조용해지겠는가
명사明沙를 믄이 ᄇᆞᆯ아 동ᄒᆡ東海로 ᄂᆞ려가셔
맑은 모래 이어 밟아 동해로 내려가서
ᄇᆡᆨ옥쥬白玉珠 벌은 곳의 헤혀고 안즌 말이
백옥 구슬 벌어진 곳에 헤치고 앉으니
동셔東西를 모ᄅᆞ거니 원근遠近을 어이 알니
동서를 모르거니 원근을 어이 알리
창파滄波의 ᄠᅧᆺ는 돗기 주줄이 펼텨 이셔
푸른 파도에 떠 있는 돛이 줄줄이 펼쳐져 있어

---

2 하얗게 바랜 한 필의 비단. 여기에서는 폭포수가 흐르는 형상.

엇그제 어ᄃᆡ 디나 어ᄃᆡ로 간닷 말고
엇그제 어느 곳 지나 어디로 간다는 말인가
어촌漁村의 늙은 샤공沙工 손 헤여 블너 내여
어촌의 늙은 사공 손짓하여 불러 내어
ᄒᆡ샹海上 쇼식消息을 슬ᄏᆞ장 믈은 후後의
바다 위 소식을 싫도록 물은 후에
홰블을 ᄇᆡ야 들고 셩문을 드러가니
횃불을 재촉해 들고 성문을 들어가니
오오군각셩嗚嗚群角聲의 ᄒᆡ월海月이 도라셰라
소리 높은 나팔소리에 바다에 달이 돋았어라
금쇼졍琴嘯亭 도로 ᄃᆞ라 칠션七仙은 긔 뉘런고
금소정 돌아 달려가 일곱 신선은 그 누구던가
금ᄌᆞᆷ구ᄉᆞ金簪舊事ᄂᆞᆫ 몃 ᄒᆡ나 되엿ᄂᆞ니
금비녀 옛 일은 몇 해나 되었으니
소션蘇仙 적벽赤壁의 학영鶴影은 그쳣ᄂᆞᆫᄃᆡ
소동파 적벽에 학 그림자 그쳤는데
셔셰瑞世 단봉丹鳳을 헛虛되이 기ᄃᆞᆯ일샤
좋은 세상 임금 말씀을 헛되이 기다리랴
댱검長劍을 ᄲᅢ쳐 내여 손 속의 거더 쥐고
장검을 빼어 내어 손 안에 걷어쥐고
긴 노래 ᄒᆞᆫ 곡죠曲調를 목노하 블은 말이
긴 노래 한 곡조를 목놓아 부르노니
산호수珊瑚樹 벽헌碧軒의 ᄇᆞ람의 비겨 안자
산호로 만든 푸른 난간에 바람을 비껴 앉아
니젹션李謫仙 풍ᄎᆡ風彩를 다시 만나 볼거이고
이태백 풍채를 다시 만나 보겠도다

당경셩長庚星 ᄇᆞᆰ은 빗치 긔 아니 긔롯던가
태백성 밝은 빛이 그 아니 그가 아니겠는가
태ᄇᆡᆨ산太白山 깁흔 속의 게나 아니 가 잇ᄂᆞᆫ가
태백산 깊은 속에 거기나 아니 가 있는가
오ᄅᆞ며 ᄂᆞ리며 슬ᄏᆞ장 헤다히니
오르며 내리며 싫도록 술을 마시니[3]
어와 헌ᄉᆞ홀샤 내 아니 허랑虛浪ᄒᆞ야
어와 야단스럽도다 내 아니 허랑하여
뉴하쥬流霞酒 ᄀᆞ득 부어 ᄃᆞᆯ빗츨 섯거 마셔
신선의 술 가득 부어 달빛을 섞어 마셔
흉금胸襟이 황낭晃朗ᄒᆞ니 져기면 ᄂᆞᆯ리로다
가슴속이 환해지니 어쩌면 날겠도다
ᄇᆡᆨ년百年 텬디天地의 우락憂樂을 모ᄅᆞ거니
백 년 누리는 세상에서 근심 즐거움 모르거니
일몽진환一夢塵寰의 영욕榮辱을 내 아더냐
한바탕 꿈같은 세상에서 영욕을 내 알더냐
펴랑이 초메토리 다 ᄡᅥ러 ᄇᆞᆯ이도록
패랭이 짚미투리 다 떨어져 버릴 때까지
산님山林 호ᄒᆡ湖海에 ᄆᆞ음굿 노니며서
산림 호수 바다에 마음껏 노니면서
이렁셩 져렁셩 구다가 아므리나 ᄒᆞ리라
이렇게 저렇게 굴다가 아무 일이나 하리라

---

3 헤다히니. 혀를 대니. 술을 마시니.

65. 용담가龍潭歌

① 작품명 : 용담가龍潭歌

② 작자명 : 최제우(崔濟愚, 1824～1864)

최제우의 자는 성묵性默, 호는 수운水雲으로, 몰락한 양반 가문 출신이다. 세상이 어지럽고 인심이 각박하게 된 것은 사람들이 천명을 돌보지 않기 때문임을 깨닫고 경북 구미산 용담정에서 수련을 하였다. 어리석은 세상 사람을 구제하겠다고 하여 이름을 '제우濟愚'로 고쳤다. 1860년 4월 몸이 떨리고 정신이 아득해지면서 천지가 진동하는 듯한 종교체험을 하면서 서학에 반대한다는 뜻에서 동학이라는 이름으로 포교를 시작했다. 조정에서 동학 탄압이 심해지면서 경주에서 체포되어 사도난정邪道亂政이라는 죄목으로 대구에서 효수형梟首刑에 처해졌다.

③ 출전 : 《동학가사Ⅰ·Ⅱ》(정신문화연구원, 1979)

④ 해제

이 가사는 최제우가 득도한 해인 1860년에 지은 것이다. 《용담유사》 9편 중 맨 앞에 있다. 전체가 4장으로 이루어져 있으며, 2음보 1구로 모두 144구로 되어 있다. 〈용담가〉는 최제우 자신이 태어나고 자랐으며 득도하였던 경주 구미산 용담의 아름다움과 득도의 기쁨을 노래한 가사이다. 당시 일반 민중 간의 사회적 통념인 풍수지리사상과 가계존중의 문벌 충효의식이 강하게 부각되어 있다.

⑤ 원문과 현대역

국호ᄂᆞᆫ 죠션이오 업호ᄂᆞᆫ 경쥬로다

국호國號는 조선朝鮮이요 읍호邑號는 경주慶州로다

셩호ᄂᆞᆫ 월셩이오 슈명은 문슈로다

성호城號는 월성月城[1]이요 수명水名은 문수汶水로다

긔ᄌᆞ째 왕도로셔 일천년 안일넌가

기자箕子 때 왕도王都로서 일천 년 아니런가

동도ᄂᆞᆫ 고국이오 한양은 신부로다

동도東都는 고국古國이요 한양漢陽은 신부新府[2]로다

아동방 ᄉᆡᆼ긴후에 이런왕도 ᄯᅩ잇ᄂᆞᆫ가

아동방我東方 생긴 후에 이런 왕도王都 또 있는가

슈셰도 조컨이와 산긔도 됴을시구

수세水勢도 좋거니와 산기山氣도 좋을시고

금오ᄂᆞᆫ 남산이오 귀미ᄂᆞᆫ 셔산이라

금오金鰲는 남산이요 구미龜尾는 서산[3]이라

봉황ᄃᆡ 놉흔봉은 봉거ᄃᆡ공 하여잇고

봉황대鳳凰臺 높은 봉은 봉거대고鳳去臺高[4] 하여 있고

쳠셩ᄃᆡ 놉흔탑은 월셩을 직혀잇고

첨성대瞻星臺 높은 탑은 월성月城을 지켜 있고

청옥뎍 황옥뎍은 자웅으로 직혀잇고

청옥적靑玉笛 황옥적黃玉笛[5]은 자웅을 지켜 있고

---

1 옛 신라의 왕궁이었던 경주의 반월성半月城.

2 동도인 경주는 옛 나라인 신라의 서울이고, 한양은 새 나라 조선의 서울을 뜻함.

3 금오산은 경주의 남산, 구미산은 경주의 서산.

4 봉황은 날아가고 대만 높이 서 있음.

5 푸르고 누른 옥피리. 만파식적萬波息笛을 뜻함.

일쳔년 신라국은 소ᄅᆡ를 직혀ᄂᆡ네
일천 년 신라국新羅國은 소리를 지켜 내네
어화셰샹 사ᄅᆞᆷ덜아 이런승디 구경하소
어와 세상 사람들아 이런 승지勝地 구경 하소
동읍삼산 볼작시면 신션업기 괴이하고
동읍 삼산三山 볼 것이면 신선神仙없기 괴이하다
셔읍쥬산 잇셔시니 추로지풍 업슬소냐
서읍 주산主山 있었으니 추로지풍鄒魯之風[6] 없을쏘냐
어화셰샹 사ᄅᆞᆷ덜아 고도강산 구경하소
어와 세상 사람들아 고도강산古都江山 구경하소
인걸은 디령이라 명현달ᄉᆞ 아니날ᄭᆡ
인걸人傑은 지령地靈이라 명현열사名賢烈士 아닐런가
하믈며 귀미산은 동도지 쥬산일셰
하물며 구미산龜尾山은 동도東都의 주산일세
곤륜산 일지ᄆᆡᆨ은 즁화로 버려잇고
곤륜산崑崙山 일지맥一枝脉은 중화中華로 벌려있고
아동방 귀미산은 쇼즁화 ᄉᆡᆼ겻구나
아동방我東方 구미산龜尾山은 소중화小中華 생겼구나
어화셰샹 사ᄅᆞᆷ덜아 나도ᄯᅩᄒᆞᆫ 츌셰후에
어와 세상 사람들아 나도 또한 출세出世 후에
고도강산 직혀ᄂᆡ여 셰셰유젼 안일넌가
고도강산古都江山[7] 지켜 내어 세세유전世世遺傳[8] 아닐런가

---

6 공자 맹자의 가르침 같은 좋은 풍화. 곧 유교의 덕화德化.
7 옛 도읍의 산과 강.
8 대대로 후대에 남기어 전함.

긔장하다 긔장하다 귀미산긔 긔장하다
기장奇壯[9]하다 기장하다 구미산 기장하다
거룩훈 가엄최씨 복덕산 안일넌가
거룩한 가암최씨佳巖崔氏[10] 복덕산福德山[11] 아닐런가
귀미산 싱긴후에 우리션죠 나셧구나
구미산龜尾山 생긴 후에 우리 선조 나셨구나
산음인가 슈음인가 위국츙신 긔쟝하다
산음山蔭인가 수음水蔭[12]인가 위국충신爲國忠臣[13] 기장하다
가련하다 가련하다 우리부친 가련하다
가련可憐하다 가련하다 우리 부친 가련하다
귀미룡담 죠흔승디 도덕문장 닥거닉여
구미용담龜尾龍潭 좋은 승지勝地 도덕 문장 닦아 내어
산음슈음 아지마는 립신양명 못하시고
산음 수음 알지만은 입신양명立身揚名 못하시고
귀미산하 일명각을 룡담이라 일홈하고
구미산하 일정각一亭閣을 용담龍潭이라 이름하고
산림쳐슨 일포의로 후셰예 젼탄말가
산림처사山林處士 일포의一布衣[14]로 후세에 전한단 말가
가련하다 가련하다 이내가운 가련하다
가련하다 가련하다 이내 가운家運 가련하다

9 기이하고 웅장함.
10 경주최씨의 한 지파로 최제우의 집안.
11 구미산을 뜻함.
12 산의 음덕인가, 물의 음덕인가.
13 나라의 충성스러운 신하.
14 벼슬하지 않은 선비.

나도ᄯᅩᄒᆞᆫ 츌세후로 득죄부모 안일넌가

나도 또한 출세 후로 득죄부모得罪父母[15] 아닐런가

불효불효 못면하니 젹셰원울 안일넌가

불효불효不孝不孝 못 면하니 적세원울積世怨鬱[16] 아닐런가

불우지시 남아로셔 허숑셰월 하엿구나

불우시지남아不遇時之男兒[17]로서 허송세월虛送歲月 하였구나

인간만ᄉᆞ ᄒᆡᆼ하다가 거연ᄉᆞ십 되얏더라

인간 만사 행하다가 거연遽然[18] 사십 되었더라

ᄉᆞ십평ᄉᆡᆼ 이ᄲᅮᆫ인가 무가내라 할길읍다

사십 평생 이뿐인가 무가내無可奈[19]라 할 길 없다

귀미룡담 차자오니 흐르나니 물쇼리오

구미 용담 찾아오니 흐르느니 물소리요

놉푸나니 산이로셰 좌우산쳔 둘너보니

높으니 산이로세 좌우 산천 둘러보니

산슈ᄂᆞᆫ 의구하고 초목은 함졍하니

산수는 의구依舊하고 초목은 함정含情하니

불효ᄒᆞᆫ 이내마ᄋᆞᆷ 그아니 슬풀쇼냐

불효한 이내 마음 그 아니 슬플소냐

오작은 나라들어 조롱을 하ᄂᆞᆫ듯고

오작烏鵲은 날아들어 조롱하는 듯하고

숑ᄇᆡᆨ은 울울하여 졍결을 직혀ᄂᆡ니

송백松栢은 울울鬱鬱하여 청절淸節을 지켜내니

15 부모의 뜻에 따라 살지 못하였기 때문에 부모에게 죄를 지었다는 말.

16 여러 해 쌓인 원망과 울분.

17 때를 만나지 못한 남자.

18 알지 못하는 사이에 문득.

19 가히 어찌할 수가 없음.

불효ᄒᆞᆫ 이내마ᄋᆞᆷ 비감회심 졀노ᄂᆞᆫ다
불효한 이 내 마음 비감회심悲感悔心[20] 절로난다
가련하다 이내부친 여경인들 업실쇼냐
가련하다 이내 부친 여경餘慶[21]인들 없을소냐
쳐ᄌᆞ불너 효유하고 이러그러 지ᄂᆡ나니
처자妻子 불러 효유曉諭[22]하고 이럭저럭 지내나니
텬은이 망극하여 경신ᄉᆞ월 초오일에
천은天恩이 망극하여 경신사월 초오일[23]에
글노엇지 긔록하며 말노읏지 셩언할ᄭᆞ
글로 어찌 기록하며 말로 어찌 표현할까
만고업ᄂᆞᆫ 무극대도 여몽여각 득도로다
만고 없는 무극대도無極大道 여몽여각如夢如覺[24] 득도로다
긔장하다 긔장하다 이내운수 긔장하다
기장하다 기장하다 이내 운수 기장하다
하ᄂᆞᆯ님 하신말ᄉᆞᆷ ᄀᆡ벽후 오만년에
한울님 하신 말씀 개벽 후 오만 년에
네가ᄯᅩᄒᆞᆫ 첨이로다 나도ᄯᅩᄒᆞᆫ ᄀᆡ벽이후
네가 또한 첨이로다 나도 또한 개벽 이후
로이무공 하다가셔 너를만나 셩공하니
노이무공勞而無功[25] 하다 가서 너를 만나 성공하니

---

20 슬픈 느낌과 후회하는 마음.
21 남은 경사.
22 알아 듣게 타이름.
23 1860년 4월 5일. 최제우가 득도한 날.
24 꿈인 듯 꿈에서 깬 듯.
25 노력하였으나 이룬 공이 없음. 즉 애쓴 보람이 없음.

나도셩공 너도득의 너의집안 운수로다
나도 성공 너도 득의得意 너의 집안 운수로다
이말슴 드른후에 심독희 ᄌᆞ부로다
이 말씀 들은 후에 심독희자부心獨喜自負[26]로
어화셰샹 사ᄅᆞᆷ덜아 무극지운 닥친줄을
어와 세상 사람들아 무극지운無極之運 닥친 줄을
너의웃지 알ᄭᆡ부냐 긔장하다 긔장하다
너희 어찌 알까 보냐 기장하다 기장하다
이내운수 긔장하다 긔미산슈 조흔승디
이내 운수 기장하다 구미 산수 좋은 승지
무극대도 닥가ᄂᆡ니 오만년지 운수로다
무극대도無極大道 닦아내니 오만년지운수五萬年之運數[27]로다
만셰일지 쟝부로셔 됴을시구 됴을시구
만세일지장부萬世一枝丈夫[28]로서 좋을시고 좋을시고
이내신명 됴을시구 귀미산슈 조흔풍경
이내 신명 좋을시고 구미 산수 좋은 풍경
물형으로 ᄉᆡᆼ겻다가 이내운수 맛쳣도다
물형物形으로 생겼다가 이내 운수 맞혔도다
지지엽엽 조흔풍경 군ᄌᆞ락디 안일넌가
지지엽엽枝枝葉葉[29] 좋은 풍경 군자낙지君子樂地 아닐런가
일텬지하 명승디로 만학쳔봉 긔암괴셕
일천지하一天地下 명승지로 만학천봉萬壑千峰 기암괴석奇巖怪石

---

26 마음으로 혼자 기뻐하며 스스로 자랑함.
27 개벽 이후 오만 년 만에 만나는 좋은 운수.
28 만년에 하나 나올 만한 대장부.
29 가지면 가지, 잎이면 잎마다.

산마다 이러하며 억죠창ᄉᆡᆼ 만은사ᄅᆞᆷ
산마다 이러하며 억조창생億兆蒼生 많은 사람
사ᄅᆞᆷ마다 이러할가 됴을시구 됴을시구
사람마다 이러할까 좋을시고 좋을시고
이내신명 됴을시구 귀미산슈 조흔풍경
이내 신명 좋을시고 구미 산수 좋은 풍경
아무리 조타ᄒᆡ도 내아니면 이러하며
아무리 좋다 해도 나 아니면 이러하며
내아니면 이런산슈 아동방 잇슬소냐
나 아니면 이런 산수 아동방我東邦에 있을쏘냐
나도ᄯᅩᄒᆞᆫ 신션이라 비샹텬 ᄒᆞᆫ다ᄒᆡ도
나도 또한 신선이라 비상천飛上天 한다 해도
이내 선경仙境 구미 용담 다시 보기 어렵도다
이내션경 귀미룡담 다시보기 어렵도다
쳔만년 지ᄂᆡ온들 아니잇ᄌᆞ ᄆᆡᆼ셔ᄒᆡ도
천만 년 지내온들 아니 잊자 맹세해도
무심ᄒᆞᆫ 귀미룡담 평디되기 ᄋᆡ달하다
무심한 구미 용담 평지 되니 애달프다

66. 용부가庸婦歌

① 작품명 : 용부가庸婦歌

② 작자명 : 미상

③ 출전 : 필사본 《초당문답가草堂問答歌》

④ 해제

이 작품은 작자를 알 수 없는 연대 미상의 가사로, 《초당문답가》에 〈우부가〉와 함께 수록되어 있다. 조선시대에는 시집가는 딸들에게 시집살이에 필요한 덕목을 알려주는 〈계녀가誡女歌〉 종류의 작품들이 다수 창작되었다. 〈용부가〉는 〈계녀가〉와 달리 남성의 시각에서 작중에 등장하는 여성들의 행실을 비판적으로 그려내고 있다. 이 작품에는 작중 인물들의 행태를 자세히 서술하여 당대 사회에서 바람직하지 못한 여성들의 전형을 비판하고 있다. 다른 이본에는 〈용부편〉이라 붙여지기도 했는데, 제목의 의미로 보아, 당대의 향유자들은 작중 인물들을 '어리석은 여인' 혹은 '게으른 여인'이라 인식했다고 할 수 있다. 여기에는 '저 부인'과 '뺑덕어미'라는 두 여인이 비판의 대상으로 제시되어 있으며, 특히 두 여인의 행실을 '여성 일반'이 아니라 '한 집안의 아내(며느리)'라는 점에 초점이 맞춰져 있다.

⑤ 원문과 현대역

흉보기도 슬타마는 져 부인의 거동 보소

흉보기 싫지마는 저 부인의 거동 보소

시집간 지 셕 달 만의 시집ᄉᆞ리 심허다고
시집간 지 석 달 만에 시집살이 심하다고
친졍의 편지허며 ᄉᆡ집 흉을 ᄌᆞᆸ아ᄂᆡ며
친정에 편지하여 시집 흉을 잡아내며
계엄헐ᄉᆞ ᄉᆡ아바니 암상헐ᄉᆞ ᄉᆡ어머니
엄격하신 시아버지 앙칼진 시어머니
고ᄌᆞ질의 ᄉᆡ누의와 엄슉허기 맛동세라
고자질하는 시누이와 엄숙한 맏동서라
요악헌 아오 동세 여호갓튼 시앗년의
요악妖惡한 아래 동서 여우 같은 첩년에
드셰도다 남녀 노복 들며 나며 흉 구덕에
드세도다 남여 노비 들며 나며 험 구덕에
남편이나 미덧더니 십벌지목 되얏셰라
남편이라고 믿었더니 십벌지목[1] 되었구나
여긔져긔 살셜이요 구셕구셕 모함이라
여기저기 사설邪說이요 구석구석 모함이라
시집ᄉᆞ리 못 허겟네 간슈병을 기우리며
시집살이 못 하겠네 간수병[2]을 기울이며
치마 쓰고 ᄂᆡ닷기와 보찜 ᄊᆞ고 도망질에
치마 쓰고 내닫기와 봇짐 싸고 도망질에
오락가락 못 견ᄃᆡ며 승드리나 ᄯᅡ라갈가
오락가락 못 견디며 중들이나 따라갈까

---

1 열 번 찍어 안 넘어가는 나무 없다는 말로, 남편이 자신의 방패막이가 되지 못한다는 뜻.

2 소금이 녹은 액체. 짜고 쓴 간수를 넣어둔 병.

긴 장쥭이 벗시 되고 들 구경 ᄒᆞ야 볼가
긴 담뱃대 벗이 되고 들 구경 해 볼까
문복허기 소일이라
문복問卜[3]하기 소일이라
것흐로ᄂᆞᆫ 시름이요 쇽으로ᄂᆞᆫ ᄯᆞᆫᄉᆡᆼ각에
겉으로는 시름이고 속으로는 다른 생각에
반분ᄯᆡ로 일을 ᄉᆞᆷ고 털 ᄲᆞᆸ기가 셰월이라
반분대半粉黛[4]로 일을 삼고 털 뽑기가 세월이라
ᄉᆡ부모가 경계허면 말 한 마ᄃᆡ 지지 안코
시부모가 타이르면 말 한 마디 지지 않고
남편이 걱정허면 뒤 바다 맛넉슈요
남편이 걱정하면 뒤 받아 맞대꾸요
들고 나니 쵸롱군에 팔ᄌᆞ나 곳쳐 볼까
들고 나니 초롱꾼[5]에 팔자나 고쳐 볼까
양반 ᄌᆞ랑 모도 허며 ᄉᆡᆨ쥬가나 ᄒᆞ야 볼가
양반 자랑 모두 하며 색주가나 해 볼까
남문 밧 ᄲᆡᆼ덕어미 텬셩이 져러 헌가 ᄇᆡ워셔 그러 헌가
남문 밖 뺑덕어미 천성이 저러 한가 배워서 그러 한가
본ᄃᆡ업시 ᄌᆞ라야셔 여긔져긔 무루맛침
본데없이 자라서 여기저기 무릎맞춤[6]
ᄊᆞ홈질노 셰월이라 남의 말 말젼쥬와
싸움질로 세월이라 남의 말 이간질과

3 점을 치는 것.
4 분 바르기와 눈썹 그리는 것.
5 의례가 있을 때 초롱불을 들고 다니는 사람.
6 두 사람 간의 말이 서로 틀릴 적에 삼자 앞에서 대질하여 변론하는 것.

들며는 음식 공논 졔 조상은 부지허고
들어가서 음식 공론 제 조상은 몰라보고
불공허기 위업헐 졔 무당쇼경 푸닥거리 의복가지 다 ᄂᆡ쥬고
불공佛供하기 생업 삼고 무당 소경 푸닥거리 의복가지 다 내주고
남편 모양 볼 쪽시면 삽살ᄀᆡ 뒷다리요
남편 모양 볼 것 같으면 삽살개 뒷다리 같고
ᄌᆞ식 거동 볼 작시면 털 버슨 솔ᄀᆡ미라
자식 거동 볼 것 같으면 털 벗은 솔개미라
엿장ᄉᆞ야 ᄯᅥᆨ장ᄉᆞ야 아희 핑게 다 부르고
엿장사야 떡장사야 아이 핑계로 다 부르고
물네 압ᄒᆡ 션합품과 씨아 압ᄒᆡ 기지ᄀᆡ라
물레 앞에 선 하품과 씨아[7] 앞에 기지개라
이 집 져 집 이간질과 음담ᄑᆡ셜 일ᄉᆞᆷ는다
이 집 저 집 이간질과 음담패설淫談悖說 일삼는다
이 집 저 집 이간질로 모함ᄌᆞᆸ고 ᄯᅩᆼ 먹이기
이 집 저 집 이간질로 모함하고 똥 먹이기
인물초인 떨어내며 패쪽박이 되었구나
사람 꾀어 떨어내며 쪽박을 차게 되었구나
셰간은 쥬러 가고 걱졍은 느러간다
세간은 줄어 가고 걱정은 늘어 간다
치마는 졀노 가고 허리통이 기러 간다
치마는 짧아 가고 허리통이 길어 간다
춍 업는 헌 집신에 어린 ᄌᆞ식 둘쳐업고
총 없는 헌 짚신에 어린 자식 둘러업고

7 씨아는 목화 씨를 빼는 기구.

혼인 장ᄉᆞ 집집마다 음식 츄심 일을 ᄉᆞᆷ고
혼인 장례 집집마다 음식 쫓기 일을 삼고
아희 ᄡᆞ흠 어른 ᄡᆞᆷ에 남의 죄에 ᄆᆡ 마치기
아이 싸움 어른 싸움에 남의 죄에 매 맞게 하기
ᄭᆞ닥 업시 셩을 ᄂᆡ고 의ᄲᅳᆫ ᄌᆞ식 두다리며
까닭 없이 성을 내고 이쁜 자식 때리기며
며나리를 ᄶᅩᆺ찻시니 아들은 홀아비라
며느리를 쫓았으니 아들은 홀아비라
ᄯᆞᆯᄌᆞ식을 다려오니 남의 집은 결단이라
딸자식을 데려오니 남의 집은 결단이라
두 손퍽을 두다리며 방셩ᄃᆡ곡 괴이허다
두 손뼉을 두드리며 방성대곡放聲大哭[8] 괴이하다
무신 ᄭᅩᆯ여 ᄉᆡᆼ트집의 머리 ᄡᆞ고 드러눕기
무슨 꼴로 생트집에 머리 싸고 드러눕기
간부 달고 다라나기 관비정속 몃 번인가
간부姦夫와 함께 달아나기 관비정속官婢定屬[9] 몇 번인가
무식헌 창ᄉᆡᆼ드라 져 거동을 ᄌᆞ세 보고
무식한 백성들아 저 거동을 자세히 보소
그른 닐을 아라써든 곳칠 ᄀᆡ ᄶᆞ 힘을 쓰소
그른 일을 알았거든 고칠 개改 자 힘을 쓰소
오른 말을 드럿써든 힝허기를 위업헐지어다.
옳은 말을 들었거든 행하기를 업으로 삼을지어다.

---

8 목 놓아 크게 우는 것.
9 죄인을 관가의 계집종으로 삼는 것. 그러한 벌을 받을 만큼 죄를 많이 지음.

67. 용사음龍蛇吟

① 작품명 : 용사음龍蛇吟

② 작자명 : 최현(崔晛, 1563～1640)

최현은 조선시대의 문신으로, 자는 계승季昇, 호는 인재訒齋, 본관은 전주全州이며, 최심崔深의 아들이다. 일찍이 학봉鶴峰 김성일金誠一의 문하에서 수학하였다. 1588년(선조 21) 사마시에 합격하였으며 임진왜란 때 구국책救國策을 올려 원릉元陵 참봉이 되었다. 1606년 문과에 급제하여 한림翰林에 들어가 광해군의 천도론遷都論을 적극 반대하여 좌절시켰다. 부제학副提學을 거쳐 강원도 관찰사가 되었으나 횡성橫城 이인거李仁居의 모반에 공모했다는 혐의로 투옥되었다. 그러나 왕의 특사로 석방되었으며, 사후 순충보조공신 예조판서純忠補祚功臣禮曹判書에 추증追贈되었다.

③ 출전 : 《인재속집訒齋續集》 권8

④ 해제

이 작품은 임진왜란 당시 최현崔晛이 지은 가사이다. 그의 다른 가사 〈명월음明月吟〉과 함께 《인재속집》 권8에 실려 전한다. 임진왜란으로 몽진蒙塵 길에 오른 임금을 명월에 비유하여 우국연주憂國戀主의 지극한 정을 노래한 내용이다. 〈명월음〉이 직접적인 전란의 상황 속에서의 비분강개를 토로한 내용이라면, 이 작품은 구름에 가린 달을 보는 안타까움을 개인적인 서정에 중점을 두어 서술한 특징이 있다.

⑤ 원본과 현대역

내타신가 뉘타신고 天命인가 時運인가
내 탓인가 뉘 탓일가 천명인가 시운인가
져근덧 ᄉᆞ이예 아모란줄 내몰래라
잠깐 사이 어찌된 건 지 난 모르겠네
百戰 乾坤에 治亂도 靡常ᄒᆞ고
셀 수 없는 싸움터에 난리도[1] 많았고
南蠻 北狄도 녜브터 잇건마ᄂᆞᆫ
남북 오랑캐 예전부터 있었건만
慘目傷心이 이대도록 ᄒᆞ돗던가
참혹한 상심[2]은 이토록 혹독할까
城彼朔方ᄒᆞ니 王室이 尊嚴ᄒᆞ고
성곽이 견고하고[3] 왕실은 존엄하고
雪恥 除兇ᄒᆞ니 胡越이 一家러니
흉적을 섬멸하고[4] 치욕도 씻으려는데
皇綱 不振ᄒᆞ야 陰盛 陽衰ᄒᆞ니
천자가[5] 부진하니 소인배가 득세한다
劉總의 ᄆᆞᆯ발의 肝腦 塗地ᄒᆞ고
유총의 말발굽에 참혹하게[6] 죽어가고

---

1 무상하다. 덧없다.
2 눈을 끔찍하게 하고 마음을 아프게 함.
3 북쪽 변방에 성을 쌓아 방비를 굳게 함.
4 부끄러움을 씻고 흉한 징조를 없앰.
5 황제의 다스림.
6 간과 뇌가 흙과 뒤범벅이 됨. 싸움터에서 참살 당하는 때의 모습.

石勒의 ᄑᆞ람긋틔 雲霧 四塞ᄒᆞ니
석륵[7]의 휘파람 구름이[8] 가득하다
宋齊 梁陳에 南北을 뉘分ᄒᆞ료
송제양진[9]에 남북을 누가 나누리
萬里 峨嵋예 行次도 窘迫홀샤
만 리 밖 아미산에[10] 행차도 궁색한데[11]
錢塘 寒月이 녯비치 아니로다
전당[12] 달빛도 옛 빛이 아니구나
中國도 이러커니 四夷ᄅᆞᆯ 니ᄅᆞᆯ소냐
중국도 이러한데 오랑캐들이야 오죽하랴
一片 靑丘에 몃번을 뒤져겨
한 조각 청구[13] 몇 번이나 뒤집히고
九種 三漢이 언제만 디나가뇨
구중[14] 삼한 언제나 다 지나갈까
我生之初에 兵革을 모ᄅᆞ더니
이 몸이 태어날 땐 난리를 몰랐는데
그덧의 고쳐도야 이亂離 만나관디
그동안 세상 변해 이 난리 만났으니

---

7 동진 열국 후조後趙의 창건자.
8 사방이 운무로 가득하여 막혀 있음. 운무雲霧란 전쟁터의 흙먼지를 비유하는 말.
9 오호십육국五胡十六國.
10 중국 산동성 박산현에 있는 산 이름.
11 적의 공격이 심하여 고생.
12 중국 절강성에 잇는 전당강.
13 우리나라를 일컫는 말. 앞서 중국의 전란을 제시한 후 우리의 전란으로 화제를 돌리고 있다.
14 구종九種이란 우리나라 종족, 삼한三韓이란 우리 민족이 만든 국가.

衣冠 文物을 어제본ᄃᆞᆺ ᄒᆞᆫ것마ᄂᆞᆫ
의관이랑 문물을 어제 본 듯하건만
禮樂絃誦을 ᄎᆞᄌᆞᆯᄃᆡ 젼혀업다
예악현송[15]은 찾을 데 전혀 없다
生甫及申을 山岳도 앗기더니
갓난아이 자라나서[16] 산과 바다 뒤흔드니
島夷 醜種을 뉘라셔 胚胎ᄒᆞᆫ고
섬나라 오랑캐[17]들 뉘라서 낳았는고
猛虎 長鯨이 山海를 흔들거ᄂᆞᆯ
맹호[18]와 큰 고래가 산과 바다 흔들거늘
東西 南北에 뭇싸홈 니러나니
동서남북 뭇 싸움이 일어나니
밀티며 취티며 말할시고 일할세고
밀치며 제치며 말도 많고 일도 많아
니됴흔 守令들 너흐ᄂᆞ니 百姓이요
이 좋은 수령들 씹어대니[19] 백성이요
톱됴흔 邊將들 허위ᄂᆞ니 軍士로다
톱 좋은 변장들 속이나니[20] 군사로다
財貨로 城을ᄊᆞ니 萬丈을 뉘너모며
재물로 성 쌓으니 만장은 뉘 넘으며

---

15 거문고를 타고 시를 읊는다는 뜻이나 학문에 힘쓴다는 의미.
16 산의 기운이 주나라의 기둥인 보후甫候와 신백申伯을 태어나게 한다는 뜻으로 훌륭한 인물은 자연의 정기를 받아 태어난다는 뜻.
17 섬나라의 오랑캐 종족이란 뜻으로 일본을 가리킴.
18 매서운 호랑이와 큰 고래.
19 물어뜯느니. '너흐ᄂᆞ니'는 '너흐다'에서 나온 말로 깨물다, 쏠다의 의미.
20 후벼 파니. '허위다'는 발로 땅을 후빈다는 의미.

膏血로 ᄒᆡ자ᄑᆞ니 千尺을 뉘건너료

고혈로 해자 파니[21] 천척을 뉘 건너리

綺羅筵 錦繡帳의 秋月春風 수이간다

수많은 잔치판[22] 추월춘풍[23] 빨리 간다

ᄒᆡ도 길것마ᄂᆞᆫ 秉燭遊 긔엇덜고

해도 길건마는 즐기는 놀이[24] 그 어떨까

主人 ᄌᆞᆷ든집의 門은어이 여럿ᄂᆞ뇨

주인 잠든 집 문은 어이 열어 놓고

盜賊이 엿거든 개ᄂᆞᆫ어이 ᄌᆞᆺ잣ᄂᆞᆫ고

도적 엿보는데 개는 어이 짖지 않을까

大洋을 ᄇᆞ라보니 바다히 여위엿다

대양을 바라보니 바다가 얕아지고

술이 ᄭᆡ더냐 兵器를 뉘가디료

해독은 되었는지 병기는 뉘 가져다줄까

監司가 兵使가 牧府使 萬戶僉使

감사가 병사가 목부사 만호검사

山林이 ᄇᆡ화던가 수이곰 드러갈샤

산림이 배웠는지[25] 쉽게도 들어간다

어릴샤 金粹야 뷘성을 뉘딕희료

어리석다 김수야[26] 빈 성을 뉘 지키랴

---

21 ᄒᆡ자垓字를 파니. 해자는 성 밑에 적이 근접하지 못하게 파놓은 도랑.

22 곱고 아름다운 비단을 깔아놓은 자리라는 뜻으로 호화로운 잔치판을 가리킴.

23 비단에 수를 놓은 휘장이란 뜻으로 호화로운 치장을 말함.

24 밤에 촛불을 켜놓고 호화롭게 즐김.

25 배웠겠는가.

26 조선시대 문인.

우을샤 申砬아 背水陣은 므스일고

우습다 신립[27]아 배수진은 무슨 일인고

兩嶺을 놉다ᄒᆞ랴 漢江을 깁다ᄒᆞ랴

두 고개 높다하랴 한강을 깊다하랴

人謀 不臧ᄒᆞ니 하늘이라 엇디ᄒᆞ료

지모[28]가 부족하니 하늘이라 어찌할까

하나 한 百官도 수ᄎᆡ올 ᄲᅮᆫ이랏다

많고 많은 백관도 수를 채울 뿐이구나

一夕에 奔竄ᄒᆞ니 이시름 뉘맛듣고

하루 만에 달아나니[29] 이 근심 뉘 맡을까

三京이 覆沒ᄒᆞ고 列郡이 瓦解ᄒᆞ니

삼경[30]이 엎어지고 여러 고을 무너지니

白年 苑洛에 누릴샤 비릴샤

백년 완락한 곳에 누린내에 비린 내

關西ᄅᆞᆯ 도라보니 鴨綠江이 어드메요

관서를 돌아보니 압록강이 어디인지

日月이 無光ᄒᆞ니 갈길흘 모ᄅᆞᆯ노다

해와 달이 빛을 잃고 갈 길을 모르겠다

三百 二十州에 一丈夫ㅣ 업돗던가

삼백이십 주 대장부 하나 없었던가!

甘心 屈膝ᄒᆞ야 犬豕에 稱臣ᄒᆞ니

기쁘게[31] 무릎 꿇어 개와 돼지 신하되니

---

27 조선 시대 무장.

28 사람이 선하지 않은 행동을 한다는 뜻. 사람으로 할 수 있는 도리를 다하지 않았으니 천명을 바랄 수 있겠느냐는 뜻.

29 전쟁에 패하여 달아나 숨음.

30 서울·개성·평양.

黃金 橫帶ᄒᆞ던 녯 宰相 아니런다
황금 허리띠 옛 재상 아니던가
嶺南에 ᄉᆞ나ᄒᆡ 鄭仁弘 金沔32ᄲᅮᆫ가
영남에 사나이 정인홍33과 김면 뿐이던가
紅衣 郭將軍아 膽氣도 壯ᄒᆞᆯ셰고
홍의 곽장군34 담력도 장하구나
三道 勤王이 白衣 書生으로 兵軍
글만 읽던 선비가 삼도 근왕 이끌어
勢弱ᄒᆞ야 ᄒᆞᆯ일이 업건마ᄂᆞᆫ
군대 새가 약하니 어쩔 도리 없지만
擧義 復讐ᄅᆞᆯ 成敗ᄅᆞᆯ 의논ᄒᆞ랴
의를 세워 복수함 성패를 의논하랴
招諭使 孤忠을 아ᄂᆞᆫ가 모ᄅᆞᄂᆞᆫ가
초유사35 고충을 아는가 모르는가
魯仲連 檄書ᄅᆞᆯ 뉘아니 눈물내리
노중련36 격서에 뉘 아니 눈물 흘릴까
조초난 뎌손님ᄂᆡ야 權應銖 웃지마라
따르는 저 손님들아 권응수37 웃지 마라
永川賊 아니티면 더옥이 ᄒᆞᆯ일업다
영천의 적 아니며 더욱 할 일 없다

---

31 마음속으로 달게 여기어 무릎을 굽힘.
32 조선시대 의병장.
33 조선시대 문인.
34 곽재우郭再憂(1552~1617). 조선시대 의병장.
35 불러 회유하는 일을 맡는 사람.
36 전국시대 제나라 사람. 노련魯連이라고 함. 고고하여 벼슬을 하지 않았음.
37 조선시대 무신.

먼듸 軍功은 듯기록 귀예차듸

먼 곳 승전고는 들을수록 귀에 차나

갓기온 賊勢는 볼ᄉᆞ록 눈의ᄎᆞ다

가까운 적세는 볼수록 눈에 찬다

뒤조쳐 굿보더니 ᄂᆞᆷ의덕의 쳣잔 잡고

뒤따라 구경하다 남의 덕에 찻잔 잡고

燋頭 爛額은 셔도던 功이 업다

위험을[38] 무릅쓰고 섞여들던 공이 없다

宋象賢 金悌甲 高敬命 趙憲 鄭澹

송상현[39] 김제갑[40] 고경명[41] 조헌[42] 정담

疾風이 아니블면 勁草ᄅᆞᆯ 뉘아더뇨

질풍이 아니 불면 굳은 기개 뉘 알아주리

桃紅 李白ᄒᆞᆯ제 버들조쳐 프ᄅᆞ더니

복숭아[43] 오얏 꽃 피고 버들조차 푸르더니

一陣 西風에 落葉聲 ᄲᅳᆫ이로다

한 바탕 서풍에 낙엽 소리뿐이로다

金垓 鄭宣藩 柳宗介 張士珍아

김해[44] 정의번[45] 유종개[46] 장사진[47]아

---

38 머리를 태우고 이마를 데어가며 불을 끔. 매우 애를 쓰고 고생하는 모습을 일컬음.

39 조선시대 문신.

40 조선시대 문인, 의병장.

41 조선시대 문신, 의병장.

42 조선시대 의병.

43 복숭아꽃은 붉고 오얏꽃은 흴 때라는 뜻으로 사시가 순조롭고 자연이 순리에 맞게 운행될 때.

44 조선시대 문신, 의병장.

45 조선시대 의병.

46 조선시대 의병장.

47 조선시대 의병장.

죽ᄂᆞ니 만커니와 이죽엄 恨티마라
죽는 이 많거니와 이 죽음 한탄하니 마라
金城이 믈허지니 晋城을 뉘지킈료
김해성 무너지니 진주성 뉘 지키랴
雷南 壯士ᄃᆞᆯ이 一夕에 어듸간고
남쪽[48] 장사들이 하루 만에 어디 갔는지
綠蘋을 안듀삼고 淸水ᄅᆞᆯ 잔의브어
푸른 마름 안주 삼고 맑은 물 잔에 부어
忠魂 毅魄을 어듸가 브ᄅᆞ려뇨
충혼 의백을 어디에서 부르겠는가
祖宗 舊疆에 盜賊이 님재도여
우리의 옛 강토가 도적들이 임자 되니
뫼마다 죽기거니 골마다 더듬거니
산마다 죽었거나 골마다 더듬거나
寃血이 흘러나 平陸이 成江하니
피눈물 흘러내려 평지가 강이 되고
乾坤도 븨자올샤 避ᄒᆞᆯᄃᆡ 전혀 업다
천지에 꽉 찼구나 피할 데도 전혀 없다
先聖을 毁辱ᄒᆞ니 陵寢이라 安保ᄒᆞ며
선성을 욕보이니 능침[49]이라고 보전될 것이며
아희ᄅᆞᆯ 죽이거니 늘그니라 사라시랴
아이가 죽었으니 늙은이라고 살았을까
福善 禍淫을 뉘라셔 올타더뇨
복선화음을 누가 옳다 할까

---

48 균역하는 장정.
49 능.

우연이 어려야 이하놀 미들러냐
우연히 이른대야 이 하늘 믿을 건가
두어라 엇지ᄒᆞ료 父母님 머ᄅᆞ시랴
두어라 어찌하리 부모님 뭐라 하시랴
天王이 震怒ᄒᆞ샤 六月에 興師ᄒᆞ니
천자가 진노하여 유월에 기병하여
浙江 長沙를 소ᄅᆡ만 드럿더니
절강 장사를 소리만 들었더니
어와 우리壯士 몃ᄃᆞᆯ애 나오신고
어와 우리 장사 몇 달 만에 나오신고
三都를 掃淸ᄒᆞ니 中興이 거의로다
삼도를 소탕하니 거듭 일어나는 것
나가ᄂᆞᆫ 窮寇를 要擊을 못ᄒᆞᆯ런가
나가는 궁한 도적 섬멸을 못할까
養虎 遺患을 쏘엇제 ᄒᆞᆺ던고
호랑이를 남겨두면 화가 될 것인데
李提督 雄兵을 어듸가 對敵ᄒᆞ며
이제독[50] 병사들을 어디에서 대적하며
劉將軍 勇略으로 무ᄉᆞ일 못일울고
유장군 용감한 전략 무슨 일을 못할까
ᄒᆞ마 ᄒᆞ마ᄒᆞ니 歲月도 오가거다
설마설마 하더니 세월이 오래 되어
하놀이 돕쟈ᄂᆞᆫ가 시졀이 머럿ᄂᆞᆫ가
하늘이 도왔는가 시절이 멀었는가

---

50 명나라의 장수 이여송李如松.

다시곰 ᄉᆡᆼ각ᄒᆞ니 人事아니 그ᄅᆞ던가

다시금 곰곰이 생각하니 인사 아니 그르던가

國家 興亡이 將相에 ᄆᆡ인 마리

국가 흥망이 장상에 메었으니

지낸일 뉘웃지마오 이제나 올캐ᄒᆞ소

지난 일 뉘 웃지 마오 이제나 옳게 하소

兵連 不解ᄒᆞ야 殺氣 干天ᄒᆞ니

전쟁이 끊이지 않으니 살기가 하늘에 닿고

아야라 남은사ᄅᆞᆷ 癘疫의 다죽거다

아아 남은 사람[51] 돌림병[52]에 다 죽겠네

防禦란 뉘ᄒᆞ거든 밧트란 뉘갈려뇨

방어는 누가 하고 밭은 누가 갈까

父子도 相離ᄒᆞ니 兄弟ᄅᆞᆯ 도라보며

부자도 이별하니 형제를 돌아보며

兄弟ᄅᆞᆯ ᄇᆞ리거든 妻妾을 保全ᄒᆞ랴

형제를 버리거든 처첩을 보전하랴

蓬藁 偏野ᄒᆞ니 어드메만 내 故鄕고

온 들판[53]에 쑥이 가득하니 어디가 내 고향인지

白骨 成丘ᄒᆞ니 어느거시 내 骨肉고

백골이 언덕 이루니 어느 것이 내 살붙이인가

昔年 繁華ᄅᆞᆯ ᄭᅮᆷᄀᆞ티 ᄉᆡᆼ각ᄒᆞ니

옛날 번화로움 꿈처럼 생각하니

---

51 겨우.

52 돌림병.

53 쑥이 집안에 가득 자랐다는 뜻. 원래는 세상의 명리에 조금도 개의치 않는다는 뜻으로 쓰이나이 작품에서는 전쟁이 휩쓸고 지나간 황폐한 모습.

山川은 녯ᄂᆞᆽ티요 人物은 아니로다
산천은 옛 낯이요 인물은 아니로다
周人 黍離歌ᄅᆞᆯ 靑史애 눈물내고
주인[54] 서리가 역사에 눈물 흘리고
杜陵 哀江頭ᄅᆞᆯ 오ᄂᆞᆯ다시 블너보니
두보[55] 애강두를 오늘 다시 불러보니
風雲이 愁慘ᄒᆞ고 草木이 슬허ᄒᆞᆫ다
풍운이 구슬프고 초목이 슬퍼한다
男兒 삼긴뜻이 이러케 ᄒᆞ랴마ᄂᆞᆫ
남아 생긴 뜻이 이렇기야 하랴마는
좀호반 석은션븨 ᄒᆞᆫ돈도 채못ᄡᆞ다
좀스런 무반 썩은 선비 한 푼도 채 못 된다
靑驄馬 赤兎馬 울명셔 구ᄅᆞ거ᄂᆞᆯ
청총마[56] 적토마는 울면서 구르거늘
莫耶劍 龍泉劍 白虹이 절노션다
막야검 용천검[57] 하얀 날이 절로 선다
언제야 天河ᄅᆞᆯ헤쳐 이 兵塵을 씨스려뇨.
언제나 은하수 헤치고 이 티끌[58] 씻으리오.

54 《시경》 국풍 왕풍 서리장黍離章을 가리키는 것.
55 장안이 함락된 후에 두보가 지은 악부시.
56 명마를 일컫는 말.
57 막야는 중국 10대 명검의 하나, 용천 역시 고대 보배로운 검의 명칭.
58 병진兵塵. 전란의 흔적.

68. 용추유영가龍湫遊詠歌

① 작품명 : 용추유영가龍湫遊詠歌

② 작자명 : 정훈(鄭勳, 1563～1640)

정훈은 조선 중기의 시인으로, 자는 방로邦老, 호는 수남방옹水南放翁이고, 본관은 경주이다. 고려 때 대제학을 지낸 정현영鄭玄英의 후손이다. 그는 〈성주중흥가〉·〈탄궁가〉·〈용추유영가〉·〈수남방옹가〉 등 여러 가사작품을 남겼다.

③ 출전 : 필사본 《수남방옹유고水南放翁遺稿》

④ 해제

이 작품은 17세기 작으로, 지은이가 은거하던 지리산의 용추동龍湫洞을 중심으로 용추폭포龍湫瀑布의 사시가경四時佳景을 묘사하고 있다. 그리고 그 속에서 한가로이 백년 광음을 노닐며 지내겠다는 은일가사이다. 형식은 서사·춘사·하사·추사·동사·결사의 6분법으로 지은 것으로, 송순의 〈면앙정가〉와 정철의 〈성산별곡〉의 영향을 받은 듯하다.

⑤ 원문과 현대역

方丈山 노픈 뫼히 西北으로 흘러 ᄂᆞ려

방장산[1] 높은 산이 서북으로 흘러 내려

1 해중海中 신선이 산다는 산 이름.

龍湫洞 머므러 盤谷이 되엿거늘

용추동에 머물러 반곡[2]이 되었거늘

物外예 ㅂ린 몸이 山水에 病병이 되어

물외에 버린 몸이 산수에 병이 되어

暮往 朝來예 슬믠 줄이 젼혜 업서

모왕 조래[3]에 싫고 미운[4] 줄이 전혀 없어

數間 茅屋을 雲水間의 얼거믹고

수간모옥을 운수 간에 얽어매고

西窓을 비겨 안자 兩眼을 흣보내니

서창에 비스듬히 앉아 두 눈으로 바라보니[5]

遠近 蒼巒은 翠屏이 되엿거늘

원근 창만[6]은 취병풍[7]이 되었거늘

高低 石壁은 그림엣 거시로다

고저 석벽은 그림 속의 것이구나

아흠비 궃개여 靑嵐이 빗기 늘고

아침 비 갓 개어 아지랑이[8] 비스듬히 날고

斜陽이 山의 거러 볼근 비치 비쵤 저긔

지는 해 산에 걸려 밝은 빛이 비출 적에

온 가지 濃態를 거두어 어듸 두리

온갖 자연의 짙은 무성함[9]을 거두어 어디 두리

---

2 꼬불꼬불한 골짜기.
3 아침저녁으로 오고 감.
4 싫고 미운.
5 흣보내니는 바라보니.
6 푸른 산.
7 산이 높이 솟아 있는 것을 푸른 병풍에다 비유한 말.
8 청람은 멀리 보이는 산의 푸르스름한 기운.
9 농태는 무성한 모양을 말함.

ᄆᆞᄋᆞᆷ도 번의할샤 어ᄂᆡ 景을 ᄇᆞ려 두리
마음도 번뇌할 사 어느 경치를 버려두리
四時 佳景이 다 제곰 뵈와ᄂᆞ다
사시 가경이 다 제각각[10] 보이는 구나
谷風이 習習ᄒᆞ야 春光을 부처 내니
풍속이 부드러워[11] 춘광을 부처 내니
嚶嚶 山鳥ᄂᆞᆫ 노래ᄒᆞᆯ 소ᄅᆡ어ᄂᆞᆯ
앵앵[12] 산조는 노래를 소리 내거늘
艶艶 林花ᄂᆞᆫ 우음을 머금엇다
고운 꽃과 나무는 웃음을 머금었다
이 고ᄌᆡ 안자 보고 져 고ᄌᆡ 둘러보니
이 꽃에 앉아 보고 저 꽃에 둘러보니
洞裏 淸香이 杖屨에 ᄯᅴ여셰라
골짜기 속 맑은 향이 장구[13]에 배였어라
韶光이 飄散ᄒᆞ고 草木이 暢茂ᄒᆞ니
소광[14]이 표산[15] 하고 초목이 창무[16]하니
浮翠 濃陰은 綠樹에 얼ᄋᆡ엿고
물총새[17] 짙은 녹음은 녹수에 어리었고
半空 炯雲은 峽裡예 ᄌᆞᆷ겨시니
하늘의 밝은 구름[18]은 골짜기에 잠겼으니

---

10 제각기, 제가끔.
11 습습은 부드러운 봄바람의 모양.
12 두 마리의 새가 의좋게 지저귀는 소리.
13 지팡이와 신.
14 봄의 경치.
15 광풍이 날아 흩어짐.
16 풀과 나무가 우거져서 무성함.
17 부취는 물위에 떠 있는 물총새.

松亭 긴 즘의 苦熱도 모로리다

송정 긴 잠에 무더위[19]도 모르리라

長空이 澹澹ᄒᆞ고 雁行이 우러 녜니

장공이 담담하고 기러기 떼 울어대니

兩岸 楓林은 紅錦繡 빗치어ᄂᆞᆯ

양안 풍림[20]은 홍금수 비치거늘

一帶 湫影은 碧琉璃 되여 잇다

일대 추영은 벽유리 되어 있다

黃花ᄅᆞᆯ 잔의 ᄶᅴ워 子光을 마자 오니

황화를 잔에 띄워 자광을 맞이하니

一般 淸味ᄂᆞᆫ 世上 모ᄅᆞᆯ 이리로다

일반 청미는 세상 모를 일이구나

天風이 蕭瑟ᄒᆞ야 木葉이 다 진 後의

천풍이 소슬하여 목엽이 다 진후에

溪山이 索漠거ᄂᆞᆯ 窮陰이 造化 되어

시내와 산이 삭막하거늘 궁음이 조화 되어

白雪을 ᄂᆞ리오니 千峰 萬壑이

백설이 내려오니 만학천봉이

瓊瑤窟이 되엿거ᄂᆞᆯ 皺眉 聳盲ᄒᆞ고

경요굴[21]이 되었거늘 추미[22] 용맹하고

吟眸 노피 드니 無邊 皓景이

음모 높이 드니 끝 없는 흰 경치[23]가

---

18 형운은 밝은 구름.

19 고열은 매우 심한 더위.

20 단풍나무 숲.

21 아름다운 구슬로 이루어진 굴.

22 눈썹을 찡그림. 또는 그 눈썹.

다 詩姿이 되여시니 迂濶흔 精神이

다 시 바탕[24]이 되었으니 우활[25]한 정신이

치위롤 어이 알꼬 온갓 時景이

추위를 어찌 알꼬 온갖 시경이

가ᄂᆞᆫ 둧 도라오니 壺裡 乾坤애

가는 듯 돌아오니 호리 건곤[26]에

興味도 ᄀᆞ즐셰고 淸流에 洗耳ᄒᆞ니

흥미도 좋을시고 청류에 귀 씻으니

箕潁을 내 부러냐 하상 垂釣ᄒᆞ니

기영을 내 불렀냐 하상 수조[27]하니

七里灘과 엇더ᄒᆞᆫ고 李愿의 盤谷이

칠리탄[28]은 어떠한고 이원의 반곡이

이러턴가 엇더ᄒᆞ며 武夷 淸溪ᄂᆞᆫ

이렇든가 어떠하며 무이[29] 청계는

이예셔 더 됴흔가 華山 一髮은

이에서 더 좋은가 화산 일발은

ᄂᆞ호쟈 ᄒᆞ거니와 이 別有 眞境은

나누자 하거니와 이 별유 진경[30]은

날 밧긔 뉘 아ᄂᆞᆫ고 아ᄎᆞᆷ이 不足거니

날 밖에 그 뉘 아는가 아침이 부족거니

---

23 호경은 흰 경치.

24 시자는 시의 모양. 바탕.

25 멀리 트임.

26 하늘과 땅.

27 수조는 낚시 대를 드리우고 낚시함, 기산과 영수는 허유가 숨어 지낸 곳.

28 칠 리의 여울. 물가. 엄자릉이 낚시했던 곳.

29 지금의 중국 복건성 건녕부 숭안현에 있는 무이산을 일컬음. 주희가 살던 곳.

30 본바탕을 제일 잘 나타낸 참다운 지경.

나죄라 有餘ᄒᆞ며 오ᄂᆞᆯ이 낫부거니
내 죄라 남겨두며 오늘이 나쁘거니
ᄂᆡ일이라 슬ᄆᆡᆯ런가 淸流에 沐浴ᄒᆞ고
내일이라 싫고 미운가 청류에 목욕하고
竹杖을 빗기 들어 碧羅ᄅᆞᆯ 더위잡고
죽장을 빗겨들어 벽라[31]를 더위잡고
노픈 峰의 올라가니 녜 부던 ᄇᆞ람이
높은 봉에 올라가니 옛 불던 바람이
舞雩만 호자 분가 瀟洒ᄒᆞᆫ 淸飇ᄅᆞᆯ
무우만 혼자 분가 소쇄[32]한 청표[33]를
슬커지 ᄡᅬ온 後에 五六 冠童으로
실컷 쐰 후에 오육 관동으로
吟咏코 도라오니 녯 사ᄅᆞᆷ 氣像을
음영하고 돌아오니 옛 사람 기상을
미ᄎᆞᆯ가 못 미ᄎᆞᆯ가 萬古애 스쳐 보니
미칠까 못 미칠까 만고에 스쳐보니
어제론 덧 ᄒᆞ다마ᄂᆞᆫ 洒落ᄒᆞᆫ 風采ᄅᆞᆯ
어제인 듯 많다마는 쇄락한 풍채를
ᄭᅮᆷ에나 어더 볼가 녯 사ᄅᆞᆷ 못 보거든
꿈에나 얻어 볼까 옛 사람 못 보거든
이젯 사ᄅᆞᆷ 어이 알고 이 몸이 느저 나니
이제 사람 어찌 알고 이 몸이 늦게 나니

31 푸른 비단.
32 무우는 《논어》 〈선진편〉에 나오는 고상한 풍취를 비유.
33 맑은 바람.

傷懷도 쓸 ᄃᆡ 업다 山鳥 山花ᄅᆞᆯ
상회도 쓸 때 없다 산조 산화를
내 버즐 삼아 두고 一區 風烟에
내 벗을 삼아 두고 일구 풍연에
삼긴 대로 노ᄂᆞᆫ 몸이 功名을 思念ᄒᆞ며
생긴 대로 노는 몸이 공명을 사념하며
貧賤을 셜워ᄒᆞᆯ가 單食 瓢飮으로
빈천을 설워할까 단사 표음[34]으로
내 分만 안 과ᄒᆞ니 日月도 閑暇ᄒᆞᆯ샤
내 분수만 과하지 않으니 일월도 한가하여
이 溪山 景物을 슬토록 거ᄂᆞ리고
이 계산 경물을 실컷 거느리고
百年 光陰을 노리다가 마로리라
백년의 세월을 노니다가 말리라
아희야 松關을 ᄀᆞ리와라 世上 알가 ᄒᆞ노라.
아이야 송관[35]을 가리어라 세상 알까 하노라.

---

34 청빈한 생활, 《논어》 〈옹야편〉에 나오는 말.
35 소나무와 빗장.

69. 우부가愚夫歌

① 작품명 : 우부가愚夫歌

② 작자명 : 미상

③ 출전 : 필사본《악부樂府》

④ 해제

이 작품은 작자를 알 수 없는 연대 미상의 가사이다. 《악부》를 비롯한 다양한 문헌에 수록되어 조선 후기에 널리 향유되었을 것으로 짐작된다. 여러 문헌에 수록된 이본들 사이에서는 제목과 표현 등에 차이가 발견되기도 하지만, 제목에서 드러나듯 '어리석은 남자들'을 등장시켜 당시대의 세태에 대하여 희화적으로 그려내고 있다. 작품의 제목은 이본에 따라 〈우부가〉 혹은 〈우부편〉으로 나타나고 있으며, 작품에 등장하는 세 인물은 당대 사회에서 바람직하지 못한 인간들의 전형으로 제시되고 있다. 〈우부가〉는 화자가 '개똥이'와 '꼼생원' 그리고 '꾕생원'이라는 '우부愚夫'들을 통하여, 각각의 인물들이 행하는 온갖 부정적인 행태를 제시하면서 끝내 패가망신한다는 결론을 이끌어내고 있다. 작품 속에 등장하는 인물들의 공통적인 특징은 무절제한 생활과 소비적인 삶에 탐닉하는 모습을 보인다는 점인데, 이들의 모습은 조선 후기 사회의 부정적인 측면을 드러내고 있다고 할 수 있다.

⑤ 원문과 현대역

ᄂᆡ 말ᄉᆞᆷ 광언인가 져 화상을 구경허게
내 말씀 허튼말인가 저 화상을 구경하게
남촌 활량 ᄀᆡᄯᅩᆼ이ᄂᆞᆫ 부모덕에 편이 놀고
남촌 한량 개똥이는 부모덕에 편히 놀고
호의호식 무식허고 미련허고 용통ᄒᆞ야
호의호식 무식하고 미련하고 융통성이 없어
눈은 놉고 손은 커셔 가량업시 주져넘어
눈은 높고 손은 커서 능력도 모르고 주제 넘어
시체 ᄯᅡ라 의관허고 남의 눈만 위허것다
유행 따라 의관衣冠을 갖추고 남의 눈만 위하겠다
장장츈일 낫ᄌᆞᆷ자기 조셕으로 반찬 투졍
길고 긴 봄날 낮잠 자기 아침 저녁으로 반찬 투정
ᄆᆡ팔ᄌᆞ로 무상츌입 ᄆᆡ일장취 계트림과
상팔자로 아무 때나 들고나고 매일 취하여 트림하기와
이리 모야 노름놀기 져리 모야 투젼질에
이리 모여 노름하기 저리 모여 투전질에
기ᄉᆡᆼ쳡 치가ᄒᆞ고 외입장이 친구로다
기생첩 살림하고 외입쟁이 친구로다
ᄉᆞ랑의ᄂᆞᆫ 조방군이 안방의ᄂᆞᆫ 노구 할미
사랑채에는 중매쟁이 안방에는 늙은 할미
명조상을 쎠셰허고 셰도 구멍 기웃기웃
이름 난 조상을 앞세우고 세도가의 문틈을 기웃기웃
염냥 보아 진봉허기 ᄌᆡ업을 ᄭᅡ불니고
세력의 성쇠를 보아 뇌물 바치기 재산을 탕진하고

허욕으로 장ᄉᆞ허기 남의 빗시 ᄐᆡ산이라
헛된 욕심으로 장사하기 남에게 진 빗이 태산이라
ᄂᆡ 무식은 ᄉᆡᆼ각 안코 어진 사람 미워허기
내 무식은 생각하지 않고 어진 사람 미워하기
후헐 데ᄂᆞᆫ 박ᄒᆞ야셔 한푼 돈의 ᄶᆞᆷ이 나고
후할 곳에는 박하게 해서 한 푼 돈 쓰기에 땀이 나고
박헐 데ᄂᆞᆫ 후ᄒᆞ야셔 슈ᄇᆡᆨ 량이 헛것시라
박할 곳에는 후하게 해서 수백 냥이 헛 것이라
승긔ᄌᆞ를 염지허니 반복소인 허긔진다
나보다 나은 사람을 미워하고 반복하는 소인 노릇에 허기진다
ᄂᆡ 몸에 리헐 ᄃᆡ로 남의 말를 탄치 안코
내 몸에 이익이 되는 데로 남의 말을 듣지 않고
친구 벗슨 조화허며 졔 일가ᄂᆞᆫ 불목허며
친구와 벗은 좋아하며 제 가족은 돌보지 않으며
병날 노릇 모다 허고 인ᄉᆞᆷ 녹용 몸 보키와
병이 날 노릇 모두 하고 인삼과 녹용으로 봄 보신하기와
쥬ᄉᆡᆨ잡기 모도 ᄒᆞ야 돈쥬졍을 무진허네
주색잡기酒色雜技 모두 하여 돈 낭비를 끝없이 하네
부모 조상 도망허여 계집 ᄌᆞ식 ᄌᆡ물 슈탐
부모와 조상 금방 잊고 부인 자식과 재물을 엿보기
일가 친쳑 구박허며 ᄂᆡ 인ᄉᆞ는 나죵이요 남의 흉만 ᄌᆞᆸ아ᄂᆡᆫ다
일가와 친척 구박하며 내 사람들은 나중이고 남의 흉만 잡아낸다
ᄂᆡ 힝셰ᄂᆞᆫ ᄀᆡ치반에 경계판을 질머지고
내 행세는 개차반에 경계판을 짊어진 듯하고
업ᄂᆞᆫ 말도 지여ᄂᆡ고 시비의 션봉이라
없는 말도 지어내고 시비에는 앞장선다

날 ᄃᆡ 업ᄂᆞᆫ 용젼여수 상하퇴셕 ᄒᆞ야가니
생길 곳 없는 물 쓰듯 돈 쓰기 아랫돌 빼서 윗돌 괴듯 하니
손님은 쵸ᄀᆡᆨ이요 윤의ᄂᆞᆫ ᄂᆡ 몰ᄂᆡ라
손님은 초객招客요 윤리는 나 몰라라
입 구멍이 졔일이라 돈 날 노릇 ᄒᆞ야보셰
먹는 것이 제일이라 돈 날 노릇 하여보세
젼답 파라 변돈 쥬기 종을 파라 월슈 쥬기
전답 팔아 빌린 돈 주기 종을 팔아 월수 갚기
구목 버혀 장ᄉᆞ허기 셔칙 파라 빗 쥬기와 동ᄂᆡ 상놈 부역이요
선산의 나무 베어 장사하기 책을 팔아 빗 갚기와 동네 상놈에게 부역이요
먼 데 사람 힝악이며 ᄌᆞᆸ아오라 써믈니라
먼 곳 사람에게 행패부리며 잡아오라 우기기라
ᄌᆞ장격지 몽동이질 젼당 ᄌᆞᆸ고 셰간 ᄉᆡᆺ기
혼자 나서[1] 몽둥이질 빗 대신 물건 잡고 세간을 뺏기
계집 문셔 종 ᄉᆞᆷ기와 살 결박에 소 ᄉᆡᆺ기와 볼호령에 솟 ᄉᆡᆺ기와
계집 문서 종 삼기와 맨살에 결박하고 소 뺏기와 불호령을 치며 솥 뺏기와
여긔져긔 간 곳 마다 젹실인심 허겟고나
여기저기 간 곳 마다 인심 잃기 쌓이는구나
사람마다 도젹이요 원망허ᄂᆞᆫ 소ᄅᆡ로다
사람마다 도적이라 하고 원망하는 소리로다
이ᄉᆞ나 ᄒᆞ야 볼가
이사나 해 볼까

1 스스로 군사를 일으키어 나가 싸움.

가장을 다파라도 상팔십이 ᄂᆡ 팔ᄌᆞ라
세간을 다 팔아도 팔십까지 사는 것[2]이 내 팔자라
종손 핑계 위젼 파라 투젼질이 ᄉᆡᆼᄋᆡ로다
종손宗孫 핑계 위전位田[3] 팔아 투전질이 생애로다
졔ᄉᆞ 핑계 졔긔 파라 관ᄌᆞ구셜 이러ᄂᆞᆫ다
제사 핑계 제기祭器 팔아 관재官災와 구설口舌 일어난다
뉘라셔 도라볼가 독부가 되단 말가
누가 돌아볼까 독부獨夫가 되었단 말인가
가련타 져 인ᄉᆡᆼ아 일죠 걸ᄀᆡᆨ이라
가련하다 저 인생이 하루 아침에 걸객乞客이라
ᄃᆡ모관ᄌᆞ 어ᄃᆡ 가고 물네쥴은 무삼 일고
대모갑玳瑁甲 관자 어디 가고 물레줄은 무슨 일인가
통냥갓슨 어ᄃᆡ 가고 헌 파립에 통모ᄌᆞ라
통영갓은 어디 가고 헌 파립破笠[4]에 통모자라
쥬체로 못 먹든 밥 ᄎᆡᆨ녁 보아 밥 먹ᄂᆞᆫ다
주체하지 못해 못 먹던 밥 책력 보아서 밥 먹는다
양복기ᄂᆞᆫ 어ᄃᆡ 가고 쓴바귀를 단 ᄭᅮᆯ ᄲᅡ듯
양 볶은 밥 어디 가고 씀바귀를 단 꿀 빨 듯
쥭녁고 어ᄃᆡ 가고 모쥬 한 잔 어려워라
죽력고 어디 가고 모주 한 잔 어려워라
울타리가 ᄯᅦᆯ나무요 동ᄂᆡ 소곰 반찬일세
울타리가 땔나무요 동네 소금 반찬이라

---

2 상수팔십上壽八十. 여기서는 아무렇게 살아도 팔십은 맡아놓은 팔자란 뜻.
3 수확을 일정한 목적에 쓰기 위해 설정한 밭으로, 일반적으로 종손이 관리를 함.
4 낡고 해져서 못 쓰게 된 갓.

각장장판 소라 빈ᄌᆞ 장지문이 어ᄃᆡ 가고
각장角壯 장판 소라小欄 반자 장지문이 어디 가고
벽 ᄶᅥ러진 단간방의 거젹 ᄌᆞ리 열두 닙에
벽 떨어진 단칸방에 거적 이부자리 열두 식구에
호젹 조희 문 바르고 신쥬보가 갓ᄭᅳᆫ이라
호적 종이 문 바르고 신쥬神主를 싸는 보자기가 갓끈이라
은안쥰마 어듸 가며 셩후구종 어듸 간고
좋은 안장을 갖춘 말[5] 어디 가며 앞뒤에서 모시던 하인[6] 어디 갔는가
셕ᄉᆡ 집신 집힝이에 정강말이 졔격이라
굵은 베로 만든 짚신과 지팡이에 정강말[7]이 제격이라
ᄉᆞᆷ승 보션 ᄐᆡ셔ᄒᆡ가 ᄭᅳᆯ레발이 불상허고
삼승 버선 비단신이 끄레발[8]이 불쌍하고
비단 쥬머니 십륙ᄉᆞ ᄭᅳᆫ 화류면경 어듸 가고
비단 주머니 십륙사十六絲 끈[9] 화류면경樺榴面鏡 어디 가고
보션 목 쥬머니에 ᄉᆞᆷ 노ᄭᅳᆫ ᄭᅰ여 ᄎᆞ고
버선 목 같은 주머니에 삼 노끈 꿰어 차고
돈피 빈ᄌᆞ 담뷔 휘양 어듸 가며 릉라쥬의 어듸 간고
담비 배자褙子 담비 휘양 어디 가며 능라주의綾羅周衣 어디 갔는가
동지셧달 베창옷셰 ᄉᆞᆷ복 다름 바지 거쥭
동지섣달 베 창옷에 삼복에 어울리지 않는 바지 거죽
궁둥이ᄂᆞᆫ 울근불근 엽거름질 병신 갓치
궁둥이는 울긋불긋 옆걸음질 병신 같이

---

5 은으로 장식한 안장과 잘 달리는 말.
6 앞뒤에서 모시는 하인.
7 말을 타지 않고 정강이의 힘으로 걷는다는 뜻.
8 단정하지 못하고 지저분한 차림.
9 열여섯 날로 만든 고운 끈.

담ᄇᆡ 업는 빈 연쥭을 소일조로 손의 들고
담배 없는 빈 담뱃대를 소일하듯 손에 들고
어슥비슥 다니면셔 남에 문젼 걸식ᄒᆞ며
어슷비슷 다니면서 남의 문전 걸식乞食하며
역질 핑게 졔ᄉᆞ 핑게 야속허다 너의 인심
역질 핑계 제사 핑계 야속하다 너의 인심
원망헐 ᄉᆞ 팔ᄌᆞ타령
원망할 것 팔자타령
져 건너 ᄭᅩᆷᄉᆡᆼ원은 졔 아비의 덕분으로 돈쳔이나 가졋드니
저 건너 꼼생원은 제 아비의 덕분으로 재산이나 가졌더니
슐 한 잔 밥 한 슐을 친구 ᄃᆡ졉 ᄒᆞ얏든가
술 한 잔 밥 한 술을 친구 대접 했든가
주져넘게 아ᄂᆞᆫ 쳬로 음양슐슈 탐혼ᄒᆞ야
주제 넘게 아는 체로 음양술수陰陽術數에 넋을 뺏겨
당발복 구산ᄒᆞ기 피란곳 ᄎᆞ져가며
당대 발복發福 산 구하기 피난처 찾아가며
올 젹 갈 젹 힝노 상에 쳐ᄌᆞ식을 홋허녹코
올 적 갈 적 한길 위에 처자식을 흩어놓고
유무상조 아니 허면 조셕난계 헐 슈 업다
유무상조有無相助[10] 아니 하면 아침 저녁 먹을 계산할 수 없다
긔인취물 허ᄌᆞ 허니 두 번ᄌᆡ난 아니 속고
사람 속여 물건 빼앗기 하자 하니 두 번째는 아니 속고
공납범용 허ᄌᆞ 허니 일가집에 부ᄌᆞ 업고
공물을 몰래 쓰자고 하니 친척집에 부자 없고

10 있거나 없거나 서로 도와 줌.

ᄯᅳᆫᄌᆡ물 경영허고 경향 업시 ᄊᆞ다니며
뜬재물 경영하려고 아무 데나 싸다니며
ᄌᆡ상가의 청질허다 봉변허고 물너셔고
재상가에 청탁하가 봉변당하고 물러서고
남의 골의 검ᄐᆡ 갓다 혼검에 ᄶᅩᆾ겨 와셔
남의 고장에 재물을 얻으러 갔다 혼검閽禁[11]에 쫒겨 와서
혼인 즁ᄆᆡ 혼ᄌᆞ 들다 무렵보고 ᄲᅨᆷ 마즈며
혼인 중매 혼자 들다 무람없이 뺨 맞으며
가ᄃᆡ 문셔 구문 먹기 핀잔먹고 잣바지기
집 문서 흥정 댓가 먹기 핀잔먹고 넘어지기
불리 힝셰 ᄶᅵ그렁이 위조문셔 비리호송
불리한 행세 떼쓰기 위조문서 비리호송非理好訟
부ᄌᆞ나 후려 볼가 감언니셜 ᄭᅬ야보세
부자나 후려 볼까 감언이설 꾀어보세
엇막이며 보막이며 은졈이며 금졈이며
언막이[12]며 보막이[13]며 은광이며 금광이며
ᄃᆡ로 변에 ᄉᆡᆨ쥬가며 노름판에 푼돈 ᄯᅦ기
큰 길 가에 색주가色酒家며 노름판에 푼돈 떼기
남북촌에 ᄯᅮ장이로 인물쵸인 ᄒᆞ야 볼가
남북촌에 뚜쟁이로 인물 소개 해 볼까
산진ᄆᆡ 슈진ᄆᆡ에 산양질노 놀너갈 제
산진이 수진이에 사냥질로 놀러갈 때

11 관가에서 쓸데없는 사람이 문에 들어오는 것을 금하는 일.
12 논에 물을 대기 위하여 막아 쌓은 둑.
13 보를 막기 위하여 둑을 쌓거나 고침.

ᄃᆡ종손 양반 ᄌᆞ랑 산소나 파라 볼가
대종손大宗孫 양반 자랑 산소나 팔아 볼까
혼인 핑게 어린 ᄯᆞᆯ은 ᄇᆡᆨ 양ᄍᆞ리 되엿구나
혼인 핑계 어린 딸은 백 냥짜리 되었구나
안악은 친졍사리 ᄌᆞ식드른 고ᄉᆡᆼ사리
부인은 친정살이 자식들은 고생살이
일가에 눈이 희고 친구의 손가락질
일가에 눈이 희고 친구의 손가락질
부지거쳐 나가더니 소문이나 드러볼가
거처를 알리지 않고 나가더니 소문이나 들어볼까
산 너머 ᄶᅵᆼᄉᆡᆼ원은 그야말이 ᄒᆞ우로다
산 넘어 쩽생원은 그야말로 하우下愚로다
거드러셔 한 말 ᄌᆞ랑 ᄃᆡ장부의 결긔로다
거들먹거리며 한 말 자랑 대장부의 결기로다
동ᄂᆡ 존장 몰나보고 이소능장 욕허기와
동네 어른 몰라보고 젊은이가 늙은이를 업신여겨 욕하기와
의관열파 사람 치고 마ᄌᆞᄶᅡ가 ᄯᅦ쓰기와
옷과 갓 찢으며 사람을 때리고 맞았다고 떼쓰기와
남의 과부 겁탈허기 투장간 곳 쳥병허기
남의 과부 겁탈하기 투장偷葬간 곳 떡 청하기
친쳑집에 소 ᄭᅳᆯ기와 쥬먹다짐 일슈로다
친척집에 소 끌기와 주먹다짐 일쑤로다
부ᄌᆞ집의 긴헌 체로 친헌 사람 이간질과
부자집에 가까운 척 친한 사람 이간질과
월슈돈 일슈돈 장별리 장체기며
월수돈 일수돈 장별리 장채기며

졔 부모의 몹쓸 힝ᄉᆞ 투젼군은 조화허며
제 부모의 몹쓸 행사 투전꾼은 좋아하며
손목 잡고 슐 권허며 졔 쳐ᄌᆞᄂᆞᆫ 몰나보고
손목 잡고 술 권하며 제 처자는 몰라보고
노리ᄀᆡ로 졍표 쥬며 ᄌᆞ식노릇 못 헌셔
노리개며 정표 주며 자식노릇 못 하면서
졔 ᄌᆞ식은 귀이 알며 며나리ᄂᆞᆫ 들보그며
제 자식은 귀하게 여기며 며느리는 들볶으며
봉양 잘못 호령헌다 기동 베고 벽 ᄯᅥ러라
봉양 잘못했다 호령한다 기둥 베고 벽 털어라
텬하 난봉 ᄌᆞ칭허니 붓그럼을 모로고셔
천하 난봉꾼 자칭하니 부끄럼을 모르고서
쥬리 틀려 경친 것슬 옷슬 벗고 ᄌᆞ랑허며
주리 틀려 경친 것을 옷을 벗고 자랑하며
슐집이 안방이요 투젼방이 ᄉᆞ랑이라
술집이 안방이요 투전방이 사랑채라
늘근 부모 병든 쳐ᄌᆞ 손톱 발톱 제쳐 가며
늙은 부모 병든 처자 손톱 발톱 젖혀 가며
ᄌᆞᆷ 못 ᄌᆞ고 길ᄉᆞᆷ헌 것 슐ᄂᆡ기로 장긔 두고
잠 못 자고 길쌈한 것 술내기로 장기 두고
ᄎᆡᆨ망 업시 바린 몸이 무삼 ᄉᆡᆼᄋᆡ 못 허여셔
책망 없이 버린 몸이 무슨 생애 못 해서
누의 ᄌᆞ식 족하 ᄌᆞ식 ᄉᆡᆨ쥬가로 환ᄆᆡ허며
누이 자식 조카 자식 색주가로 팔아넘기며
부모가 걱졍허면 와락더라 부르ᄃᆡ며
부모가 걱정하면 와락 하고 부르짖으며

안악이 ᄉᆞ셜허면 밥상치고 계집치기
부인이 말을 하면 밥상 치고 부인 치기
도망산의 뫼를 셧나 져녁 굼고 ᄯᅩ 나간다
공동묘지에 묘를 썼나 저녁 굶고 또 나간다
포쳥 귀신 되엿는지 듯도 보도 못 헐네라.
포도청 귀신 되었는지 듣도 보도 못 하였네.

70. 우활가迂闊歌

① 작품명 : 우활가迂闊歌

② 작자명 : 정훈(鄭勳, 1563～1640)

정훈은 조선 명종明宗 때의 문학가로, 자는 방로邦老, 호는 수남방옹水南放翁이며 경주慶州 사람이다. 가사창작에 능했다. 임진왜란壬辰倭亂, 이괄李适의 난, 정묘호란丁卯胡亂, 인조반정仁祖反正, 병자호란丙子胡亂 등을 겪으면서 6편의 장가와 20수의 단가를 남겼다.

③ 출전 : 필사본 《수남방옹유고水南放翁遺稿》

④ 해제

이 작품은 17세기에 지어진 것으로 궁곤한 생애이지만 초탈한 심정으로 안분지족한다는 내용이다. 우활한 몸이라서 초가집에 비가 새는 줄을 모르며, 현순백결懸鶉百結 같은 가난함이 부끄러운 줄 모르는 채 춘산春山의 꽃구경, 여름 누정에서의 낮잠, 추천秋天 달맞이, 동설冬雪 추위를 즐기며 일신의 영고榮枯를 근심하지 않는다. 일생의 일이 우활 아닌 것이 없으니 술에 취하여 이를 잊고 싶어 하는 마음을 읊은 내용이다.

⑤ 원문과 현대역

엇지 삼긴 몸이 이대도록 迂闊(우활) 혼고

어찌 생긴 몸이 이토록 우활[1]할까

---

1 실제와는 거리가 멂.

迂闊(우활)도 迂闊(우활) 홀샤 그레도록 迂闊(우활) 홀샤

우활해도 우활해도 그토록 우활할까

이바 벗님네야 迂闊(우활) 흔 말 들어 보소

이봐 벗님네야 우활한 말 들어보게

이 내 져머신 제 迂闊(우활)호미 그지업서

이내 젊었을 때 우활하기 그지없어

이 몸 삼겨나미 禽獸(금수)에 다르므로

이 몸 생겨남이 금수와는 다르므로

愛親敬兄(애친경형)과 忠君弟長(충군제장)을

어버이 사랑, 형 공경, 임금 충성, 어른 공경

分內事(분내사)만 혜엿더니 흔 일도 못되며

분수에 맞게[2] 살았지만[3] 한 일도 없는 듯하고

歲月(세월)이 느저지니 平生(평생) 迂闊(우활)은 날 뽈와 기려간다

세월 늦도록 평생 우활 나를 따라 걸어다닌다.

아츰이 不足(부족)흔들 저녁을 근심흐며

아침이 부족하니 저녁을 근심한다

一間(일간) 茅屋(모옥)이 비식는 줄 아돗던가

한 칸 초갓집에 비새는 줄 알았던가

懸鶉(현순) 百結(백결)이 붓끄러움 어이 알며

누덕누덕 기운 옷에 부끄러움 어찌 알며

어리고 미친 말이 놈 무일 줄 아돗던가

어리석고 미친 말로 남 움직일[4] 줄 알았던가

---

2 分內事분내사. 만영분領分 안의 일. 곧 분수에 속한 일.

3 생각했더니.

4 움직일.

迂闊(우활)도 迂闊(우활) ᄒᆞᆯ샤 그레도록 迂闊(우활) ᄒᆞᆯ샤
우활해도 우활해도 그토록 우활할까
春山(춘산)의 곳을 보고 도라올 줄 어이 알며
봄날 산꽃을 보고 돌아올 줄 어찌 알며
夏亭(하정)의 ᄌᆞᆷ을 드러 ᄭᅮᆷ ᄭᆡᆯ 줄 어이 알며
여름 정자에서 잠들어 꿈 깰 줄 어찌 알며
秋天(추천)의 ᄃᆞᆯ 마자 밤드ᄂᆞᆫ 줄 어이 알며
가을 하늘 달 맞아 밤 되는 줄 어찌 알며
冬雪(동설)에 詩興(시흥) 계워 치움을 어이 알리
겨울 눈에 시흥 일어 추움을 어찌 알리
四時(사시) 佳景(가경)을 아므란 줄 모로라
사계절 좋은 경치 어찌할 줄 모르리라
末路(말로)애 ᄇᆞ린 몸이 므스 일을 ᄉᆞ렴(思念) ᄒᆞᆯ고
세상 끝에 버려진 몸 무슨 일로 근심할까
人間(인간) 是非(시비) 듯도 보도 못ᄒᆞ거든
인간 시비 듣지도 보지도 못하거든
一身(일신) 榮枯(영고) 百年(백년)을 근심ᄒᆞᆯ가
성하던지 쇄하던지[5] 평생을 근심할까
迂闊(우활) ᄒᆞᆯ샤 迂闊(우활) ᄒᆞᆯ샤 그레도록 迂闊(우활) ᄒᆞᆯ샤
우활해도 우활해도 이토록 우활할까
아ᄎᆞᆷ의 누잇고 나죄도 그러ᄒᆞ니
아침에 누워 있고 저녁에도 그러하니
하ᄂᆞᆯ 삼긴 迂闊(우활)을 내 혈마 어이 ᄒᆞ리
하늘이 정한 우활 내 설마 어찌하리

5 초목의 무성함과 시듦을 이름.

그례도 애ᄃᆞᆲ도다 고쳐 안자 ᄉᆡᆼ각ᄒᆞ니

그래도 애달프다 고쳐 앉아 생각하니

이 몸이 느저 나 애돌은 일 하고 만타

이몸이 늦게나마 애달픈 일 많고 많아

一百(일백) 번 다시 죽어 녯 사람 되고라쟈

일백 번 다시 죽어 옛 사람 되고 싶어

羲皇(희황) 天地(천지)예 잠간이나 노라 보면

희황[6] 천지에 잠깐이나마 놀아보면

堯舜(요순) 日月(일월)을 져그나 ᄧᅬ올 ᄧᅥᄉᆞᆯ

요순의 해와 달은 조금이라도 쬐었을 걸

淳風(순풍)이 已遠(이원)ᄒᆞ니 偷薄(투박)이 다 되거다

순한 풍속 멀어지니 거친 풍속 다 되겠다

汗漫(한만)ᄒᆞᆫ 情懷(정회)을 눌ᄃᆞ려 니ᄅᆞ려뇨

복잡한 회포를 누구에게 말하리오

泰山(태산)의 올라가 天地(천지) 八荒(팔황)이나 다 ᄇᆞ라 보고제고

태산에 올라가 천지 팔왕[7] 다 바라 보고지고

鄒魯(추로)애 두르 거러

공자맹자[8] 살아가던 옛 세상 두루 살펴

聖賢(성현) 講業(강업)ᄒᆞ던 자최나 보고제고

성현의 학문하던 자취나 보고지고

周公(주공)은 어듸 가고 ᄭᅮᆷ의도 뵈쟌ᄂᆞᆫ고

주공은 어디가고 꿈에도 뵈지 않나

---

6 복희씨伏羲氏.

7 팔방八方의 황홀극원荒忽極遠한 땅.

8 맹자孟子는 추鄒나라 사람, 공자는 노魯나라 사람이므로 추로는 공자·맹자를 말함.

已甚(이심)호 이 내 襄(양)을 슬허호다 어이 호리
이리도 심한 내 모습 슬퍼한들 어찌 하리
萬里(만리)예 눈 쓰고 太古(태고)애 뜻즐 두니
만 리 먼 곳 눈 뜨고 옛날에 뜻 없으니
迂闊(우활)호 心魂(심혼)이 가고 아니 오노왜라
우활한 온 정신이 가고 아니 오는구나
人間(인간)의 호자 씨여 눌드려 말을 홀고
인간 세상 혼자 깨어 누구에게 말을 할까
祝鮀(축타)의 侫言(망언)을 이제 빅화 어이 호며
축타의 망언을 이제 배워 어이하리
宋朝(송조)의 美色(미색)을 얼근 놋치 잘 홀런가
송조 미색 얽은 낯이 잘 할런가
右詹(우담) 山草實(산초실)를 어듸 어더 머그려뇨
우담 산초 실을 어찌 얻어 먹으리오
무이고 못고이미 다 迂闊(우활)의 타시로다
사랑을 못 받으니 우활한 탓이려니
이리 혜오 져리 혜오 다시 혜니 一生事業(일생사업)이 迂闊(우활)
아닌 일 업뇌와라
이리 헤고 저리 헤고 다시금 헤아리니
이 迂闊(우활) 거누리고 百年(백년)을 어이 호리
이 우활 거느리고 내 평생을 어찌 하리
아희아 잔(盞) 가득 부어라 醉(취)호여 내 迂闊(우활) 닛다.
아이야 잔 가득 부어라 취하여 내 우활 잊으리라

71. 임천별곡林川別曲

① 작품명 : 임천별곡林川別曲

② 작자명 : 이운영(李運永, 1772~1794)

이운영의 본관은 한산韓山, 자는 건지健之, 호는 옥국재玉局齋이다. 아버지는 생원 이기중李箕重으로, 판서 이태중李台重의 조카이다.

③ 출전 : 필사본 《언사諺詞》

④ 해제

이 작품은 홍정유洪鼎裕가 필사한 《언사》에 〈임쳔별곡〉·〈도뎡공가ᄉ〉라는 제목으로 수록되어 있다. 이운영은 일찍이 통정대부돈령부도정通政大夫敦寧府都正을 지낸 바 있어 도정공都正公이라고도 한다. 임천은 옛 한산韓山의 지명이며, 작품 내용은 매우 낭만적인 장편 서정가사이다.

《언사》에 〈착경가〉·〈슌창가〉·〈슈로죠천힝션곡〉·〈초혼ᄉ〉·〈셰장가〉·〈임천별곡〉·〈명쥬가〉 등 7편의 가사가 수록되어 있다. 작품 내용은 한 할아버지와 할머니 사이의 대화로 엮어나간 사랑을 주제로 한 노래인데, 매우 사실적이며 풍류가 넘치는 활달한 문장으로 되어 있다. 두 노인의 사랑에 대한 해학적 표현을 통하여 객기 어린 삶의 멋스러운 모습을 보여주고 있다. 원문은 순 한글로 작성되었다.

⑤ 원문과 현대역

게 있ᄂᆞᆫ가 주인한멈 ᄂᆡ 말 잠간 드러보소
거기 있는가 주인할멈 내말 잠깐 들어보소
어졔밤 셔리 후의 참도 찰ᄉᆞ 구돌이야
어젯밤 서리 후에 참으로 시리구나 구들이여
한멈의 아ᄅᆡ목은 덥고 차기 엇더ᄒᆞᆫ고
할멈의 아래 목은 덥고 찬 것이 어떠한가
진 조반 마른음식 죠셕으로 지어ᄂᆡ니
진 조반 마른음식 조석으로 지어내니
늙으니 허물 ᄒᆞᆯ가 나 조곰 드러가셰
늙은이 허물할까 나 조금 들어가세
어져 거 뉘신고 유셩 손임 아니신가
아니 거기 누구신가 유생 손님 아니신가
나그ᄂᆡ 치오시니 쥬인이 무료ᄒᆞ오
나그네 추우시니 주인이 어찌하리요
누츄ᄒᆞᆷ을 허믈 말고 이리 드러 오오소셔
누추함을 허물 말고 이리 들어오소서
어허 무던ᄒᆞ다 궁둥 ᄯᅳᆺᄯᅳᆺ ᄒᆞ여온다
어허 무던하다 궁둥이 따뜻하여 온다
ᄆᆡᆼ셰치 오늘밤은 나가지 못ᄒᆞᆯ노다
맹세코 오늘 밤은 나가지 못할지다
한멈의 ᄯᅥᆨ국 사발 몃그릇 되엿ᄂᆞᆫ고
할멈의 떡국 사발 몇 그릇 되었는가
한멈의 옷가ᄉᆞᆷ의 손 조금 너허보셰
할멈의 옷가슴에 손 조금 넣어보세

어져 놀나고야 흉악흉악 ᄇᆞ라볼가
아서라 놀랐어라 흉악흉악 바라볼까
어졔 오날 ᄭᅮᆷᄌᆞ리가 슈럭슈럭 ᄒᆞ더라니
어제 오늘 꿈자리가 수럭수럭[1] 하더라니
오늘밤의 ᄭᅮᆷ을 ᄭᅮ니 숤가락을 더져 뵈데
오늘 밤에 꿈을 꾸니 숟가락을 던져 뵈데[2]
셰상쳔하 만고조선 팔도의도 긔괴ᄒᆞ다
세상천하 만고조선 팔도에도 기괴하다
ᄉᆡᆼ원님 손을 곱아 ᄂᆡ 나흘 혜여 보오
생원님 손을 꼽아 내 나이를 세어 보오
갑ᄌᆞ을축 병인ᄉᆡᆼ의 환갑 진갑 다 지ᄂᆞ고
갑자을축 병인생의 환갑 진갑 다 지나고
슈인의 스물ᄒᆞ고 ᄯᅩ 한 살 더 먹엇니
쉰[3]에 스물하고 또 한 살 더 먹었으니
이졔 무ᄉᆞᆫ 마ᄋᆞᆷ 이셔 셔방 품의 ᄌᆞ리잇가
이제 무슨 마음이 있어 서방님 품에서 자겠는가
어져 그 말 마소 늙은 말이 콩 마달가
아서라 그 말 마소 늙은 말이 콩 싫다 하겠는가
너도늙고 나도늙고 두늙으니 셔로 만나
너도 늙고 나도 늙고 두 늙은이 서로 만나
너만 알고 나만 알고 귀신도 모르리니
너만 알고 나만 알고 귀신도 모르리니

---

1 뒤숭숭한 모양.
2 숟가락 놓는 꿈을 꾸었다는 말로 곧 죽을 나이가 될 정도로 나이 들었다는 것을 말함.
3 쉰, 즉 50세를 가리킴.

인적적 야심심 황혼의 오날이라
사람도 적적하고 밤도 깊고 깊은데 황혼의 오늘이라
범증의 문자로 급격물실ᄒᆞ야
범증[4]의 문자로 급히 쳐서 때를 놓치지 않아야
얼풋 쁘릇치면 긔무어시 관계ᄒᆞᆯ고
얼핏 뿌리치면 그 무엇이 관계할까
이 양반 어ᄃᆡ 양반 져다지 밋쳐ᄂᆞᆫ고
이 양반 어디 양반 저렇게 미쳤는가
ᄉᆡᆼ원님도 냥반이니 냥반다이 ᄒᆡᆼ셰ᄒᆞ야
생원님도 양반이니 양반답게[5] 행세하여
마샹의 봉한식과 화소함젼 셩미청을
말 위에서 한식 맞고 꽃은 웃고 있지만 소리는 들리지 않음[6]을
사랑의 놉피안자 풍월이나 ᄒᆞᆯ거시지
사랑에 높이 앉아 풍월이나 읊을 것이지
셴나룻 나붓기고 바지츔의 손을 너코
흰 구렛나루 날리면서 바지 춤에 손을 넣고
여염으로 단이면셔 계집 츄심 우습도다
마을로 다니면서 계집 찾는 것[7]이 우습도다
ᄇᆡᆨ노규어격을 어ᄃᆡ 가 ᄇᆡ오신고
백로가 물고기를 엿보는 격을 어디 가서 배웠을까
오쟝머리 드러지고 염통머리 ᄉᆡᆨ져 뵌다
오장육부 드러내고 염치도 없어보인다

---

4 중국 초한전쟁 시기 초나라의 재상이자 정치가.
5 '-답게', '-되게'의 뜻을 더하고 부사를 만드는 접미사.
6 당음唐音이나 추구에 나오는 말로 사랑방에 앉아 글을 가르치는 훈장의 모습을 연상하게 함.
7 찾아서 가져옴.

ᄂᆡ 나히 칠십넘어 여든 ᄯᆞᆯ의 드러시니
내 나이 칠십 넘어 여든 줄에 들어갔으니
만일의 실셩ᄒᆞ야 벗보기를 ᄒᆞ올진ᄃᆡ
만일 실성하여 벗 보기를 하올진대
청츈소년 한삼자리 셰상의 무슈ᄒᆞ고
청춘소년 한삼자리 세상에 수도 없고
농산쟝 덕평쟝의 면화흥졍 ᄒᆞᄂᆞᆫ 놈과
농산장 덕평장에 면화흥정 하는 놈과
ᄃᆡ구쟝ᄉᆞ 황우쟝ᄉᆞ 젼냥이나 잇ᄂᆞᆫ 놈을
대구장사 황우장사 돈냥이나 있는 놈을
상평통보 뉵자박이 쥬머니의 월넝절넝
상평통보 육자배기 주머니에 월넝절넝
이런놈을 품어자고 샹덕이나 ᄒᆞᆯ 거시지
이런 놈을 품고 자고 상덕[8]이나 할 것이지
ᄉᆡᆼ원님 두쥬먹은 ᄉᆞ략초권 공공시요
생원님 두 주먹은 사략초권 비어있고
소쳔 ᄒᆞᆫ 푼 콩ᄧᅡᄀᆡ도 업ᄂᆞᆫ 쥴 번이 알고
소천 한 푼 콩 조각도 없는 줄 뻔히 알고
어ᄂᆞ 바삭이가 ᄉᆡᆼ원님 품어잘가
어느 바사기[9]가 생원님 품고 잘까
ᄂᆡ아들 득손이ᄂᆞᆫ 급창이 겸 고직이
내 아들 득손이는 급창 겸 고지기
ᄂᆡᄯᆞᆯ년 초심이ᄂᆞᆫ 슈겁힝슈 난든 번의
내 딸년 초심이는 수급행수 번을 들고

8 덕을 숭상하여 높이 여김.
9 사물에 어두워 아는 것이 없고 똑똑하지 못한 사람을 놀림조로 이르는 말.

아잡삼촌 ᄉᆞ오촌의 늣손ᄌᆞ 오라번ᄂᆡ
아저씨 삼촌 사오촌의 늦손주 오라버니들
삼반하인 군관청의 ᄂᆡ 일족 뉘아닐고
삼반하인 군관청의 내 일족 뉘 아닐까
반야 삼경의 ᄒᆞᆫ 소ᄅᆡ 곳 웨게 되면
삼경 한밤중에 큰소리로 곧 외우게 되면
항우의 쥬머귈지 쟝비의 팔다실지
항우의 주먹일지 장비의 팔다리일지
셩식의 소갓튼 놈 가랑닙희 불붓는 놈
성정이 소같은 놈 가랑이의 불 붓는 놈
더벙머리 억병 먹고 위쑥비쑥 다 모혀셔
더벅머리 많은 술[10] 마시고 위뚝비뚝[11] 다 모여서
ᄉᆡᆼ원님 셴 샹토를 뒤쳐들고 ᄌᆞ쳐들고
생원님 흰 상투를 뒤쳐지고 젖혀지고
귀밋ᄃᆡ기 ᄒᆞᆫ 번 치면 벼록불이 펄펄나고
귀밑대기 한번 치면 벼룩불이 펄펄나고
넙젹ᄒᆞᆫ 잔등이를 뇌고를 올니고셔
넓적한 잔등이를 북을 치듯 맞게 되서
양미간을 향ᄒᆞ야셔 ᄒᆞᆫ 번 ᄐᆡᆨ견ᄒᆞ게 되면
양 미간을 향해서 택견 한번 하게 되면
ᄉᆡᆼ원님 죠고만 몸 츄풍남엽 어더볼가
생원님 조그만 몸 추풍낙엽 찾아볼까
ᄌᆡ무덤 두엄발체 콩ᄐᆡᄌᆞ로 잣바져서
재 무덤 두엄발치[12] 큰대[13]자로 넘어져서

---

10 한량없이 많은 술. 또는 그만한 술을 마신 상태나 그만한 주량.
11 한쪽으로 비스듬히 기울어서 자꾸 흔들리는 모양.

아야지야 살인이야 안팟ᄭᅩᆸ츄 뉘되실고
아야지야 살인이야 안팎 곱추 뉘 되실가
언비쳔니ᄅᆞ니 이말이 공쥬가면
말이 천리를 날아가니 이 말이 공주가면
ᄉᆡᆼ원님ᄃᆡᆨ 안아셔ᄂᆞᆫ 노발이야 ᄃᆡ발이야
생원님댁 알게되면 노발이야 대발이야
치마칼 젼반 곤장 발치 귀양 뉘 가실고
치마칼 전반[14] 곤장 먼 귀양 뉘 가실가
이냥반 열업셔도 그런말 다시마오
이 양반 멋쩍어도 그런 말 다시 마오
어허 통분ᄒᆞ다 ᄃᆡ욕을 보거고나
어허 통분하다 큰 욕을 보겠구나
양반을 모로고셔 네라셔 그리ᄒᆞᆯ가
양반을 모르고서 너라서 그리할까
가믄을낭 뭇지 마라 월산ᄃᆡ군 증손이라
가문은 묻지 마라 월산대군 증손이라
감종실 니른 말은 차ᄉᆡᆼ 고지 듯지 마라
감종실[15] 이른 말은 이생에 곧이듣지 마라
물망이 거룩 ᄒᆞᆯ 손 고암쟝의 ᄒᆞ엿고나
명망이 거룩할 손 높은 벼슬 하였구나
초국의 삼녀ᄃᆡ부 굴원의 ᄂᆡ동갑의
초나라의 삼려대부 굴원이 내 동갑의

---

12 두엄발치. 두엄을 넣어서 썩히는 구덩이.
13 '큰소매(팔을 옆으로 폈을 때 아래로 축 처지게 지은 넓은 소매)'의 잘못.
14 종이를 도련할 때에 쓰는 좁다랗고 얇은 긴 나뭇조각.
15 조선시대에 종친부의 신붓감이 될 만한 종친宗親.

일이삼ᄉᆞ 차례 혜면 칠십셰가 ᄂᆡ 나히라
일이삼사 차례 세면 칠십세가 내 나이라
장ᄌᆞ 쳔독 ᄆᆡᆼᄌᆞ 쳔독 아기ᄯᅧᆨ의 공부ᄒᆞ야
장자 천독 맹자 천독 어릴 적에 공부하여
시부의의 ᄌᆞ표락은 ᄒᆡᆼ뉴슈ᄃᆡ 긔벽시라
시부의의 자표락[16]은 행유수대 기벽시라[17]
왕희지 죠ᄆᆡᆼ부의 ᄒᆡᄌᆞ로셔
왕희지 조맹부의 해서[18]로서
공도회 ᄇᆡᆨ일양의 중별시 ᄃᆡ소과의
공도회[19] 백일장의 중별시 대소과의
일등이등 장원ᄃᆞᆯᄌᆡ ᄆᆡ방의 고등ᄒᆞ니
일등이등 장원될 때 매번 방에 올라 장원하니
구만리 쟝쳔샹의 츔밧고 긔약더니
구만리 긴 하늘 위에 춤 받기를 기약하더니
경화의 진신ᄃᆡ부 날 모로 이 뉘 잇시며
서울의 진신대부 날 모르는 이 뉘 있으며
호우일도의 모모ᄒᆞᆫ 어루신ᄂᆡ
호우일도의 어떠한 어르신네
ᄒᆞᆫ 번 보고 두 번 보아 다 우리 친구로다
한 번 보고 두 번 보아 모두 우리 친구로다
젼승지 듕화부사 쥭ᄌᆞ 사ᄌᆞ ᄒᆞᄂᆞᆫ 의요
전승지 중화부사 죽자 살자 하는 의리요

---

16 시詩·부賦의 의심나는 것을 스스로 깨달아 즐거움을 느낌.
17 노닐 적에도 시詩를 손에 들고 다니는 기이한 습관이 있음을 말함.
18 해서楷書로 정서正書. 진서眞書라고도 함.
19 조선시대에 관찰사나 유수들이 지방에서 보이던 과거科擧.

너희 고을 안전임도 소시젹의 노니럿다
너희 고을 관원[20]님도 젊을 적에 노닐었다
안ᄃᆡ의 손ᄒᆡᆼ슈와 ᄂᆡ동ᄂᆡ 박좌슈ᄂᆞᆫ
안대의 손행수와 내 동네 박좌수는
ᄂᆡ 풍ᄎᆡ 흠모터니 노ᄅᆡ의 이리 되니
내 풍채 흠모하더니 늙어서 이리 되니
심회를 둘 듸 업셔 ᄉᆞ방으로 쥬류ᄒᆞ니
마음을 둘 곳 없어 사방으로 떠도니
황계추야 젹막ᄒᆞᆫᄃᆡ ᄀᆡᆨ의 잠이 더옥 업셔
황계추야[21] 적막한데 객의 잠이 더욱 없어
ᄇᆡᆨ두옹 ᄇᆡᆨ두파가 냥냥상ᄃᆡ 쳥등하라
백두옹 백두파가 양양상대 푸른 등불 아래라[22]
다 마른 뱟쬭이를 잇ᄂᆞᆫ쥴 번이 알고
다 마른 밧족이[23]를 있는 줄 뻔히 알고
냥반이 춰춰ᄒᆞ여 조금 달나 ᄒᆞ엿신들
양반이 취취하여[24] 조금 달라 하였거늘
동냥은 못쥬다ᄉᆞ 족박조차 ᄭᆡ칠소냐
동냥은 못주더라도 쪽박조차 깨트릴소냐
네 말을 드러ᄒᆞ니 절졀이 통분ᄒᆞ다
네 말을 듣자하니 절절히 통분하다
본관의 졍장ᄒᆞ고 영문의 의송ᄒᆞ야
본관은 관복입고 관영에 의송하여

20 하급관리가 '관원官員'을 높이어 일컫는 말.
21 노란 닭과 가을밤으로 적막함을 더욱 쓸쓸하게 묘사한 것임.
22 두 늙은이가 촛불을 켜고 푸른 등불 아래에 함께 하고자 함을 의미함.
23 잘 마른 조기를 말하는 것으로 여기서는 할멈의 늙은 몸을 가리킴.
24 술 마시고 취하여 즐거움을 표현함.

속ᄃᆡ젼 펼쳐 노코 ᄉᆞ부능욕 죠률ᄒᆞ야

속대전[25] 펼쳐놓고 사대부 능욕 조율하여

쟝일ᄇᆡᆨ 형문일치 류삼쳔니 원지졍ᄇᆡ遠地定配

일백 곤장 형문 일치 삼천리 흐르는 물 먼 땅에 유배하랴

일죵 뉼문ᄒᆞ야 의법시ᄒᆡᆼ ᄒᆞ랴더니

일종 율문하여 법에 의해 시행하려 하였더니

곰곰안자 ᄉᆡᆼ각ᄒᆞ니 그러치 아니ᄒᆞ다

곰곰이 앉아 생각하니 그렇지 아니하다

나그ᄂᆡ야 쥬인이야 삼년ᄂᆡ의 졍이깁허

나그네야 주인이야 삼년 안에 정이 깊어

계집의 고만 말을 적간ᄒᆞ여 무엇ᄒᆞ리

계집의 그만한 말을 적간[26]하여 무엇하리

창낭ᄌᆞ취ᄂᆞᆫ 옛 말이 날 소기랴

창랑 자취[27]란 옛 말이 날 속이랴

ᄒᆞᄒᆡ갓튼 ᄃᆡ도량의 부지일소 무가ᄂᆡ하

하해같은 대도량도 부질없어 어찌할 바 없네

아ᄒᆡ야 말 ᄂᆡ여라 고향으로 도라가자

아이야 말 내어라 고향으로 돌아가자

어져 뒤ᄉᆞᆨ뒤 붓그러워 어이갈고

아아 뒤통수 부끄러워 어이갈까

25 조선시대에 《경국대전經國大典》 이후의 교령敎令과 조례條例를 모아 김재로가 편찬한 법전.

26 난잡亂雜한 죄상罪狀이 있나 없나 살피어 조사함.

27 물이 맑고 흐린 데 맞추어 처신함.

72. 입암별곡立巖別曲

① 작품명 : 입암별곡立巖別曲

② 작자명 : 박인로(朴仁老, 1561～1684)

박인로의 본관은 밀양, 자는 덕옹德翁, 호는 노계蘆溪 또는 무하옹無何翁이다. 32세인 1592년(선조 25)에 임진왜란이 일어나자 의병활동에 가담하였다. 문인으로서 본격적으로 활약한 것은 은거생활에 든 40세 이후로, 다수의 가사와 시조를 남겼다.

③ 출전 : 필사본 《입암별곡立巖別曲》(1629)

④ 해제

이 작품은 인조 7년(1629)에 창작된 것으로, 《노계집蘆溪集》이 아닌 별도의 필사본으로 전해오던 것을 김일근이 처음으로 학계에 소개하여 널리 알려지게 되었다. 노계 박인로가 그의 나이 69세 때 여헌 장현광(張顯光, 1554～1637)을 따라 노닐면서 지은 은일가사이다. 국한문 혼용체로 되어 있으며, 모두 108구로 결사 장은 단형시조의 종장체가 파괴된 형태이다. 내용은, 서사에서 입암의 풍경을 노래하고, 본사에서는 여헌과 그의 벗 권극립, 손우남, 정사상, 정사진 등의 한가한 삶을 노래하고, 결사에서는 자연과 함께 늙기를 염원하였다.

⑤ 원문과 현대역

塵世上 살암들아 立巖風景 보앗는다
속세의 사람들아 입암풍경 보았는가?

武陵이 좃타 ᄒᆞᆫ들 이예셔 나ᄋᆞᆯ쇼냐

무릉이 좋다한들 이보다 나을소냐

峰頭애 ᄯᅳᆫ 白鶴은 雲間애 츔을 츄고

봉두에 뜬 백학은 구름 사이에 춤을 추고

深源의 숨은 杜鵑 月下의 슬피 운다

심원[1]에 숨은 두견새는 달빛 아래 슬피운다

蓬萊가 어듸메오 瀛洲가 녀긔로다

봉래[2]가 어디인가 영주[3]가 여기로다

日躋堂 올나 안ᄌᆞ 二十八景 도라보니

일제당 올라 앉아 이십팔경 돌아보니

卓立巖 두렷하야 淸川의 砥柱되고

탁립암 뚜렷하여 맑은 냇가의 기둥 되고

起予巖 삼겨나셔 戒懼臺 도여시니

기여함 생겨 나서 계구대 되었으니

臨危戒懼ᄒᆞ신 말ᄉᆞᆷ 닛ᄯᅢ예 뫼왓ᄂᆞᆫ 덧

임위계구[4] 하신 말씀 이때에 모셨는 듯

九仞峯 놉ᄒᆞᆫ 봉ᄋᆡ 功虧一簣 죠심ᄒᆞ쇼

구인봉 높은 봉에 공휴일궤[5] 조심하소

吐月峰 ᄃᆞᆯ ᄯᅳᆫ 거동 峯頭生出 ᄒᆞᄂᆞᆫ 덧다

토월봉 달 뜬 풍경 봉두 생출[6] 하는 듯하다

---

1 심원深園의 잘못 표기인 듯함. 깊은 동산.

2 발해 가운데 있다고 하는 삼신산의 하나. 우리나라의 금강산이라고도 함.

3 삼신산의 하나. 우리나라의 한라산이라고도 함.

4 위험한 곳에 이르면 경계하며 두려워함.

5 산을 쌓아 올리는데, 한 삼태기의 흙을 게을리 하여 완성을 보지 못하였다는 고사.

6 봉두생출은 봉우리에서 돋음.

小魯岑 올나 안ᄌ 天下을 젹단 말솜
소로잠 올라 앉아 천하가 작다고 했던 말씀
孔夫子의 大觀이라 우리 어이 의논ᄒᆞᆯ니
공부자의 대관이라 우리 어찌 의논하리
産芝嶺 올나가셔 紫芝歌 ᄉᆡᆼ각ᄒᆞ고
산지령 올라가서 자지가 생각하고
含輝嶺 ᄇᆞ래보니 玉蘊山含비치로다
함휘령 바라보니 옥온산함[7] 빛이로다
停雲嶺 놉흔 재예 가는 구름 머무는 덧
정운령 높은 재에 가는 구름 머무는 듯
隔塵嶺 둘러시니 世路을 긋쳐셔라
격진령 둘렀으니 세상길이 그쳤어라
耕雲野 도라드니 隱者의 취미로다
경운들 돌아드니 은자의 취미로다
暮烟林 落落松에 暮烟이 좀겨셔라
아연림 낙낙송에 저녁연기 잠겼어라
招隱洞 ᄎᆞ쟈 드니 숨는 사름 부ᄅᆞ는 덧
초은동 찾아 드니 숨은 사람 부르는 듯
尋眞洞 어드매오 松下의 童子로다
심신동 어디인가 소나무 아래 동자로다
柴門에 무러 본들 白雲이 덥펏더라
사립문에 물어 본들 백운이 덮였어라
採藥洞 도라가니 百草을 심겨는 덧
채약동 돌아가니 백초를 심었는 듯

---

7 산봉우리 위에 흰 구름이 덮인 아름다운 경치.

鏡心臺예 鳶飛ᄒᆞ고 數魚淵에 魚躍이라
경심대에 솔개 날고 수어연에 어약[8]이라
避世臺 안쟈시니 世念이 전혀 업ᄂᆡ
피세대 앉았으니 세상 잡념이 전혀없구나
尙巖臺 건ᄂᆡ간이 富春이 이곳진 덧
상암대 건너 가니 부춘[9]이 이곳인 듯
浴鶴淵 磐潔處에 舞鶴巖이 더욱 긔타
육학연 반결처[10]에 무학암이 더욱 기이하다
畵裡臺 구어 보니 모든 景을 그렷ᄂᆞᆫ 덧
화리대 굽어 보니 모든 풍경을 그렸는 듯
合流臺 노힌 바희 一鶴을 그렷더라
합류대 놓인 바위 한 마리 학을 그렸더라
釣月灘 ᄂᆞ려가셔 ᄇᆞᆰ근 달 ᄆᆞᆰ근 물에
조월탄 내려가서 밝은 달 맑은 물에
銀鱗을 낙가 내니 ᄃᆞᆯ이 ᄯᅱ여 나오ᄂᆞᆫ 덧
은린을 낚아 내니, 달이 뛰어 나오는 듯
洗耳潭 도라 드니 巢父 許由 긔 아닌가
세이담 돌아 드니 소부 허유 그 아닌가
響玉橋 건네 오니 溪聲이 琤琮ᄒᆞ고
향옥교 건네 오니 시냇물 소리 쟁종[11]하고
踏苔橋 ᄇᆞᆲ바 오니 石面에 苔生일쇠
답태교 밟아오니 석면에 태생 일세

---

8 고기가 뛰어오름.
9 중국 절강성 동려시에 있는 산으로, 후한 광무 때 은사 엄광이 낚시하던 곳.
10 깨끗한 너럭바위.
11 시냇물 소리가 옥이 부딪혀 나는 소리처럼 맑음.

勿幕井 ᄆᆞᆯ근 ᄉᆡᆷ이 井卦上六 깃쳐 잇고
물막정 맑은 샘이 정괘상륙[12] 끼쳐있고
象斗石 노힌 돌이 七星을 버렷더라
상두석 놓인 돌이 칠성을 벌였더라
一區 仙境을 임재 업시 ᄇᆞ려 이셔
일구 선경을 임자 없이 버려져서
新羅 一千年과 高麗 五百載예
신라 일천 년과 고려 오백 년에
몃 英雄 몃 豪傑이 수업시 지내던고
몇 영웅 몇 호걸이 수없이 있었던가
天公이 有意ᄒᆞ셔 四友ᄯᅴ 깃치시니
하늘의 뜻이 있어 네 벗을 주셨으니
一半 華山으로 旅軒을 請ᄒᆞ신대
일반 화산으로 여헌[13]을 청하신대
靑藜杖 부들 부ᄎᆡ 陳園公 본을 바다
청려장 부들부채 진원공 본을 받아
淸風에 半醉ᄒᆞ셔 田老을 期約ᄒᆞ야
청풍에 반취하셔 전로[14]를 기약하여
日齊堂 놉히 짓고 友蘭悅松 齋號ᄒᆞ셔
일제당 높이 짓고, 우란열송 이름 짓고
經傳을 사하 두고 道義을 講劘ᄒᆞ니
경전을 쌓아 두고, 도의를 강마[15]하니

12 주역의 제50번째 괘의 이름.
13 조선 인조 때의 유학자 장현광張顯光(1554~1637)의 호.
14 자연에 은거하여 사는 삶.
15 힘써 익힘.

三隱에 加兩이오 四皓에 倍一이라
삼은에 가양[16]이오, 사호에 배일[17]이라
命名ᄒᆞ신 卄八景이 眼前에 버려시니
명명하신 이십팔경이 눈앞에 펼쳤으니
都都ᄒᆞᆫ 仙味을 塵外예 알 니 업다
도도한 신선의 맛 바깥에 알 리 없다
渭水에 고기 낙고 南陽에 밧 가ᄂᆞᆫ 덧
위수에 고기 낚고, 남양에 밭가는 듯
閒隱에 ᄌᆞᆷ겨시니 ᄯᆞᄅᆞ리 긔 뉘러고
한가히 숨었으니, 따를 이 누굴까
이러ᄒᆞᆫ 杖屨所을 千秋에 갓쳐시니
이러한 장구소[18]를 천추에 갖췄으니
溪山 物色이 절로절로 ᄇᆡ렷더라
계산 물색이 절로절로 버려졌다
山 절로 水 절로 山水間에 나도 절로
산 절로 수 절로 산수간에 나도 절로
아마도 절로 ᄇᆡ린 人生이 절로절로 늘그리라.
아마도 절로 버린 인생이 절로절로 늙으리라.

---

16 세 사람의 은자에 두 사람을 더함 곧 5인의 은자.
17 중국 상산에 숨어 살던 네 사람의 노인들에 한 사람을 더함.
18 장구소는 지팡이와 짚신이 있던 곳이라는 뜻으로 저명한 분이 지나가거나 머물던 곳.

73. 절명사絶命詞

① 작품명 : 절명사絕命詞

② 작자명 : 전의이씨(全義李氏, 1723～1748)

전의이씨는 이명후李命厚의 장녀로 태어났다. 1746년에 현풍곽씨 곽내용(郭乃容, 1723～1747)과 결혼하였다. 결혼 후 6개월 만에 남편이 죽자 식음을 전폐하고 남편의 뒤를 따르려다가 실패하고, 2년 뒤인 1748년 남편의 2주기에 26세로 자결하여 남편의 뒤를 따랐다.

③ 출전 : 필사본 《전의이씨행록全義李氏行錄》

④ 해제

〈절명사〉는 현전 가사작품 중 작가 연대를 믿을 수 있는 최고의 여류작품으로, 전통적인 유교적 가사로 볼 수 있다. 필사본 《전의이씨행록》 등 몇 이본에 실려 있는데, 곽내용郭乃鎔의 아내 전의이씨가 남편을 여읜 뒤 2주기를 지내고 자결하기 직전의 영조 24년(1748)에 지은 규방가사이다. 깊은 정애情愛와 지정적至情的인 내용을 담고 있는 효열 문학의 전범典範이라 할 수 있다.

⑤ 원문과 현대역

슬푸다 秋風은 어ᄂᆞ 곳으로 오나뇨
슬프다 가을 바람은 어느 곳으로 불어오는가
외로온 ᄆᆞ음은 더옥 슬프고 슬푸도다
외로운 마음은 더욱 슬프고 슬프도다

節序 임의 變ᄒᆞ니 丹楓은 錦繡帳을 둘넛고
절기[1]에 따라 변하니 단풍은 금수장막을 두른 듯하고
누은 垂楊은 어즈러온 金絲ᄅᆞᆯ 드리웟다
늘어진 수양은 어지러이 금실을 드리웠다
鴛鴦은 서로 ᄀᆞᆯ화 곳수풀을 일헛고
원앙은 서로 번갈아 가며 꽃 숲을 이루었고
侶鴈이 南飛ᄒᆞ니 ᄯᅩᄒᆞᆫ 외롭디 아니ᄒᆞ고
짝기러기 남쪽으로 나니 또한 외롭지 아니하고
秋天 望月은 서리발의 ᄌᆞᆷ겨시니
추천 망월은 서릿발에 잠겼으니
空樑으로 더브러 비ᄎᆞᆯ 비양ᄒᆞᄂᆞᆫ도다
빈 서가래 더불어 빛을 비양[2]하는도다
슬푸다 景物이여 뎡히 나의 命을
슬프다 경물이여 정히 나의 목숨을
재촉ᄒᆞᄂᆞᆫ ᄣᆡ로다 遲遲 我死여
재촉하는 때로구나 몹시 더딘 나의 죽음이여
何以 至今고 有玆父母ᄒᆞ니
어찌 지금에 이르렀나 여기 부모 있으니
隔天倫이로다 遠父母 離兄弟ᄂᆞᆫ
천륜과 헤어짐이로다 멀리는 부모와 떨어지고 형제와 이별하는
女必從夫어ᄂᆞᆯ 大滄 長橋
여필종부하였거늘 대창 장교로다
中道의 부러지니 悽悽 橋上
중간에 부러지니 슬프디 슬픈 다리 위

1 차례로 바뀌는 절기.
2 얄미운 태도로 빈정거림.

一身이 기우러졋도다 滄海 외로온 빅여

일신이 기울어졌도다 푸른 바다 외로운 배여

짐대 썩거지니 저 배 어대로 힝ᄒᆞ여

휘장 꺾어지니 저 배 어디로 향하여

살길를 어이 어들고 슬프다 하늘이 亡케 ᄒᆞ니

살길을 어이 얻을까 슬프다 하늘이 망하게 하니

ᄯᅩᄒᆞᆫ 엇지ᄒᆞᆯ고 屈三閭 忠魂도

또한 엇지 할까 굴원삼려[3] 충혼도

魚服을 ᄎᆡ왓고 太白의 文章忠臣도

어복을 채웠고 이태백 문장충신도

水中에 孤魂이요 伍子胥 鴟夷도

수중에 고혼이요 오자서[4] 치이도[5]

楚水中의 ᄯᅳ져시ᄃᆡ 洋洋 流水

초나라 물속에 던졌으되 드넓이 흐르는 물

여ᄀᆞ치 宛然타다 내 ᄯᅩᄒᆞᆫ ᄎᆞ즈오니

이와 같이 완연하다 내 또한 찾아오니

天地 初判時의 이 몸을 삼기기ᄂᆞᆫ

천지 처음 생길 때에 이 몸이 생기기는

名節을 내미로다 滄浪의 ᄆᆞᆰ은 물결이여

명분과 절의를 냄이로다 창랑의 맑은 물결이여

偷生ᄒᆞ던 怨을 快히 시ᄉᆞ리로다

투생[6]하던 원망을 흔쾌히 씻으리로다

---

3 삼려대부 굴원(B.C. 343~B.C. 277).

4 초나라 명문가 출신. 오나라의 재상으로 있다가 국정 운영에 대한 견해 차이로 죽게 된 인물.

5 말가죽으로 만든 술부대로 오왕이 분노, 자서의 시신을 자루에 담아 강에 던져버렸다는 고사.

사라 百年이 ᄒᆞᆫ 플긋 이실이요
살아 백 년이 풀 끝에 맺힌 이슬이요
죽어 傳ᄒᆞ기ᄂᆞᆫ 千秋萬歲예
죽어 전하기는 천추만세에
泯滅치 아일디라 하ᄂᆞᆯ이 날을 내고
민멸치 않을지라 하늘이 날을 태어나게 하시고
名節을 ᄇᆞᆰ히시미로다 國家 興亡도
명분과 절의를 밝히심이로다 국가 흥망도
龍虎 千臣이 宮闕을 護衛ᄒᆞ나
용호 천신이 궁궐을 호위하나
天數를 못 免ᄒᆞ니 少女의 됴고마ᄒᆞᆫ 몸을
천수를 못 면하니 소녀의 조그마한 몸을
ᄒᆞᆫᄒᆞᆯ 배 아니로ᄃᆡ 二十年 痕迹이
원망할 것 아니로되 이십 년 흔적이
傳ᄒᆞᆯ 거시 업서디니 祖上은 뉘게 傳고
전할 것이 없어지니 조상은 누구에게 전하고
無托ᄒᆞ신 尊舅ᄂᆞᆫ 무어ᄉᆞᆯ 의디ᄒᆞᆯ고
무탁[7]하신 시아버지는 무엇을 의지할까
슬푸다 이 ᄇᆡ여 어ᄃᆡ로조차 스스로 가ᄂᆞᆫ다
슬프다 이 배여 어디를 향하여 스스로 가는가
瀟湘 斑竹을 내 어이 ᄎᆞ자갈다
소상 반죽[8]을 내 어이 찾아갈까

---

6 목숨을 훔치다.

7 의지할 데 없음.

8 순임금의 비妃인 아황과 여영의 눈물이 상죽湘竹에 붙어 얼룩이 생겼다는 고사에서 유래됨.

물ᄀᆞ 두듥에 부르지져 우ᄂᆞ니ᄂᆞᆫ
물가 두둑에 부르짖어 우는 것은
親柴 兩足과 父母 兄弟시니
친시 양족과 부모 형제시니
세 슌 크게 웨여 부ᄅᆞᄂᆞ니 긔 누구뇨
세 번 돌며 크게 외쳐 부르나니 그 누구요
蒼芒 孤舟여 잠간 머물녀문
창망 고주여 잠깐 머물려면
尊舅 尊堂의 깁흔 은덕과
존구 존당의 깊은 은덕과
兩妹와 一家厚情을 다시 가 샤례ᄒᆞ쟈
두 누이와 일가 두터운 정을 다시 가서 사례하자
슬푸다 堂堂ᄒᆞᆫ 天倫이 쇽절업시 긋쳐지고
슬프다 당당한 천륜이 속절없이 그쳐지고
河海ᄀᆞᄐᆞᆫ 恩愛ᄂᆞᆫ 一夕의 虛事되니
하해같은 은혜와 사랑이는 하루 저녁에 허사되니
九原의 도라가ᄂᆞᆫ 넉시 압히 업ᄉᆞᆺ도다
구원에 돌아가는 넋이 앞에 없도다
저ᄌᆞᆫ 몸 ᄎᆞᆫ 물 우희 水風이 冷淡ᄒᆞᆫᄃᆡ
젖은 몸 찬 물 위에 수풍이 냉담한데
夜月이 챵챵ᄒᆞ여 月色 凄凉ᄒᆞ다
밤 달이 창창하여 달빛이 처량하다
水中 옥골히玉骨骸ᄂᆞᆫ 뉘라 져리 공교로이 지엿ᄂᆞᆫ이
수중 옥골 뼈는 누구라 저리 공교로이 지였는지
東方 晨星은 往往히 드무럿고
동방 새벽 별은 왕왕히 드물었고

鷄聲이 쳐양凄凉ᄒᆞ니 됴히 쳣ᄉᆡ비김가 ᄒᆞ노라
닭울음 처량하니 바로 첫 새벽인가 하노라
물ᄀᆞᆺ ᄆᆞ을 다ᄃᆞ미소리ᄂᆞᆫ 엇지요
물가 마을 다듬이 소리는 어떻던가요
슈자리 간 지아뷔 오ᄉᆞᆯ ᄊᆡ여
전쟁터 간 지아비 옷을 때어
모져 ᄒᆞ미로다 네 호올로 ᄒᆞᄂᆞᆫ 양 말나
먼저 함이로다 너 홀로 하는 양하지 말라
나도 원願ᄒᆞ여 ᄣᆡ로 미쳐
나도 원하여 때로 미쳐
급피 도라가리로다 郎君을 다시 만나
급히 돌아가리로다 낭군을 다시 만나
이 ᄇᆡ을 둘히 ᄐᆞ고 ᄲᅱ워노하 어ᄃᆡ을 行ᄒᆞᄂᆞᆫ지
이 배를 둘이 타고 뛰어 놀아 어디를 행하는지
君이 길흘 ᄭᅳ어 白蘋의 머무르고
군이 길을 끌어 백빈에 머무르고
瀟湘을 ᄇᆞ라보며 옛 精을 못내 일ᄂᆡ
소상을 바라보며 옛 정을 못내 일으켜
져근닷 相離ᄂᆞᆫ 天地의 惡氣로다
잠깐 사이 이별은 천지의 나쁜 기운이로다
千恨 萬愁 다 어드러 가신고
천한 만수 다 어디로 갔는가
ᄂᆡ ᄆᆞᄋᆞᆷ과 내 긔운이 옛젯내 宛然ᄒᆞ고
내 마음과 내 기운이 옛적에 완연하고
郎君의 琅鏘言語와 和平ᄒᆞᆫ 얼굴이
낭군의 옥같은 언어와 화평한 얼굴이

의심이 업ᄂᆞᆫ지라 郎君이 다시 도라오실냐

의심이 없는지라 낭군이 다시 돌아오실까

妾이 郎君을 ᄯᆞ로냐 世上 離別을

첩이 낭군을 따르랴 세상 이별을

못내 슬허ᄒᆞ엿더니 一世예 샹봉ᄒᆞᆯ 쥴

못내 슬퍼하였더니 이 세상에서 상봉할 줄

뉘 알니요 瀟湘이 졔로소니

뉘 알겠는가 소상이 저기러니

우리 兩人의 淸明 直節을

우리 두 사람의 청고한 명망과 곧은 절개를

可히 알니로다 唯 栩栩ᄒᆞᆫ 두 넉시

가히 알겠도다 오직 활발한 두 넋이

世上의 迥隔ᄒᆞ니 거리길 집앞 뫼혜

세상에 멀리 떨어졌으니 거리 길 집 앞 묘에

우ᄂᆞᆫ 이ᄂᆞᆫ 尊舅시고 素帳을 즈음쳐 哀哭ᄒᆞᆷ은

우는 이는 시아버지시고 소장[9]을 가로 막아 애상함은

尊堂과 兩妹로다

어머니와 두 누이로다

9 장사葬事 지내기 전에 궤연 앞에 치는 흰 포장.

74. 재송여승가再送女僧歌

① 작품명 : 재송여승가再送女僧歌

② 작자명 : 미상

③ 출전 : 이용기李用基 편, 《악부樂府》(고려대학교 중앙도서관 소장)

④ 해제

〈재송여승가〉는 정철의 〈사미인곡〉의 영향을 받은 흔적이 많은데, 남철의 작품, 또는 작자와 창작 시기를 알 수 없는 작품으로 알려져 있다. 전체 4수의 작품으로 구성된 〈여승가〉 연작 중 한 편이다. 〈여승가〉 연작은 이 작품을 비롯하여 〈송여승가送女僧歌〉·〈승답사僧答辭〉·〈여승재답사女僧再答辭〉 등으로 구성되어 있다. 〈여승가〉 연작은 각각 남성 화자가 여승에게 전하는 내용(〈송여승가〉·〈재송여승가〉)과 이에 대해 여승이 그 답변을 보내는 형식(〈승답사〉·〈여승재답사〉)으로 구성되어 있어, 수창酬唱 형식으로 편지를 왕래하고 있다는 특징을 지닌다. 따라서 이 작품은 〈송여승가〉에 대한 답가이다. 이 작품의 작자를 18세기에 활동했던 남철과 옥선玉禪이라는 여승이 주고받은 작품으로 파악하는 견해도 제기되어 있으나, 아직까지 작자를 확정할 수 있는 근거는 확실치 않다고 판단된다. 여기에서는 고려대학교 도서관 소장본 《악부》(이용기 편)에 수록된 이본을 대상으로 하였다. 남성 화자가 여승의 답장을 받고, 다시 편지를 보내 부귀를 누리면서 자손을 많이 얻어 함께 살다가 죽자고 권유하는 내용이다.

⑤ 원문과 현대역

禪師任 하신 말삼 말삼마다 올컨마는
선사님 하신 말씀 말씀마다 옳지마는
그 말삼 그만두고 내 말삼 드러보소
그 말씀 그만두고 내 말씀 들어보소
花容이 暗暗하니 그립긴들 아니하며
꽃다운 얼굴이 어두우니 그립지 아니하며
그듸 일홈 알것마는 繁ᄒᆞ여 못 이르네
그대 이름 알지마는 번거로워 말 못하네
머리를 깍가쓴들 얼굴 좃차 變할손가
머리를 깍았은들 얼굴까지 변할까
偶然이 만나보고 졀노 成病되니
우연히 만나보고 절로 병이 생겼으니
一身이 恍惚하여 萬事가 無心이라
일신이 황홀하여 만사가 무심이라
아마도 이 ᄂᆡ 일은 ᄂᆡ라도 내 몰ᄂᆡ라
아마도 이 내 일은 나라도 내가 모르네
어버이 여휜 사람 다 즁이 되 량이면
부모님 여힌 사람 다 중이 될 것이면
朝鮮이라 八道 사람 나믈 이 몃치나 될고
조선이라 팔도 사람 남을 이 몇이나 될까
阿彌陀佛 觀世音菩薩 千萬番 외오면서
아미타불 관세음보살 천만 번 외우면서
竹琵와 磬子를 無數이 두다린들
죽비와 경쇠를 무수히 두드린들

글노셔 붓쳐 되며 죽은 父母 사라올가

그 때문에 부처 되며 죽은 부모 살아올까

고사리 삽쥬나믈 맛이 죠타 하려니와

고사리 삽주나물 맛이 좋다 하거니와

염통 산적 羘복기와 어닉 것이 나을손가

염통 산적 양볶이[1]와 어느 것이 나을까

모밀 자내 비단 끈을 죵요롭다 ᄒ거니와

메밀 잔에 비단 끈을 중요하다 하려니와

鴛鴦枕 胡蝶夢이 어네 거시 나흘손가

원앙침 호접몽[2]을 어느 것이 나을까

그 얼골로 그 行實로 媤父母 못 괴이며

그 얼굴로 그 행실로 시부모 사랑 못 받으며

行實을 닥가닉이 면마소 싀올손가

행실을 닦아내니 짐승에서 벗어나기 시샘할까

人間에 고은 게집 너 쌘이라 하랴마는

인간에 예쁜 여자 너 뿐이라 하랴마는

저마다 福이 읍셔 내 눈의 다흘손가

저마다 복이 없어 내 눈에 닿을까

앗가온 這 花容이 헛도이 늙것셰라

아까운 저 꽃다운 모습이 헛되이 늙었구나

寒梅花 옴겨다가 窓前에 심우고져

한매화[3] 옮겨다가 창가에 심고 싶네

---

1 소의 위를 잘게 썰어 양념을 치고 볶아서 만든 음식.

2 장자가 꾸었다는 꿈에서 유래한 표현. 자기와 외물外物은 본래 하나라는 이치를 설명하는 말.

3 겨울에 피는 매화.

楚襄王 巫山女도 朝雲暮雨 되어잇고

초양왕 무산신녀도 아침 구름 저녁 비[4] 되어 있고

銀河水 織女星도 牽牛를 만나거든

은하수 직녀성도 견우를 만나거든

禪師님 무삼 일노 져ᄃᆡ도록 ᄆᆡᄆᆡ할사

선사님 무슨 일로 저토록 사리에 어두워[5]

三間草屋 寂寞한듸 孤處이 혼자 안져

초가삼간 적막한데 외로이 혼자 앉아

世上을 아조 잇고 念佛만 工夫타가

세상을 아주 잊고 염불만 공부하다가

자네 人生 죽어지면 늣기 리 뉘 잇스리

자네 인생 죽어지면 느낄 이 뉘 있으랴

沙工쳐럼 혼자 안쳐 홍독ᄀᆡ로 턱을 괴와

사공처럼 혼자 앉아 홍두깨로 턱을 괴어

ᄎᆡ통에 入棺ᄒᆞ여 더운 불에 찬 ᄌᆡ 될 뎨

채통에 입관하여 더운 불에 찬 재 될 때

寂寞 空山 구즌 비에 우는 귀것 자네로세

적막한 빈 산 궂은 비에 우는 귀신 자네로다

내 말삼 올히 역여 前 마음 도로혜면

내 말씀 옳게 여겨 이전 마음 돌리면

富貴도 할 것이요 百年을 偕老하리

부귀도 할 것이요 백년을 함께 늙으리

---

4 무산신녀가 초양왕에게 '아침에 구름이 되고 저녁에 비가 되어, 곁에 머물겠다.'는 말에서 유래하여, 남녀의 사랑을 뜻하는 말로 사용되고 있음.

5 아는 것이 없어 세상 물정에 어두움.

琴瑟이 和合하여 子孫이 만당하면
금슬이 화합하여 자손이 집에 가득하면
헌 머리의 이 ᄭᅬ인듯 닷는 놈 긔는 놈의
헌 머리에 이 꾀듯 달리는 놈 기는 놈에
榮華로이 누리다가 死後를 도라보면
영화롭게 누리다가 죽은 후를 돌아보면
子孫이 詵詵하여 錦繡로 殮襲하여
자손이 많고 많아 수놓은 비단으로 염습[6]하여
流蘇寶帳에 百夫緦麻가 들녤 적에 그 안이 즐거온가
유소보장[7]에 백부시마[8]가 들고 날적에 그 아니 즐거운가
人間의 조흔 일이 이 밧게 ᄯᅩ 잇는가
인간세상 좋은 일이 이 밖에 또 있는가
아마도 이 ᄂᆡ 병은 살어날 길 젼혀 업다
이마도 이 내 병은 살아날 길 전혀 없다
차라이 다 ᄯᅥᆯ치고 범나뷔 되어나셔
차라리 다 떨치고 범나비 되어서
禪師님 간 듸마다 ᄯᅡ라가면 안디리라
선사님 간 곳마다 따라가며 앉으리라
殺人者ㅣ 死라 하니 죽으면 네 알이라.
사람을 죽인 자는 죽는다 하니 죽으면 네 알리라.

6 죽은 사람의 몸을 씻긴 뒤에 옷을 입히고 염포殮布로 묶는 일.
7 술이 달린 화려한 비단 휘장.
8 상복喪服 중에서 가장 가벼운 시마緦麻 복을 입은 많은 사람들.

75. 조화전가嘲花煎歌

① 작품명 : 조화전가嘲花煎歌

② 작자명 : 홍원장

이 작품의 작자는 홍원장인데, 안동권씨(1718~1789)가 남긴 필사본 《잡록雜錄》을 통해 그가 〈조화전가〉를 지었다는 사실이 확인되었다. 18세기 인물로, 〈반조화전가〉를 지은 안동권씨의 6촌으로 확인된다.

③ 출전 : 필사본 《잡록雜錄》

④ 해제

이 작품은 18세기에 필사된 《잡록》에 〈반조화전가〉 등의 가사 작품과 함께 수록되어 있다. 〈조화전가〉는 화전가를 조롱한다는 뜻으로, 여자들이 봄에 한 차례 화전놀이를 즐기는 것을 남자의 입장에서 조롱하는 내용이다. 《잡록》의 필사자인 안동권씨는 이에 대해 〈반조화전가〉를 지어 이 작품에 화답했다고 한다. 〈반조화전가〉를 창작할 당시 안동권씨가 20대였다고 하니, 홍원장이란 인물 역시 젊은 시절에 〈조화전가〉를 지은 것으로 여겨진다. 작품의 화자는 여성들의 화전놀이를 보고 시시콜콜 비판하며 참견하는 모습을 보이고 있다. 당시는 여성들의 화전놀이에 대해 남성들이 언급하지 않는 것이 보통이었는데, 이 작품의 작자는 여성들의 모임에 대해서 다소의 조롱을 섞어서 평가하고 있다는 점이 특징이다. 웃음을 동반하는 해학적 태도로 여성과의 논쟁을 즐기는 듯한 작품의 내용을 통해서 작자의 창작의 의도를 짐작할 수 있게 한다.

⑤ 원문과 현대역

어와 가쇠로다 우리 일 가쇠로다
어와 가소롭다 우리 일 가소롭다
수삼원 경영ᄒᆞᆫ 일 허ᄉᆞ 공논 되거고야
수삼원 경연한 일 허사와 공론이 되었구나
츈광을 원망하고 풍경을 일을 삼아
봄빛을 원망하고 풍경을 일을 삼아
한ᄆᆡ슈 의디ᄒᆞ야 츈쇼식 ᄇᆞ라더니
차가운 매화나무 의지하여 봄소식 바라더니
강호의 봄이 드니 곳곳마다 츈의로다
강호에 봄이 드니 곳곳마다 봄뜻이로다
년광이 어린 곳의 두견이 만발ᄒᆞ니
햇빛이 어린 곳에 진달래 만발하니
쳔봉만수의 가디마다 향긔로다
모든 봉우리 온갖 나무에 가지마다 향기로다
년광도 됴하 뵈고 물식도 새로왜라
햇빛도 좋아 보이고 경치도 새롭구나
이러ᄒᆞᆫ 됴흔 경의 ᄣᆡᄂᆞᆫ ᄌᆞᆺ차 삼월이라
이러한 좋은 풍경일 때는 바로 삼월이라
남ᄌᆞ 풍경 가져 이셔 허송 광음 부졀업다
남자 모습 가져 있어 세월 허송 부질없다
호탕ᄒᆞᆫ 밋친 흥을 부졀업시 ᄌᆞ아내야
호탕한 미친 흥을 부질없이 자아내어
명녀ᄒᆞᆫ 져 강산의 ᄇᆡ회 완경 ᄒᆞ려 ᄒᆞ고
밝고 아름다운 저 강산에 배회하며 경치를 보려 하고

나계라 샹하촌의 두세 친구 모다 안자
나계[1]의 위 아래 마을에 두세 친구 모여 앉아
맛바회 됴ᄒᆞᆫ 경의 젼화ᄅᆞᆯ ᄒᆞ려ᄒᆞ고
맛바위 좋은 경치에 화전놀이를 하려하고
안ᄌᆞ면 의논ᄒᆞ고 만나면 언약ᄒᆞ야
앉으면 의논하고 만나면 약속하여
젹슈공권 가져 이셔 ᄆᆡ일 뷘 말 ᄲᅮᆫ이로다
맨손과 맨주먹만 가지고 있어 매일 빈 말 뿐이로다
일승곡 못 엇거든 ᄇᆡᆨ분 쳥유 긔 뉘 내리
좋은 노래 못 얻거든 밀가루와 기름 그 누가 준비하리
풍경이야 됴타만은 뷘 입 가져 무엇ᄒᆞ리
풍경이야 좋다마는 빈 입 가져 무엇하리
의논이 불일ᄒᆞ여 쳔연 지금 ᄒᆞ엿더니
의논이 일치하지 않아 미뤄져 지금처럼 되었는데
시졀이 말세되니 고이ᄒᆞᆫ 일 하고 만타
시절이 말세 되니 이상한 일 많고 많다
심규의 부녀들은 완경ᄒᆞᆯ 줄 어이 아라
깊은 규중 부녀들은 경치 즐길 줄 어찌 알아
슈동셔 ᄉᆞ오가의 단찰이 오락가락
수동의 4~5 집의 편지가 오락가락
막덕이 불너내야 우군슈군 젼갈ᄒᆞ니
막덕이 불러내어 숙덕숙덕 소식 전하니
귀예 다혀 ᄀᆞ는 말이 가댱 알가 저허ᄒᆞᄂᆡ
귀에 대고 가는 말이 남편 알까 걱정하네

1 작자의 고향에 흐르는 냇물 이름.

갈 날을 굴디ᄒᆞ니 손톱이 다 ᄆᆞᄌᆞᆫ다
갈 날을 기다리니 손톱이 다 무뎌지네
우즐기ᄂᆞᆫ 거동이아 일구난셜 다 못 ᄒᆞᆯ다
우줄거리는 거동이야 한 마디로 말하기 어려워 다 못 하네
녜 업던 ᄇᆡᆨ분 쳥유 긔 어드러 삼겨난고
예 없던 밀가루와 기름 그 어떻게 생겼는가
호ᄉᆡ 다마ᄒᆞ고 조물이 새임ᄇᆞᆯ나
호사다마하고 조물주가 시샘하여
동풍 어제 비예 전계슈 대챵ᄒᆞ니
동풍 어제 비에 앞개울 물 넘치니
ᄋᆞ근ᄌᆞ근 의논ᄒᆞᆫ 일 대ᄉᆞ 낭패 ᄒᆞ거고야
조근조근 의논한 일 큰 일 낭패 되겠구나
도라안자 걱뎡 긋틔 아희 우ᄅᆞᆷ 무ᄉᆞ 일고
돌아앉아 걱정 끝에 아이 울음 무슨 일인가
낙심쳔만 ᄀᆞ이 업서 호텬 탄식 ᄲᅮᆫ이로다
낙심천만 끝이 없어 하늘보고 탄식 뿐이로다
그 듕의 다긔ᄒᆞ니 왜쥬딜 ᄒᆞ거고야
그 중에 꾀 많은 이 이것저것 시키는 구나
막동이 분부ᄒᆞ야 ᄃᆞ리ᄅᆞᆯ 노히거다
막동이 분부하여 다리를 놓았도다
ᄆᆡᆺ친 눈물 고쳐 ᄡᅳᆺ고 마조 안자 웃ᄂᆞᆫ고야
맺힌 눈물 다시 씻고 마주 앉아 웃는구나
삼연 묵은 남져구리 다시 내야 떨쳐닙고
삼년 묵은 남색 저고리 다시 내어 떨쳐입고
허튼 머리 다ᄒᆞᆫ 겻ᄒᆡ 양각 흑각 무ᄉᆞ 일고
흐트러진 머리 땋은 곁에 양각 흑각 무슨 일인가

아ᄒᆡ 단장 그만 ᄒᆞ소 듕텬의 날 느젓ᄂᆡ

아이 단장 그만 하소 중천에 날 늦었네

동녁 집 져리 오소 셧녁 사ᄅᆞᆷ 이리 가ᄂᆡ

동쪽 집 저리 오소 서쪽 사람 이리 가네

청농 긋 좁은 길ᄒᆡ 녹의홍상 구경일다

청룡 끝 좁은 길에 녹의홍상 구경이라

어와 고이ᄒᆞ다 녀인국 여긔런가

어와 괴이하다 여인국 여기인가

세강쇽말 ᄀᆞ이 업서 곤도셩남 ᄒᆞ야셰라

세강속말世降俗末[2] 끝이 없어 곤도성남坤道成男[3] 되었구나

분벽사창은 부녀의 ᄃᆡᆨ힐 배오

하얗게 꾸민 벽과 비단 바른 창은 부녀의 지킬 바요

강산완경은 남ᄌᆞ 일노 드럿더니

강산의 경치를 구경하는 것은 남자 일로 들었더니

오ᄂᆞᆯ 일 보와ᄒᆞ니 녯말이 각이ᄒᆞ다

오늘 일 보아하니 옛말과 다르구나

규듕 부녀ᄂᆞᆫ 산슈간의 완경ᄒᆞ고

규중 부녀들은 산수간에 경치 구경하고

풍뉴 남ᄌᆞᄂᆞᆫ 독좌공당 ᄒᆞ여세라

풍류의 남자들은 홀로 빈 방을 지키네

슈빈의 샹하ᄒᆞᆫ들 됴ᄒᆞᆫ 경을 어이 알니

물가의 오르내린들 좋은 경치를 어이 알리

연녹 방초안의 단청 구경 ᄒᆞ시ᄂᆞᆫ가

푸르고 향기로운 풀이 우거진 언덕에 단청 구경 하시는가

---

2 세상이 그릇되어 풍속이 어지러움.

3 음의 성질을 지녀 유순한 땅의 도를 얻은 자가 남성이 됨을 이르는 말.

광풍이 죵일ᄒᆞ니 화젼도 경이 업다

햇빛과 바람 종일 부니 화전놀이도 끝이 없다

젼후산 두견화를 다 ᄯᅳᆺ어 모화내야

앞산 뒷산 진달래를 다 뜯어 모아내어

ᄌᆡ 무든 약간 ᄯᅥᆨ을 계유 구펴 마슬 보고

재 묻은 약간 떡을 겨우 구워 맛을 보고

인ᄉᆞ 부디 아ᄒᆡ들은 눈츼 몰나 달나 ᄒᆞᄂᆡ

인사를 알지 못하는 아이들은 눈치 없이 달라 하네

다래며 ᄭᅮ디ᄌᆞ며 그러져러 죵일ᄒᆞ니

달래며 꾸짖으며 그럭저럭 종일하니

ᄇᆞ라고 ᄇᆞ란 일이 무슴 흥황 이실손고

바라고 바란 일이 무슨 흥미 있을까

가댱의 업ᄂᆞᆫ 흉을 (규규이셔) ᄃᆞᆺ화 ᄯᅧᆯ고

가장의 없는 흉을 여기저기 다투어 보고

세간사리 염댱 격뎡 말긋 마다 절노 나니

세간살이 소금장 걱정 말끝 마다 절로 나니

져른 ᄉᆞ셜 긴 ᄉᆞ셜의 눈물은 무ᄉᆞ 일고

짧은 사설 긴 사설에 눈물은 무슨 일인가

반날이 못 ᄒᆞ여셔 져녁 ᄉᆡᆼ각 밧브거든

반일도 못 하여서 저녁 생각 바쁘거든

별계 쳥승을 무슴 경의 구경ᄒᆞ리

별계의 경치를 무슨 사이 구경하리

집의 아ᄒᆡ ᄉᆡᆼ각ᄒᆞ여 낫븐 ᄯᅥᆨ 못다 먹고

집의 아이 생각하여 나쁜 떡 못다 먹고

가만 슈건 ᄯᅥᆯ쳐내여 각각 ᄡᆞ고 니러나니

가만히 수건 떨쳐내어 각각 싸고 일어나니

창황이 가ᄂᆞᆫ 거동 볼ᄉᆞ록 즛업고야
바쁘게 가는 거동 볼수록 볼 품 없네
무ᄉᆞ 일노 와겻다가 무엇 보고 가시ᄂᆞᆫ고
무슨 일로 왔다가 무엇 보고 가시는가
산녕도 ᄲᅧᆼ을 내고 하ᄇᆡᆨ도 긔롱ᄒᆞᄂᆡ
산신령도 성을 내고 하백도 희롱하네
년화 동텬이 무단히 욕을 보니
연꽃 핀 계곡이 무단이 욕을 보니
고현 댱구소의 져 거시 무ᄉᆞ 일고
고현 장구소에 저 것이 무슨 일인가
쳥강의 여흘소ᄅᆡ 격분ᄒᆞ여 슬피 울고
청강의 여울소리 격분하여 슬피 울고
당져의 나ᄂᆞᆫ 풀이 실ᄉᆡᆨᄒᆞ여 푸ᄅᆞ거든
당저에 나는 풀이 색을 잃고 푸르거든
ᄆᆞ음 놀난 산됴들이 디디기 고이ᄒᆞ랴
마음 놀란 산새들이 지저귀니 괴이하다
동ᄃᆡ예 벽도화ᄂᆞᆫ 피다가 반만 웃고
동대에 벽도화는 피다가 반만 웃고
뎡젼의 양뉴디ᄂᆞᆫ 보내고 춤을 추니
정전의 양류지는 보내고 춤을 추니
그 ᄒᆡᆼ추 블긴ᄒᆞᆫ 줄 초목도 져러커든
그 행차 꼭 필요치 않은 줄 초목도 저렇거든
유식군ᄌᆞ야 비웃기 고이ᄒᆞ랴
유식한 군자야 비웃기 괴이하랴
ᄉᆡᆼ각ᄒᆞ매 참괴ᄒᆞ니 허희탄식 ᄲᅮᆫ이로다
생각하매 부끄러워 허허 탄식 뿐이로다

우리 ᄀᆞᆺᄒᆞᆫ 남ᄌᆞ들은 일 녀ᄌᆞ만 못 ᄒᆞ여셔

우리 같은 남자들은 한 여자만 못 해서

긔약ᄒᆞᆫ 일 허ᄉᆡ 되니 긔 아니 가쇠온가

기약한 일 허사 되니 그 아니 가소로운가

츈광이 부로ᄒᆞ니 강산승경의 노라볼가 ᄒᆞ노라.

봄빛이 헛되지 않으니 강산 아름다운 경치에 놀아볼까 하노라.

76. 창의가倡義歌

① 작품명 : 창의가倡義歌

② 작자명 : 신태식(申泰植, 1864~1932)

신태식은 한말 의병장이자 독립운동가이다. 단양에서 의병을 일으켜 이강년과 합세, 경상북도 영양·울진 등에서 활약하다가 영평 싸움에서 체포되어 복역하였다. 출옥 후 조선독립 후원을 위한 경북의용단을 결성하여 군자금을 수집해 임시정부에 보내주는 일 등의 활약을 했다.

③ 출전 : 〈창의가倡義歌〉

④ 해제

이 작품은 을사조약으로 국권을 일본에 강제로 빼앗긴 뒤, 사그라진 국민정신을 각성시키고자 의병 활동에 참가했던 지은이가 생동하는 현장감을 바탕으로 쓴 의병 가사이다. 〈신의관창의가申議官倡義歌〉라고도 한다.

⑤ 원문과 현대역

어와 세상 사람들아 금세(今世) 형편 들어 보소
어와 세상 사람들아 세상 형편 들어 보소
아태조(我太祖) 창업하사 오백여 년 내려올 제
아태조 창업하여 오백여 년 내려올 때
오천 년 요순지치(堯舜之治) 이천 년 공부자도(孔夫子道)
오천 년 요순의 다스림 이천 년 공부자의 도리

인의예지 법을 삼아 삼강오륜 분명하다
인의예지 법을 삼아 삼강오륜 분명하다
계계승승 내린 덕화 팔역(八域)이 안돈하다
계계승승 나린 덕화 팔도가 편안하고 돈독했다
임진왜란 병자호란 중간 기침 근심이라
임진왜란 병자호란 중간 일어나서 근심이라
태상왕이 이르기를 의 있다 칭찬터니
태상왕이 이르기를 의롭다고 칭찬하더니
불상할사 을사조약 오적(五賊)의 농간이라
불쌍하다 을사조약 오적의 농간이라
제 임의로 천편(擅便)하야 삼림 천택(川澤) 전수하니
제 맘대로 천편하여 삼림천택 전수하니
천지도 회맹(晦盲)하고 일월도 무상하다
천지도 회맹하고 일월도 무상하다
국가가 요란한데 창생(蒼生)인들 편할쏘냐
국가가 요란한데 백성인들 편할까
수백 년 양반 종사(從事) 이씨은우(恩遇) 뉘 아닌가
수백 년 양반 종사 이 씨 은혜 뉘 아닌가!
가삼에 끓는 피난 개인개인 일반이라
가슴에 끓는 피는 개개인이 한가지라
죽자하니 어리석고 살자하니 일반이라
죽으려니 어리석고 살려니 일반이라
주소(晝宵)로 잠 못 이뤄 전전반측 누워으니
밤낮으로 잠 못 이뤄 전전반측 누웠으니
시문(柴門)에 개 짖으며 훤호지성 요란하다
사립문에 개 짖으면 떠드는 소리 요란하다

문을 열고 탐문허니 관동 대진 경통(警通)이라

문을 열고 탐문하니 관동 대진 경통이라

이천만 우리 동포 아연히 있단 말가

이천 만 우리 동포 입만 벌리고 있단 말인가

군율(軍律)을 당치 말고 하루바삐 출두허소.

군율을 당하지 말고 하루 바삐 출두하소

77. 천주공경가

① 작품명 : 천주공경가

② 작자명 : 이벽(李蘗, 1754～1786)

이벽의 자는 덕조德操, 호는 광암曠菴, 세례명은 세자요한이다. 경기도 포천 태생이며, 이익李瀷의 제자로 남인 계열에 속한다. 조선 후기 주자학의 모순을 깨달아 청나라로부터 유입된 서학西學에 깊은 관심을 가졌다. 1784년 이승훈으로부터 세례를 받아 정식으로 천주교 신자가 되었다.

③ 출전 : 영인본 《만천유고蔓川遺稿》(가톨릭대학교 소장)

④ 해제

〈천주공경가〉는 포교가사로 순 한글 작품이며, 최초의 천주가사이다. 17행 33구로 이루어진 비교적 짧은 가사이다. 〈십계명가〉와 함께 숭실대학교 박물관 소장 필사본 《만천유고》에 전한다. 이 작품은 자신의 신앙고백임과 동시에 종교적인 포교성을 띠고 있다. 당시 유교문화 속에서 신을 발견하고 영혼에 눈을 뜨는 의식개혁의 과정이 잘 나타나 있다.

⑤ 원문과 현대역

어화세상 벗님ᄂᆡ야 이네말ᄉᆞᆷ 드러보쇼
어와 세상 벗님네야 이내 말씀 들어보소
지ᄇᆞᆫ에ᄂᆞᆫ 어른잇고 ᄂᆞ라에ᄂᆞᆫ 임군있네
집안에는 어른 있고 나라에는 임금있네

네몸에ᄂᆞᆫ 령혼있고 ᄒᆞ늘에난 텬쥬있네
내 몸에는 영혼靈魂 있고 하늘에는 천주天主있네
부모의게 효도하고 임군에난 충셩ᄒᆞ네
부모에게 효도하고 임금에게 충성하네
ᄉᆞᆷ강오륜 지켜가ᄌᆞ 텬쥬공경 읏듬일셰
삼강오륜三綱五倫[1] 지켜가자 천주공경天主恭敬 으뜸일세
이ᄂᆡ몸은 죽어저도 령혼ᄂᆞᆷ어 무궁ᄒᆞ다
이 내몸은 죽어서도 영혼남아 무궁하다
인륜도덕 텬쥬공경 령혼불멸 모르며는
인류도덕 천주공경 영혼불멸 모르면은
사ᄅᆞ셔ᄂᆞᆫ 목셕이요 주거서난 듸옥이라
살아서는 목석木石[2]이요 죽어서는 지옥地獄이라
텬쥬잇다 알고서도 불ᄉᆞ공경 ᄒᆞ지마쇼
천주있다 알고서도 불사공경佛事恭敬[3] 하지마소
알고서도 아니ᄒᆞ면 죄만졈졈 싸인다ᄂᆡ
알고서도 아니하면 죄만 점점 쌓인다네
죄짓고서 두러운ᄌᆞ 텬쥬업다 시비마쇼
죄짓고서 두려운 자 천주없다 시비마소
아비업ᄂᆞᆫ ᄌᆞ식밧나 양듸없ᄂᆞᆫ 음듸잇ᄂᆞ
아비없는 자식봤나 양지없는 음지있나
임군용안 못ᄇᆡ앗다 ᄂᆞᄅᆞᄇᆡᆨ성 아니런가
임금용안龍顏[4] 못뵈었다 나라백성 아니런가

---

1 삼강은 군위신강君爲臣綱·부위자강父爲子綱·부위부강夫爲婦綱. 오륜은 군신유의君臣有義·부자유친父子有親·부부유별夫婦有別·붕우유신朋友有信·장유유서長幼有序.

2 나무나 돌과 같이 감정이 없는 사람을 비유.

3 불교에서 행하는 제사·법회法會를 가리키는 말.

4 임금의 얼굴.

텬당지옥 가보왓나 셰숭ᄉᆞ롬 시비마쇼
천당지옥 가보았나 세상사람 시비마소
잇는텬당 모른션비 텬당업다 어이아노
있는 천당 모른 선비 천당없다 어이 아노
시비마쇼 텬쥬공경 미더보소 ᄭᅵ다르면
시비마소 천주공경 믿어보소 깨다르면
영원무궁 영광일셰
영원무궁 영광일세

78. 초혼사招魂詞

① 작품명 : 초혼사招魂詞

② 작자명 : 이운영(李運永, 1722~1794)

이운영의 호는 옥국재玉局齋이며, 통정대부돈령부도정通政大夫敦寧府都正을 지낸 바 있어 도정공都正公이라고도 한다. 유저로 《옥국재유고玉局齋遺稿》 10권과 필사본 가사집인 《언사諺詞》가 전한다. 이 《언사》에는 〈착경가〉·〈슌챵가〉·〈슈로죠천힝션곡〉·〈초혼亽〉·〈셰장가〉·〈임천별곡〉·〈명쥬가〉 등 7편의 가사가 수록되어 있다. 《언사》는 18세기 가사문학의 면모를 볼 수 있다는 점에서 큰 가치를 지닌다.

③ 출전 : 필사본 《언사諺詞》

④ 해제

이 작품은 정조대의 작품으로, 《언사》에 〈초혼亽〉·〈도명공가亽〉라는 제목으로 수록되어 있다. 임진왜란 때 왜적의 침입으로 순국한 넋을 불러 위로하는 가사이다. 특히 고경명, 조헌 등이 일으킨 의병들이 금산錦山 정양산 싸움에서 전멸하여 묻힌 칠백의총七百義塚의 넋을 위로하는 내용이 담겨 있다. "넉시야 넉시로다 망자시의 넉시로다" 등 주로 진오귀굿이나 씻김굿에서 망자의 넋을 청할 때 부르는 무가의 구절이 반복되는 특징을 나타낸다. 이는 가사 장르의 개방성과 관습성을 잘 보여주는 예라 할 것이다.

⑤ 원문과 현대역

넉시야 넉시로다 망자시의 넉시로다
넋이야 넋이로다 망자 때의 넋이로다
ᄇᆡᆨ골이 진토되여 청산의 무쳐신들
백골이 진토되어 청산에 묻혔던들
풀ᄆᆡ자 일편정녕 ᄉᆞ라질제 이실손가
결초할 [1]한 마음 사라질 일 있겠는가
표표 탕탕ᄒᆞ야 허공의 씌여시니
표표 탕탕[2]하야 허공에 떠 있으니
ᄉᆞᄒᆡ 망망ᄒᆞ여 어ᄃᆡ가 의탁ᄒᆞᆯ구
사해가 아득하여 어디에 의탁할꼬
구만리 쟝천상의 거긔나 가잇ᄂᆞᆫ가
아득히 넓은 하늘 위 거기에나 가 있는가
넉시야 넉시로다 망자시의 넉시로다
넋이야 넋이로다 망자 때의 넋이로다
사ᄅᆞᆷ이 쥭어갈제 인녁으로 사로랴면
사람이 죽어갈 때 인력으로 사노라면
안연이 쥭어갈제 공ᄌᆡ아니 살으시며
안연[3]이 죽어갈 때 공자 아니 살리시며
양귀비 쥭어갈제 당명황이 못샬오랴
양귀비[4] 죽어갈 때 당명황[5]이 못살렸노라

---

1 결초보은結草報恩의 준말.
2 표표飄飄는 위엄이 있는 모양, 탕탕蕩蕩은 넓고 넓은 모양.
3 안연顔淵은 공자가 가장 신임하였던 제자 안회顔回로 공자보다 먼저 죽었음.
4 양귀비楊貴妃는 중국 당唐나라 현종玄宗의 귀비貴妃로 춤과 음악에 뛰어나고 총명하여 현종의총애를 받음. '안록산安祿山의 난亂' 때 죽임을 당함.

ᄉᆞᄉᆡᆼ이 ᄌᆡ쳔ᄒᆞ니 도망치 못ᄒᆞᄂᆞ니

삶과 죽음 하늘에 달려 있어 도망치지 못하노니

넉시야 넉시로다 망자시의 넉시로다

넋이야 넋이로다 망자 때의 넋이로다

진시황의 ᄐᆡ자부소 칼ᄭᅳᆺ희 죽어잇고

진시황[6]의 태자 부소[7] 칼끝에 죽었고

한장군 여상이ᄂᆞᆫ 불ᄭᅳᆺ희 죽어잇ᄃᆞ

한 장군 기신은[8] 불 끝에 죽었다

당적 왕자안은 물의ᄲᆡ져 죽어시니

당나라의 왕자안[9]은 물에 빠져 죽었으니

그ᄯᆡ의 보게 되면 비명인듯 ᄒᆞ건만은

그때에 보게 되면 명이 아닌 듯 하건마는

---

5 당명황唐明皇은 당唐 현종玄宗. 노후에 도교에 빠지고 양귀비로 인해 정사를 포기하여 안록산祿山의 난亂으로 아들 숙종에게 양위하고 상황으로 은거하다, 장안으로 돌아온 뒤에 죽음.

6 진시황秦始皇은 진秦의 초대황제. 천하통일 후 만리장성을 쌓고, 분서갱유焚書坑儒를 일으키며 영생을 위해 삼신산三神山의 불사약을 찾게 하였으나 50세의 나이에 죽음.

7 진시황의 장자로 분서갱유에 대해 간諫하다가 노여움을 사서 북방의 상군上郡으로 보내짐. 뒤에 시황이 죽은 후 이사李斯와 조고趙高 보낸 시황제의 거짓 조서를 따라 자결함.

8 이 작품을 소개한 소재영은 〈《언사諺詞》 연구硏究〉(《민족문화연구》 21, 고려대 민족문화연구소, 1988.)에서 주문왕周文王에게 등용되었던 주나라 현신賢臣인 여상呂尙인 '여상呂尙이ᄂᆞᆫ'으로 기재하였으나 내용상 '긔신이ᄂᆞᆫ'이 맞을 듯함. 기신紀信은 한 한고조漢高祖를 섬겼던 장군. 고조가 형양滎陽에서 항우項羽의 군사에게 포위되었을 때 고조로 가장해 잡힘으로써 유방을 탈출시켰고, 이에 분노한 항우가 그를 불태워 죽임.

9 당唐의 문장가인 왕발王勃. 자안은 왕발의 자. 문장으로 뛰어난 재주가 있었으나 교지령交趾令으로 좌천해 간 아버지를 찾아 배를 타고 가다가 26세 때에 강물에 빠져 요절함.

도모지 혜어보면 시역 명인지라
도무지 헤아려보면 이 또한 명인지라
넉시야 넉시로다 망ᄌᆞ시의 넉시로다
넋이야 넋이로다 망자 때의 넋이로다
오동방 임진년의 국운이 불ᄒᆡᆼᄒᆞ야
우리 동방 임진년에 국운이 불행하여
왜션 쳔만슈가 불일의 범경ᄒᆞ니
왜선 천만 수가 순식간에 국경을 범하니
팔도 창ᄉᆡᆼ이 어육이 되단말가
팔도의 백성이 고깃밥이 된단 말인가
니튱무 송동ᄂᆡᄂᆞᆫ 차례로 슌졀ᄒᆞ고
이충무[10] 송동래[11]는 차례로 순절하고
남녀는 파쳔ᄒᆞ사 만상의 머무럿다
남여[12]는 파천[13]하여 만상[14]에 머물렀다
선침은 회신ᄒᆞᄃᆡ 죵ᄉᆞ가 망극ᄒᆞ다
선침[15]은 불타 재가 되니 종사가 망극하다
제봉 고션ᄉᆡᆼ과 듕봉 됴선ᄉᆡᆼ이
제봉 고선생[16]과 중봉 조선생[17]이

---

10 조선 중기 무신으로 임진왜란 때 삼도수군통제사로 수군을 이끌고 싸운 명장인 이순신李舜臣(1545~1598). 충무는 그의 시호.

11 송동래宋東萊는 조선 중기의 문신으로 임진왜란 때 동래부사로 재직하였고 왜적을 맞아 싸우다 전사한 송상현宋象賢(1551~1592). 사후 충렬이라는 시호가 내려졌고 동래 충렬사에 제향됨.

12 남녀藍輿는 뚜껑이 없는 의자 비슷한 작은 승교乘轎로 주로 산길 등 좁은 길을 갈 때 이용. 여기서는 왕이 파천할 때 쓴 가마를 말함.

13 임금이 궁이 있는 서울을 떠나 다른 곳으로 난亂을 피한다는 뜻.

14 평안북도 의주義州의 별칭. 임진왜란 때 선조가 의주로 파천했음.

15 임금이나 왕후의 무덤. 능陵.

16 임진왜란 때 의병장 고경명高敬命을 말함. 제봉霽峰은 그의 호. 임진왜란이 일어나

의병을 챵솔ᄒᆞ고 도젹을 치라다가
의병을 모아 일으켜 도적을 치려했다가
강약이 부동ᄒᆞ고 셰궁 녁진ᄒᆞ야
강약이 같지 못하여 기세가 꺾이고 힘이 빠져
금산군 졍양산의 젼군이 함몰ᄒᆞ니
금산군 정양산의 군 전체가 함몰하니
쟝공권모ᄇᆡᆨ연 사쟝의 누운송쟝
긴 하늘에 저문 연기 날리는 사장에 누운 송장
ᄒᆞ나둘 셋넷다ᄉᆺ 뉵칠팔의 구십이요
하나둘 셋넷다섯 육칠팔의 구십이요
열노셔 ᄇᆡᆨ이되고 단ᄇᆡᆨ으로 칠ᄇᆡᆨ이라
열로써 백이 되고 단 백으로 칠백이라
넉시야 넉시로다 망자시의 넉시로다
넋이야 넋이로다 망자 때의 넋이로다
오호라 오ᄇᆡᆨ의사 녯말노 드럿더니
오호라 오백의사[18] 옛말로 들었더니
금산군 졍양산의 오늘날 보앗노라
금산군 정양산에서 오늘날 보았노라
ᄉᆞ십만 장평ᄀᆡᆼ졸 녯말노 드럿더니
사십 만 장평갱졸[19] 옛말로 들었더니

자 광주에서 모집한 의병 6천여 명을 이끌고 금산 정양산 전투에서 전사하였음.

17 문신이자 의병장인 조헌趙憲을 말함. 중봉重峰은 그의 호. 이이와 성혼의 문인으로 임진왜란 때 옥천에서 의병을 일으켜 청주를 수복하고 전라도로 향하는 왜군을 막기 위해 금산으로 향하였으나 관군의 방해로 해산 당하고 남은 의병 700명으로 금산 정양산 전투에서 왜국과 싸우다 전사 하였음.

18 진秦 말엽 전횡田横과 함께 오호도에서 제나라의 부흥 운동을 하던 오백인. 전횡이 한 고조의 위협을 받다가 낙양에 가서 한나라를 섬길 수 없다고 하며 자결하자 이를 들은 오백인도 오호도에서 모두 자결함.

금산군 정양산의 오늘놀 보앗노라
금산군 정양산에 오늘날 보았노라
넉시야 넉시로다 망ᄌᆞ시의 넉시로다
넋이야 넋이로다 망자 때의 넋이로다
ᄉᆞ양 고젼쟝의 구즌비쌀 ᄲᅮ릴젹의
해질녘 옛 전장에 궂은 빗발 뿌릴 적에
잔나뷔 파람불고 귀물이 츄축ᄒᆞ다
원숭이 휘파람불고 귀물이 두런두런하다
황진 무초의 오열이 탁쟝ᄒᆞ니
흙먼지 거친 풀에 오열이 높고 기니
빅슈 청산의 고아과부 ᄋᆡᄋᆡ곡을
백수청산에 고아 과부 슬픈 노래를
넉시야 넉시로다 아는다 모로는다
넋이야 넋이로다 아는가 모르는가
산산이 흣터졋는 진ᄉᆞ듕 마른ᄲᅧ를
산산히 흩어져 있는 먼지 모래 중 마른 뼈를
부쳐님 ᄉᆞ례쳐로 낫낫치 쥬어모화
부처님 사리처럼 낱낱이 주어모아
자좌오향 분금ᄒᆞ야 만져로 봉축ᄒᆞ니
오향에 앉히고[20] 분금[21]하여 (흙을) 가득 쌓아 봉분하니

---

19 전국시대 진秦과 조趙의 장평대전 때 조나라의 포로 40만군이 묻힌 것을 말함. 진은 장평대전에서 이겨 조의 40만 대군을 포로로 얻었으나, 이 많은 수의 포로를 먹일 군량이 없어 당시 장군인 백기白起가 포로들에게 각각 스스로 구덩이를 파서 들어가게 하고 묻어버린 일이 있었음.

20 오방위五方位 중 정남향. 자좌오향子左五向은 정남향으로 앉히는 것을 말함.

21 시체를 묻을 때 방향을 똑바로 하는 일.

삼쳑 마렵분이 공산상의 놉고놉하
삼 척 마렵분[22]이 빈 산 위에 높고 높아
넉시야 넉시로다 아ᄂᆞᆫ다 모로ᄂᆞᆫ다
넋이야 넋이로다 아는가 모르는가
무지 목동도 공경ᄒᆞᆯ쥴 다아옵고
무지한 목동도 공경할 줄 다 알고
삼산 과ᄀᆡᆨ도 사ᄅᆞᆷ마다 타루ᄒᆞ니
삼산 지나는 객도 사람마다 눈물 떨구니
허다ᄒᆞᆫ 튱혼열ᄇᆡᆨ 뉘뉘신쥴 모로거니
허다한 충렬한 혼백 누구누구신 줄 모르거니
자손의 잇고업기 알ᄌᆡ가 뉘잇던가
자손이 있고 없기를 알 자가 뉘있던가
비가 일곡을 ᄇᆡᆨ양님의 고음ᄒᆞ니
슬픈 노래 한 곡조를 백양님에 높이 읊조리니
넉시야 넉시로다 신막동셔 남북ᄉᆡ라.
넋이야 넋이로다 신막동서 남북간愼莫東西南北間이라

22 말 목덜미 같이 생긴 봉분.

79. 총석곡叢石曲

① 작품명 : 총석곡叢石曲

② 작자명 : 구강(具康, 1757～1832)

구강은 서울 출생으로, 대대로 높은 벼슬을 한 가문에서 태어나 벼슬길에 나아간 후 내·외직을 두루 역임했다. 여러 편의 가사 작품을 통해 주로 19세기 초반 민생들의 실상을 사실적으로 노래했다. 그의 가집 《북새곡》에는 자작 가사 13편이 실려 있다.

③ 출전 : 필사본 《북새곡北塞曲》

④ 해제

〈총석곡〉은 작자의 나이 64세 때인 1820년에 회양부사로 재직하면서 해금강 총석정을 답방하고 지은 국문 유람기행가사다. 총석정 탐승에 대한 기대, 총석정에 올라 조망하는 풍광과 기암괴석에 대한 형용, 관동팔경에 대한 찬사와 여정을 마무리하는 소회 등을 진술했다. 총석정 주변에 가득 들어선 구릿빛 육각형 돌기둥(주상절리柱狀節理)의 신이함을 갖가지로 형용하면서, 이를 완상하는 감흥을 다양한 고사를 결부시켜 노래했다. 사실적이면서도 개성이 넘치는 묘사와 함께, 절경의 산수를 유람하는 일이 작자의 남다른 기호임을 잘 드러내고 있다. 특정 물상을 집중적으로 노래한 점이 돋보이며, 작품 말미에서 관동팔경을 언급한 것 또한 주목된다.

⑤ 원문과 현대역

몰아라 어셔 보쟈 춍셕졍 어셔 보쟈
몰아라 어서 보자 총석정 어서 보자
춍셕졍 죠탄 말을 일즉이 들엇거니
총석정 좋단 말을 일찍이 들었으니
바ᄅᆞᆷ 불면 못 보려니 몰아라 어셔 보쟈
바람 불면 못 보려니 몰아라 어서 보자
벽히 우희 놉흔 집이 져거시 춍셕졍가
푸른 바다 위의 높은 집이 저것이 총석정인가
올나 보니 후면이라 젼면으로 보오리라
올라 보니 후면이라 전면으로 가 보겠노라
ᄇᆡ ᄃᆡ여라 ᄉᆞ공들아 풍낭이 이지 아냐
배 대어라 사공들아 풍랑이 일지 않아
층파로 도라 져허 춍셕 젼면 보게 ᄒᆞ라
겹겹의 파도 돌아 저어 총석 전면 보게 하라
ᄇᆡ ᄯᅴ여라 구뷔마다 흘니 져허 보량이면
배 띄워라 파도 굽이마다 따라 저어 볼 양이면
녕쇼젼 태을궁을 지으랴고 경영턴가
영소전[1] 태을궁[2]을 지으려고 경영했던가
돌기동 쳔ᄇᆡᆨᄀᆡ를 눅모로 짝가ᄂᆡ야
돌기둥 천백 개를 육각으로 깎아내어
ᄀᆡᄀᆡ히 묵거 셰워 몃 만년이 되얏던지
낱낱이 묶어 세워 몇 만 년이 되었는지

---

1 영소전靈昭殿. 주나라 문왕의 이궁離宮.
2 태을궁太乙宮. 옥황상제가 머물러 사는 궁궐.

황양ᄒᆞᆫ ᄃᆡ 버렷시니 ᄇᆡ 업셔 못 실닌가
황량한 데 벌어져 있으니 배 없어 못 실렸는가
요지의 셔왕모ᄂᆞᆫ 운모병을 만드러셔
요지의 서왕모[3]는 운모 병풍을 만들어서
쥬목왕 오시거든 반도회 ᄒᆞ랴 ᄒᆞ고
주나라 목왕 오시거든 천도복숭아 잔치[4] 하려고
쳡쳡이 붓쳐 두고 길길이 묵거 셰워
겹겹이 붙여 두고 길이길이로 묶어 세워
쁠ᄃᆡ업시 버려 이셔 풍우가 아롱ᄒᆞ니
쓸 데 없이 벌려 있어 비바람이 어른대니
ᄇᆡᆨ운이 깁흔 곳셰 길 머러 못 옴긴가
흰 구름 깊은 곳에서 길 멀어 못 옮겼는가
녀동빈 니태ᄇᆡᆨ은 금슈당을 삭여 ᄂᆡ야
여동빈[5] 이태백은 비단장막을 갈라 내어
쥬옥으로 쌤은 글을 이 시츅의 먹을 젹셔
주옥으로 뽑은 글을 이 시 두루마리에 먹을 적셔
흐르ᄂᆞᆫ 벽파 우희 ᄒᆞᆫ 묵금을 뉘여 두고
흐르는 물결 위에 한 묶음을 뉘어 두고
일월이 오ᄅᆡ도록 어ᄃᆡ 가셔 아니 오노
세월이 오래도록 어디 가서 아니 오는가
하ᄂᆞᆯ 깁던 여와시ᄂᆞᆫ 학히의 왕ᄌᆞ교로
하늘 깁던 여와씨[6]는 학을 탄 왕자교[7]와

3 요지瑤池는 신선이 살았다는 연못. 주나라 목왕穆王이 서왕모西王母를 만났다는 곳. 서왕모는 중국 신화에 나오는 불사약을 가진 선녀.
4 반도회蟠桃會. 불로장생의 천도복숭아를 갖춘 연회.
5 여동빈呂洞賓. 중국의 8대 신선 가운데 한 사람.
6 여와女媧(여왜)는 중국 천지창조 신화에 나오는 여신. 오색 돌을 빚어서 하늘의 갈

부던 ᄉᆡᆼ황 ᄒᆞᆫ 묵금을 만경챵파 쎡ᄂᆞᆫ 가의
불던 생황 한 묶음을 만경창파 꺾이는 가장자리에
곳곳이 더져 두고 무숨 일노 아니 ᄎᆞᆽ노
곳곳에 던져 두고 무슨 일로 아니 찾는가
녕산의 셕가여ᄅᆡ 년화ᄃᆡ를 놉게 무어
영취산[8]의 석가여래 연화대를 높게 세워
즁ᄉᆡᆼ과 송법다가 어듸 가고 ᄃᆡ만 남아
중생과 불법 말씀하시다가 어디 가고 대만 남아
곳마다 물의 잠겨 변ᄒᆞ여 검엇ᄂᆞᆫ고
곳곳마다 물에 잠겨 변하여 검게 되었는가
텬ᄐᆡ산 마고한미 니션을 먹이랴고
천태산 마고할미[9] 이태백을 먹이려고
힌 쎡가ᄅᆡ 마고 만져 층층이 괴얏다가
흰 떡가래 마구 만져 층층이 쌓았다가
먹고 남은 여러 갈ᄋᆡ ᄒᆡ포 되야 이러ᄒᆞᆫ지
먹고 남은 여러 갈래 묶음 풀려 이러한지
흰 빗ᄎᆞᆫ 검엇시나 모양은 의구ᄒᆞ다
흰 빛은 검게 되었으나 모양은 옛과 같도다
형용을 ᄒᆞ랴 ᄒᆞ니 이러틋 ᄒᆞ거니와
형용을 하려 하니 이렇듯 하거니와
ᄒᆞᆯ 길 업시 되온 일을 묵묵히 궁구ᄒᆞ니
할 방법 없이 된 일을 묵묵히 탐구하니

라진 곳을 메우고 큰 거북의 다리를 잘라 하늘을 떠받치고 갈짚의 재로 물을 빨아들이게 하였다고 함.

7 왕자교王子喬는 신선의 한 사람. 생황笙簧을 즐겨 불며 학을 타고 다닌다고 함.

8 영산靈山. 영취산靈鷲山의 준말. 부처님이 설법하던 곳.

9 마고麻姑할미. 천태산天台山에 산다는 손톱이 긴 신선 할미.

화옹이 엇디ᄒᆞᆫ지 인력으로 ᄒᆞ올소냐
조물주가 어떻게 한 것이지 인력으로 하겠는가
하우시 독긔ᄲᅮᆯ이 뇽문을 ᄯᅮᆯ엇시나
하우씨[10] 도끼뿔이 용문을 뚫었으나
이 돌을 맛낫시면 이ᄀᆞᆺ치 ᄭᅡᆨ글셰며
이 돌을 만났으면 이같이 깎을 것이며
녕쟝이 신묘ᄒᆞ야 코긋ᄒᆡ 것 ᄶᅵᆨ엇시나
영험한 장인[11]이 신묘하여 코끝의 것 찍었으나
이 돌을 다듬다고 이ᄀᆞᆺ치 곧을소냐
이 돌을 다듬는다고 이같이 곧을 것인가
엇더ᄒᆞᆫ 부근으로 용이히 ᄭᅡᆨ갓시며
어떠한 도끼로 용이하게 깎았으며
엇더ᄒᆞᆫ 승묵으로 텬연이 골낫ᄂᆞᆫ고
어떠한 먹줄로 천연으로 고르게 했겠는가
노 업시 묵것시되 틈 업시 묵것시며
끈 없이 묶었으되 틈 없이 묶었으며
풀 업시 부쳣시되 흔적 업시 부쳣시니
풀 없이 붙였으되 흔적 없이 붙였으니
공녁을 이리 들여 무어셰 ᄡᅳ려 ᄒᆞ고
공력을 이렇게나 들여 무엇에 쓰려고
ᄒᆞᆫ 묵금식 두 묵금식 셰울낙 누일낙
한 묶음씩 두 묶음씩 세운 듯 누인 듯

---

10 하우씨夏禹氏. 하나라 우임금. 황하의 홍수를 다스리기 위해 용문산을 도끼로 갈라 물길을 뚫었다고 함.

11 영장靈匠. 영험한 장인.

긔괴이 ᄭᅮ며다가 셰인의 노리ᄀᆡ 되야
기이하게 꾸몄다가 세상사람 노리개 되어
시 짓고 노ᄅᆡᄒᆞ야 기리기만 위ᄒᆞᆫ 것가
시 짓고 노래하여 기리기만 위한 것인가
통쳔의 춍셕정과 고셩의 삼일포며
통천의 총석정과 고성의 삼일포며
간셩의 청간정과 양양의 낙산ᄉᆞ며
간성의 청간정과 양양의 낙산사며
강능의 경포ᄃᆡ와 삼쳑의 쥭셔루며
강릉의 경포대와 삼척의 죽서루며
울진의 망양ᄃᆡ와 평ᄒᆡ의 월송정은
울진의 망양대와 평해의 월송정은
이 이른 관동팔경 ᄌᆞ웅을 의논 말아
이렇게 말한 관동팔경 자웅을 겨루지 말라
텬하의 두 춍셕은 응당 다시 업스려니
천하에 두 총석은 마땅히 다시 없으리니
물의ᄂᆞᆫ 동ᄒᆡ슈요 뫼의ᄂᆞᆫ 금강산과
물로는 동해수요 산으로는 금강산과
폭포의ᄂᆞᆫ 구룡이오 돌의ᄂᆞᆫ 춍셕이라
폭포로는 구룡폭포요 돌로는 총석이라
장관을 다ᄒᆞᆫ 후의 다시곰 혼ᄌᆞ 말이
장관을 다 본 후에 다시금 혼자서 하는 말이
괴외긔걸 ᄒᆞ온 사ᄅᆞᆷ 이ᄀᆞᆺ흐니 잇다 ᄒᆞ면
빼어나게 뛰어난 인걸[12]이라 하는 사람 이같은 이 있다 하면

12 괴외기걸魁嵬奇傑. 빼어나게 뛰어난 인걸.

쳔니를 머다 말고 결단코 ᄎᆞ즈리라

천 리를 멀다 않고 결단코 찾으리라

80. 출새곡出塞曲

① 작품명 : 출새곡出塞曲

② 작자명 : 조우인(曺友仁, 1561～1625)

조우인은 경북 예천 출생으로, 늦은 나이에 벼슬살이를 시작했다. 광해군의 잘못을 풍자했다가 3년간 옥살이한 후 풀려나 상주 매호에 은거하며 여생을 마쳤다. 시 · 서 · 악에 뛰어났으며 〈매호별곡〉 · 〈자도사〉 ·〈관동속별곡〉 · 〈출새곡〉 등 4편의 가사 작품을 남겼다.

③ 출전 : 필사본 《이재영언頤齋詠言》

④ 해제

〈출새곡〉은 함경도 지방의 산수와 풍물을 노래한 유람기행가사다. 작자가 경성판관으로 재직하던 1617～1621년 사이에 지어진 것으로 보인다. 작품의 서문에 따르면, 작자가 경성판관으로 떠날 때 친척 형 조탁이 백광홍의 〈관서별곡〉이나 정철의 〈관동별곡〉처럼, 지역 특유의 풍정을 노래한, 북쪽 변방을 대상으로 한 작품을 지어달라는 부탁에 의해 창작했다고 한다. 임지인 경성으로 떠나는 심정, 부임 여정에서 마주친 풍물, 부임지에서 누리는 풍류, 변방 목민관의 처지 등을 노래했다. 중앙 정계로부터 북쪽 변방으로 밀려난 처지를 의식해서인지 비애와 탄식의 정서가 주조를 이루며, 현실 비판의식과 임금에 대한 충정의식 또한 엿보인다.

⑤ 원문과 현대역

北方二十餘州북방이십여쥐예 鏡城경셩이 門戶문회러니
북방 이십여 주에 경성이 변경 접경인데
治兵牧民치병목민을 날을 맛겨 보내시니
군사 백성 다스리기를 나에게 맡겨 보내시니
罔極망극ᄒᆞᆫ 聖恩셩은을 갑플 일이 어려웨라
망극한 임금의 은혜 갚을 길이 어렵구나
書生事業셔ᄉᆡᆼᄉᆞ업은 翰墨한묵인가 너기더니
서생의 일은 글쓰기인가 여겼더니
白首臨邊ᄇᆡᆨ슈님변이 진실노 意外의외로다
늙은이의 변방 부임 진실로 뜻밖이로다
仁政殿拜辭인졍젼ᄇᆡᄉᆞ하고 칼ᄒᆞᆯ 집고 도라셔니
임금께 절을 하고 칼을 짚고 돌아서니
萬里關河만리관하의 一身일신을 다 닛괘라
만 리 밖 변경에 내 한몸 다 잊었어라
興仁門흥인문 ᄂᆡᄃᆞ라 綠陽녹양의 ᄆᆞᆯ을 ᄀᆞ니
흥인문 내달아 녹양평에서 말 갈아타니
銀漢은한 녯 길ᄒᆞᆯ 다시 지나 간단 말아
은하수 옛길을 다시 지나 간단 말인가
淮陽회양 녜 ᄉᆞ실 긔별만 드럿더니
회양 옛 사실[1] 소문만 들었더니
禁闥금달을 외오 두고 謫客젹ᄀᆡᆨ은 무ᄉᆞᆷ 죄고
대궐을 멀리 떠나 귀양객이 무슨 죄인가

1 중국 한나라 때 급장유汲長孺가 회양 태수로 민정을 잘 살펴서 선정을 베풀었던 일.

巉岩鐵嶺참암쳘녕을 험ᄐᆞᆫ 말 젼혀 마오

높고 험한 철령을 험하단 말 전혀 마오

世道셰도를 보거든 平地평디가 너기노라

세상살이에 비하면 평지인가 여기노라

눈물을 베쁫고 두어 거름 도라셔니

눈물을 거두고 두어 걸음 돌아서니

長安쟝안은 어듸오 玉京옥경이 ᄀᆞ리거다

한양은 어디인가 대궐이 가렸도다

安邊迤北안변이북은 져 즘씌 胡地호디러니

안변 북쪽은 저기 쯤이 오랑캐 땅이러니

迅掃腥膻신소셩젼ᄒᆞ야 闢國千里벽국쳔리ᄒᆞ니

오랑캐 정벌[2]하여 천 리 밖으로 몰아내니

尹瓘宗瑞늰관종셔의 豊功偉烈풍공위렬을 草木초목이 다 아ᄂᆞ다

윤관 김종서의 큰 공적을 초목이 다 알도다

龍興江농흥강 건너 드러 定平府정평부 잠깐 지나

용흥강 건너 가서 정평부 잠깐 지나

萬歲橋만셰교 압희 두고 樂民樓낙민누희 올나 안ᄌᆞ

만세교 앞에 두고 낙민루에 올라 앉아

沃沮山河옥져산하를 面面면면히 도라보니

옥저 산하를 이곳저곳 돌아보니

千年豊沛쳔년풍패예 鬱蒼佳氣울창가긔ᄂᆞᆫ 어제론 덧 ᄒᆞ여셰라

천 년 풍패[3]에 자욱히 서린 상서로운 기운 어제인 듯 하도다

---

2 비린내와 노린내를 물 뿌리고 쓸어냄. 오랑캐를 정벌한다는 뜻.

3 천 년이나 된 풍패. 풍패는 중국 한나라 유방의 고향. 임금의 고향을 일컫는 말로서, 조선을 건국한 이성계의 고향 함흥을 의미함.

咸關嶺함관녕 져문 날의 몰은 어이 병이 든고
함관령 저문 날에 말은 어찌 병이 들었는가
滿面風沙만면풍사의 갈 길히 머러셰라
모래바람 자욱한데 갈 길이 멀었도다
洪原古縣홍원고현의 穿島쳔도롤 브라보고
홍원 옛 고을의 천관도를 바라보고
大門嶺대문녕 너머 드러 靑海鎭쳥히진에 드러오니
대문령 넘어가서 청해진에 들어오니
一道喉舌일도후설이요 南北要衝남북요튱이라
함경도의 주요처요[4] 남북의 요충지라
信臣精卒신신정졸로 利兵니병을 베퍼시며
미더운 신하 정예 군사 예리한 병기 늘어놓고
强弓勁弩강궁경노로 要害뇨해롤 디킈는 둧
강한 활 굳센 활로 요충지를 지키는 듯
百年昇平빅년승평에 民不知兵민부지병ᄒᆞ니
백년 태평세월에 백성들 전쟁 알지 못하니
重門待暴듕문디포롤 닐너 므슴 ᄒᆞ리오
철통 같은[5] 방어를 일러 무엇 하리오
居山驛거산녁 디나 드러 侍中臺시듕디 올나 안자
거산역 지나가서 시중대 올라 앉아
咫尺扶桑디쳑부상의 日出일츌을 구버보고
지척 해돋는 곳에서 일출을 굽어보고
長松十里댱숑십리 찟혜 征馬졍마롤 다시 뵈와
소나무 우거진 십리 길에 원정길 말을 다시 재촉해

---

4 후설喉舌은 목구멍과 혀로, 요충지를 의미함.
5 문을 겹으로 닫고 난폭한 이를 대비함. 오랑캐 침입을 대비한 철통같은 방어.

端川단쳔을 겨틔 두고 四知軒ᄉᆞ디헌을 ᄎᆞ자가니
단천을 곁에 두고 사지헌을 찾아가니
伯起淸風ᄇᆡᆨ긔쳥풍을 다시 본 ᄃᆞᆺ ᄒᆞᆫ 뎨이고
백기의 맑은 바람을[6] 다시 본 듯 하도다
磨雲嶺마운녕 채쳐 너머 麻谷驛마곡역 ᄆᆞᆯ을 쉬워
마운령 재촉해 넘어 마곡역에서 말을 쉬고
積雪磨天젹셜마쳔을 허위허위 너머 드니
눈 쌓인 마천령을 허위허위 넘어 드니
秦關진관이 어듸고 蜀棧촉잔이 여긔로다
진관이 어디인가 촉잔이 여기로다[7]
城津設鎭셩딘셜딘이 形勢형셰ᄂᆞᆫ 됴커니와
성진에 설치한 진이 형세는 좋지마는
亂後邊民난후변민이 膏血고혈이 ᄆᆞᆯ나시니
전란 후 변방 백성 살과 피가 말랐으니
廟堂肉食묘당육식은 아ᄂᆞᆫ가 모ᄅᆞᄂᆞᆫ가
조정의 호의호식 신하들은 아는가 모르는가
白頭山一脈ᄇᆡᆨ두산일ᄆᆡᆨ이 長白山댱ᄇᆡᆨ산 되어 이셔
백두산 한 줄기가 장백산이 되어 있어
千里쳔리ᄅᆞᆯ 限隔ᄒᆞᆫ격ᄒᆞ야 彊域강역을 ᄂᆞᆫ홧거든
천 리를 가로막아 강토를 나눴거든
鎭堡星羅진보셩나ᄒᆞ고 郡邑군읍이 碁布긔포ᄒᆞ니
진들이 펼쳐지고 군읍들이 포진해 있으니

6 중국 한나라 때 학자인 백기伯起의 청렴결백.
7 진관秦關과 촉잔蜀棧은 험준한 지세로 유명한 중국의 지명. 함경도의 험준한 지세를 표현한 말.

表裏天險표리쳔험은 장호미 그지 업다
안팎의 헌한 땅은 장함이 끝이 없다
連天滄海년쳔창ᄒᆡ예 風雪풍셜이 섯티ᄂᆞᆫᄃᆡ
하늘 닿은 푸른 바다에 눈바람이 섞어 치는데
跋涉崎嶇발셥긔구ᄒᆞ야 木郎城목낭셩의 드러오니
험한 땅 두루 다녀 목랑성[8]에 들어오니
千尋粉堞쳔심분쳡은 半空반공의 빗겨 잇고
천 길 성곽은 공중에 비껴 있고
百丈深濠ᄇᆡᆨ댱심호ᄂᆞᆫ 四面ᄉᆞ면의 둘너시니
백 길 해자는 사면에 둘러 있으니
人和인화를 어들션졍 地利디리야 不足부죡ᄒᆞᆯ가
인화를 얻는 건 몰라도 지리야 부족할까
轅門원문이 無事무ᄉᆞᄒᆞ고 幕府閑暇막뷔 ᄒᆞᆫ가ᄒᆞᆫ 제
군영이 무사하고 막사가 한가한 이때
東山携妓동산휴기ᄒᆞ고 北海罇[9]북ᄒᆡ준을 거후우랴
동산에 기녀 데리고[10] 올라 북해 술동이 거후르려
烟花三月연화삼월의 元帥臺원슈ᄃᆡ예 올나가니
꽃피는 춘삼월에 원수대에 올라가니
春風駘蕩츈풍이탕ᄒᆞ야 淑景슉경을 부처 내니
봄바람 태탕하여 맑은 경치를 부쳐 내니
萬樹千林만슈쳔림은 紅錦홍금이 되어 잇고
온산에 우거진 숲 붉은 비단이 되어 있고

8 함경도 성진 운주산에 여진족이 쌓은 성.
9 북해 태수를 지낸 중국 후한의 공융孔融이 빈객을 위해 항시 준비해 놓았다는 술동이.
10 중국 진나라 때 사안謝安이 풍류를 좋아하여 동산에 기녀를 데리고 은거하면서 나라에서 불러도 나가지 않았다는 고사. 기녀와의 풍류를 의미함.

雲濤雪浪운도셜랑은 하늘을 ᄀᆞ을 사마

구름 물결 눈 같은 파도 하늘을 끝을 삼아

噴薄雷霆분박뇌정ᄒᆞ야 臺ᄃᆡ 압희 물너디니

물결 솟구치고 우레 흩어지듯 누대 앞에서 물러가니

銀山은산이 거듯ᄂᆞᆫ가 玉屑옥셜을 늘니ᄂᆞᆫ가

은빛 산이 걷히는가 눈가루가 날리는가

깁 ᄀᆞ탄 잔ᄯᅴ에 白雲ᄇᆡᆨ운 ᄀᆞᄐᆞᆫ 숄을 치고

비단 같은 잔디에 흰 구름 같은 천막을 치고

穿楊妙技쳔양묘기로 勝負승부를 ᄃᆞ토거든

버들잎 뚫는 묘기[11]로 승부를 다투거든

百隊紅粧ᄇᆡᆨᄃᆡ홍장은 左右좌우의 버러 이셔

여러 무리 기녀들 좌우에 벌려 있어

秦箏趙瑟진징됴슬을 ᄐᆞ거니 니희거니

아쟁이며 비파를 타거니 켜거니

皓齒細腰호티셰료로 추거니 부르거니

아리따운 여인들 춤추고 노래부르니

韶華쇼화도 그디 업고 風景풍경이 無盡무딘ᄒᆞ니

봄 경치도 끝이 없고 풍경이 다함 없으니

一春行樂일츈ᄒᆡᆼ낙이 슬믜염즉 ᄒᆞ다마ᄂᆞᆫ

한바탕 봄놀이 싫증남직 하다마는

鄕關향관을 ᄇᆞ라보니 五嶺오령이 ᄀᆞ려 잇고

고향을 바라보니 오령이 가려 있고

異地山川이디산쳔은 六鎭뉵딘이 거의로다

객지 산천은 육진이 거의로다

---

11 중국 춘추시대에 양유기養由基가 활을 잘 쏴서 백 보 거리에서 버들잎을 쏴도 백발백중이었다는 고사.

明時謫官명시뎍관이 到處도쳐의 君恩군은이로딕
태평시절 유배온 관원 도처에서 군은이로되
遠身金殿원신금뎐을 뉘 아니 슬허ᄒᆞ며
대궐에서 멀어짐을 뉘 아니 슬퍼하며
重入修門듕입슈문을 어이ᄒᆞ여 긔필ᄒᆞᆯ고
다시금 대궐로 돌아감을 어떻게 기약할까
平生평ᄉᆡᆼ 먹은 ᄯᅳ디 젼혀 업다 ᄒᆞᆯ가마ᄂᆞᆫ
평생 품은 뜻이 전혀 없다 할까마는
時運시운의 타시런가 命途명도의 ᄆᆡ엿ᄂᆞᆫ가
시운의 탓이런가 운명에 매였는가
秦臺白首딘ᄃᆡᄇᆡᆨ슈의 歲月셰월이 쉬이 가니
풍류 세월[12] 흰머리에 세월이 쉬이 가니
楚澤青蘋초튁쳥빈은 怨思원ᄉᆞ도 한졔이고
대궐 떠난 충절 신하[13] 원망도 많은지고
이 잔 ᄀᆞ득 부어 이 시름 닛댜 ᄒᆞ니
이 잔 가득 부어 이 시름 잊자 하니
東溟동명을 다 퍼내다 이내 시름 어이ᄒᆞᆯ고
동해를 다 퍼낸들 이내 시름 어찌할꼬
漁夫어뷔 이 말 듯고 낙ᄃᆡ를 둘너 메고
어부 이 말 듣고 낚싯대 둘러 메고
ᄇᆡ젼 두드리고 노래를 부른 말이
뱃전 두드리고 노래를 부르는 말이

12 초나라 회왕懷王과 무산신녀巫山神女가 밀회를 즐기던 누대.
13 초택청빈楚澤青蘋. 초나라 연못 푸른 마름. 초나라 굴원이 유배지에서도 변치 않은 충절을 지녔던 사실을 의미함.

世事셰ᄉᆞ를 니젼디 오라니 몸조차 니젼노라
세상 일 잊은지 오래니 몸조차 잊었노라
百事生涯ᄇᆡᆨᄉᆞᄉᆡᆼ애는 一竿竹일간듁 ᄲᅮᆫ이로다
온갖 세상살이에 낚싯대 하나 뿐이로다
白鷗ᄇᆡᆨ구는 나와 버디라 오명가명 ᄒᆞᄂᆞ다
갈매기는 나와 벗이라 오며가며 하는구나

81. 팔도읍지가八道邑誌歌

① 작품명 : 팔도읍지가八道邑誌歌

② 작자명 : 학초學蕉

③ 출전 : 《역대가사문학전집》(임기중 편, 아세아문화사, 1998)

④ 해제

이 작품은 팔도의 지명을 각 지방의 특색을 들어 비유적으로 표현한 노래이다. 1867년 학초學蕉가 지었다고 알려져 있으나 그에 대해 자세한 정보를 알 수 없다. 경기도로 시작하여 충청도·강원도·경상도·전라도·평안도·황해도·함경도를 끝으로 기록되어 있으며, 각 도의 산천경계와 민심풍속을 노래하고 있다. 내용이 너무 많아 여기서는 일부만 소개한다.

⑤ 원문과 현대역

乾坤이 剖判後의 小中華가 朝鮮이라

건곤이 만들어진[1] 후에 소중화[2]가 조선이라

京畿道 二十七官 加豊德 古邑爲 三十八官

경기도 이십칠궁 가풍덕[3] 고읍리 삼십팔관

---

1 부판은 둘로 갈라서 나눔.

2 조선시대 중국이 세계의 중심이라는 중화사상에 빗대어서, 조선이 세계의 중심이라고 하며 우리 민족의 우월성을 자랑한 것을 비유적으로 이르는 말.

3 경기도 개풍군. 현재 북한 영역.

三角山나 된줄기 漢陽都邑 되야시니

삼각산[4] 나온 줄기 한양도읍 되었으니

腰帶十萬 下楊州난 乘鶴仙 그뉘신고

요대십만 하양주는 승학선[5] 그 뉘신가

高陽辯士 酈生이난 長揖沛公 하얏잇고

고양[6]변사 역생[7]이는 장읍패송[8] 하여 있고

廣州刺史 陶侃이난 致力中原 하리로다

광주자사 도간[9]이는 치력중원 하리로다

諸葛孔明 去後迹은 南陽草堂 風雲이요

제갈공명[10] 떠난 자취는 남양[11]초당 풍운이요

光武皇帝 中興業은 富平獲索 干戈로다

광무황제 중흥업은 부평획색 간과로다

取吉衆於 乾卦하니 長鱗虫而 龍仁이요

건괘에서 길함 취하니 장린충이 용인[12]이요

識良馬於 葩詩하니 辨毛色於 驪州로다

식량말에 파시하니 변모색에 여주[13]로다

嶰谷의 十三律은 始制箭於 竹山이요

해곡의 십삼율은 시제용에 죽산[14]이요

---

4 백운대, 만경대, 인수봉 세 봉우리라 해서 삼각산이라고 함.

5 학을 탄 신선.

6 경기도 고양시.

7 한나라 초기의 책사策士로 역이기를 말함. 유방의 참모이자 세객이었음.

8 패공에게 길게 절함. 패공은 한고조 유방劉邦.

9 도간陶侃, 257~332. 중국 진晉나라 때 무장으로 도연명陶淵明의 증조부.

10 중국 삼국시대 촉나라 명재상, 전략가.

11 중국 하남성 남양.

12 경기도 용인시.

13 경기도 여주시.

14 경기도 안성시, 용인시에 걸친 지역.

滁亭의 六七里은 漸聞聲於 水原이라
저정의 육칠리는 점문성에 수원[15]이라
牧童이 見客拜하니 懷中落而 果川이요
목동이 견객배하니 회중낙이 과천[16]이요
馬上의 無紙筆하니 憑君傳於 安城이라
마상의 무지필하니 빙군전에 안성[17]이라
四百年 永平하니 履周道而 砥平이요
사백년 영평하니 이주도이 지평이요
千萬世 加平이라 近章坮이 楊根이라
천만세 가평이라 근장대가 양근이라
范公의 叢竹歌난 愛此君而 陰竹이요
범공의 총죽가는 애차군이 음죽이요
成王의 削桐戲난 封其弟而 喬桐이라
성왕의 삭동희는 봉기제이 교동이라
潢流水日 抱川이요 清流水日 漣川이라
횡류수왈 포천[18]이요 청류수왈 연[19]천이라
百堞高而 積城이요 三面距而 交河로다
백첩고이 적성이요 삼면거이 교하로다
孔夫子 너른道난 問沮溺而 通津이요
공부자 넓은 길은 문저익이 통진이요
韓太尉 노픈功은 楷天下於 安山이라
한태위 높은 공은 석천하에 안산[20]이라

---

15 경기도 수원시.
16 경기도 과천시.
17 경기도 안성시.
18 경기도 포천군.
19 경기도 연천군.

朔寧去而 餼羊이요 豐德鳴而 瑞鳥로다
삭영거에 희양이요 풍덕명이 서조로다
宜檡里於 仁川이요 澳釋氷於 陽川이라
의석리에 인천이요 오석빙에 양천이라
地形이 險阻런가 坡州라 일흠하고
지형이 험조한가 파주[21]라 이름하고
水勢가 急流런가 長湍이라 일넛도다
수세가 급류인가 장단이라 일렀도다
人物이 繁華하니 千門萬戶 開城이요
인물이 번화하니 천문만호 개성[22]이요
民業이 富饒하니 此疆彼界 麻田이라
민업이 부요하니 차강피계 마전이라
太白神人 檀木君은 其千里而 始興이요
태백신인 단목군은 기천리에 시흥[23]이요
中國名將 李提督은 功萬世而 振威로다
중국명장 이제독[24]은 공만세가 진위로다
通富商於 利川이요 多積聚於 金浦로다
통부상에 이천[25]이요 다적취에 김포[26]로다
十室之邑 저근골의 民不愚而 陽智로다
십실지읍[27] 적은 골에 민불우이 양지로다

---

20 경기도 안산시.
21 경기도 파주시.
22 경기도 개성시. 현재 북한 영역.
23 경기도 시흥시.
24 중국 명나라 장군 이여송李如松.
25 경기도 이천시.
26 경기도 김포시.
27 집 호수가 10여 채에 불과한 마을.

忠淸道 五十四官

충청도 오십사관

錦江春色이 逐人來하니 公州난 湖中名勝地로다

금강춘색이 사람을 좇아오니 공주[28]는 호중명승지로다

龍逢比干 노푼충셩 忠州라 일흠하고

용봉[29]비간[30] 높은 충성 충주[31]라 이름하고

伯夷叔齊 맑은절개 淸州라 일넛도다

백이숙제[32] 맑은 절개 청주[33]라 일렀도다

公私가 大登하니 三農이 延豊이요

공사가 대등하니 삼농이 연풍이요

夫婦가 偕老하니 百年을 永同이라

부부가 해로하니 백년을 영동[34]이라

四時長春 靑山이요 五行正色 黃澗이다

사시장춘[35] 청산이요 오행정색 황간[36]이다

君臣會遇 全義하고 詩書講論 文義로다

군신회우 전의하고 시서강론 문의[37]로다

伏羲氏 八卦書난 連山歸藏 周易이요

복희씨[38] 팔괘서는 연산귀장 주역이요

---

28 충남 공주시.
29 중국 하나라 때 현인賢人으로 걸왕桀王의 무도함을 간하다가 죽임을 당함.
30 중국 은나라 때 충신忠臣으로 주왕紂王의 음란함을 간하다가 죽임을 당함.
31 충북 충주시.
32 중국 은나라 때의 주나라를 거부하고 수양산에 숨어지낸 처사.
33 충북 청주시.
34 충북 영동군.
35 항상 봄처럼 따뜻함.
36 충북 영동군에 있는 지명.
37 충북 청원군에 있는 지명.
38 중국 고대 삼황오제의 한 분.

公玉帶 明堂圖난 靑陽左於 總章이라
공옥대 명당도는 청양좌에 총장이라
隋郊의 含珠蛇난 雖徵物而 報恩이요
수교의 함주사는 수미물의 보은[39]이요
齊庖의 釁鍾牛난 易小子而 懷仁이라
제포의 흔종우[40]는 이소자의 회인이라
文學之風 魯城이요 化國之日 舒川이라
문학지풍 노성이요 화국지일 서천[41]이라
大明日月 발가시니 夫餘於 風泉이요
대명일월 밝았으니 부여에 풍천이요
小華民物 번성하니 泰安於 朝野로다
소화민물 번성하니 태안에 조야로다
子孫三公 相傳하니 種德基於 槐山이요
자손삼공 상전하니 종덕기에 괴산[42]이요
天地萬物 方暢하니 染春色於 藍浦로다
천지만물 방창하니 염춘색에 감포로다
逢永春於 東郊하니 농ᄉᆞ업을 권해잇고
봉영춘에 동교하니 농사업을 권하였고
引淸風於 北窓하니 취한술이 다깨거다
맑은 바람 북창에 불어오니 취한 술이 다 깼도다
瑞氣浮於 丹陽이요 和氣暢於 溫陽이라
서기부에 단양[43]이요 화기창에 온양이라

---

39 충북 보은군.
40 소의 피로 종의 틈을 바르는 일.
41 충남 서천시.
42 충북 괴산군.
43 충북 단양군.

疑雲夢於 平澤이요 建大纛於 牙山이라
의운몽에 평택[44]이요 건대독에 아산[45]이라
德山의 올나가서 聖人之門 보자서라
덕산에 올라가서 성인지문 보아서라
禮山의 드러가니 賓主之堦 분명하다
예산[46]에 들어가니 빈주지계
大興儒化 文翁이난 萬民이 노래하고
대흥유화 문옹이는 만민이 노래하고
懷德必報 范叔이난 一飯을 이질소야
회덕[47]필보 범숙이는 일반을 잊을소냐
春風秋月 됴흔경개 氣浩於 淸安이요
춘풍추월 좋은 경계 기호에 청안이요
瑞日祥雲 어던덕화 象嵬嵬而 天安이라
서일상운 어떤 덕화 상외외의 천안[48]이라
鴻山의 쏘난살은 項羽의 壯畧이요
홍산에 쏘던 살은 항우의 장략이요
唐津의 흐른물은 齊堯의 遺化로다
당진[49]에 흐른 물은 제요의 유화로다
鳴鳳凰而 瑞山이요 産珠玉의 海美로다
명봉황이 서산[50]이요 산주옥의 해미[51]로다

44 경기도 평택시.
45 충남 아산시.
46 충남 예산군.
47 대전광역시 대덕구에 있는 지명.
48 충남 천안시.
49 충남 당진군.
50 충남 서산시.
51 충남 서산시 해미면.

堤川의 막은물은 沃川이 되앗도다

제천[52]의 맑은 물은 옥천[53]이 되었도다

上黨이 갓갑던가 地名이 韓山이요

상당이 가깝던가 지명이 한산이요

碣石이 어딀난고 邑號을 燕岐로다

갈석이 어디인고 읍호를 연기[54]로다

百姓이 保寧하니 萬物이 新昌하다

백성이 보령[55]하니 만물이 신창하다

山北近而 鎭岑이요 水南流而 鎭川이라

산북쪽 가까이에 진잠이요 물남쪽에 진천[56]이라

鳳池의 沐浴하니 一代聖人 恩津이요

봉지에 목욕하니 일대성인 은진[57]이요

龍門을 通히시니 九年大水 洪州로다

용문을 통하시니 구년대수 홍주로다

百葉이 堅固하니 結城이 노풀시고

백엽이 견고하니 결성이 높을시고

萬樹가 繁華하니 陰城이 서를하다

만수가 번화하니 음성[58]이 서늘하다

三丈丘於 木川이요 五穀長於 稷山이라

삼장구에 목천이요 오곡장에 직산[59]이라

52 충남 제천시.
53 충북 옥천시.
54 충남 연기군으로 현재 세종특별자치도에 편입.
55 충남 보령시.
56 충북 진천군.
57 충남 논산시에 있는 지명.
58 충북 음성군.
59 충남 천안시에 있는 지명.

鑿鑿白於 石城이요 陰陰綠於 林川이라

착착백에 석성이요 음음녹에 임천이라

虞皇이 封히시니 十二州 定山이요

우황이 봉하시니 십이주 정산이요

漢水을 通히시니 萬八年 沔川이라

한수를 통하시니 만팔년 면천이라

我國의 어진德化 萬民을 더퍼시니

우리나라의 어진 덕화 만민을 덮었으니

卽其所以 然者하야 名之曰 庇仁이라

곧 그러한 까닭으로 이름하여 비인[60]이라

江原道 二十六官

강원도 이십육관

關東八景 山水鄕의 界首官이 原州로다

관동팔경[61] 산수향의 계수관이 원주[62]로다

破合從於 橫城이요 莖利涉於 洪川이라

파합종에 횡성[63]이요 무리섭에 홍천[64]이라

春川船如 天上坐요 楊口風來 面上吹라

춘천선에 천상좌요 양구풍래 면상취라

豈拔胡於 狼川하랴 不履生於 嶙蹄로다

기발호에 낭천하랴 불리생에 인제[65]로다

---

60 충남 서천시에 있는 지명.

61 강원도 강릉을 중심으로 한 8개 명승지.

62 강원도 원주시.

63 강원도 횡성군.

64 강원도 홍천군.

65 강원도 인제군.

程夫子 노픈道學 伊川의 구경하고

정부자 높은 도학 이천에 구경하고

秦始皇 다른都邑 金城의 디내로다

진시황 다른 도읍 금성의 지내로다

金化爲砂난 方士의 술업이요

금화위사는 방사의 술업이요

鐵原産銅은 富商의 지물이라

철원산동은 부상의 재물이라

先生之教 드러시니 登高城而 不呼하고

선생 가르침 들었으니 높은 성에 올라 소리치지 않고

孝子之道 극딘하니 臨歙谷而 恐墜로다

노자의 도 극진하니 깊은 골짜기에 떨어질까 두렵도다

前在江陸 反風하니 劉太守之 德政이요

앞에 가릉에 있을 때 바람 꺼짐은 유태수의 덕정이요

醉臥襄陽 落日하니 李謫仙之 詩興이라

취해 양양에 누워 낙일하니 이태백의 시흥이라

考其績而 三陟하니 有虞舜之 賢臣이요

그 공덕 삼척[66]이라 생각하니 순임금의 현신이요

得其村而 杆城하니 有周文之 武夫로다

그 마을 얻어 간성하니 주무왕의 아버지로다

天子가 부르실가 身臥治於 淮陽이요

천자가 부르실까 신와치에 회양이요

聖人이 나셧던가 波不揚於 平海로다

성인이 나셨던가 파불양에 평해로다

---

66 강원도 삼척시.

家庸平康 조커니와 國亦平昌 하얏도다

가용평강 좋거니와 나라 또한 평창[67] 하였도다

南斥邊而 寧越이요 北近山而 安峽이라

남척변에 영월[68]이요 북근산에 안협이라

金銀珠玉 만나시니 곳마다 蔚珎이요

금은주옥 만났으니 곳마다 울진[69]이요

忠烈賢良 만나시니 문마다 旌善이라

충현현량 만났으니 문마다 정선[70]이라

第一名山 金剛水난 東海꺼지 通川이라

제일명산 금강수는 동해까지 통천[71]이라

慶尚道 七十一官

경상도 칠십일관

三南의 第一碓藩 大邱監營 되야시니

삼남의 제일대번 대구감영 되었으니

懿王의 都邑인가 地理도 거룩하도다

의왕의 도읍인가 지리도 거룩하다

黍稷稻 農夫歌난 慶州가 너를시고

서직도 농부가는 경주[72]가 넓을시고

忠敬文 先生治난 尙州가 읏뜸이라

충경문 선생 다스린 상주[73]가 으뜸이라

---

67 강원도 평창군.
68 강원도 울진군.
69 경북 울진군.
70 강원도 정선군.
71 강원도 통천군. 현재 북한 영역.
72 경북 경주시.
73 경북 상주시.

梁山白 貯水策은 庶民業을 勸ᄒᆞ엿고

양산백 저수책은 서민업을 권하였고

東萊呂 畵像贊은 聖人門의 傳ᄒᆞ도다

동래에 화상찬은 성인문을 전했도다

野郊廣於 昌原이요 山水多於 陜川이라

야교광에 창원[74]이요 산수다에 합천[75]이라

日日又 新寧이요 孜孜爲 善山이라

날마다 또 신령이요 자자한 선산[76]이라

孔子의 노픈道난 問諸老子 禮安이요

공자의 높은 도는 문저노자 예안[77]이요

大舜의 너른德은 率俾蒼生 鎭海로다

대순의 넓은 덕은 솔비창생 진해[78]로다

魏國公 歸故鄕은 比晝錦而 榮川이요

위국공 귀고향은 비주금에 영천[79]이요

齊威王 得賢臣은 笑寸珠而 眞寶로다

제위왕 득현신은 소촌주에 진보로다

李密의 陳情表은 報陛下於 延日이요

이밀[80]의 진정표는 보폐하에 연일[81]이요

---

74 경남 창원시.

75 경남 합천군.

76 경북 선산군.

77 경북 안동시 예안면.

78 경남 창원시 진해구.

79 경북 영천시.

80 중국 촉나라 사람으로 어머님을 모시기 위해 벼슬에 나갈 수 없음을 올린 〈진정표〉로 유명함.

81 경북 포항시에 있는 지명.

徐市의 求仙術은 際王業之 興海로다
서시의 구선술은 제왕업의 흥해로다
禮義文物 奉化하고 林葱芸戢 咸昌이라
예의문물 봉화[82]하고 임홀예집 함창이라
多美士於 彦陽이요 訪俊又於 密陽이라
다미사에 언양[83]이요 방준우에 밀양[84]이라
歸如市於 仁同이요 靜不風於 寧海로다
귀여시에 인동이요 정불풍에 영해로다
龍宮族於 魚変이요 長鬐협於 鯨吸이라
용궁족에 어변이요 장기협에 경흡이라
天地日月 거록하니 格思神祗 高靈이요
천지일월 거룩하니 격사신저 고령[85]이요
榛栗椅桐 시머시니 爰代琴瑟 漆谷이라
진율의동 심었으니 원대금슬 칠곡[86]이라
人和을 겸전하니 地利於 固城이요
인화를 겸전[87]하니 지리에 고성[88]이요
南風을 화답하니 雲興於 慶山이라
남풍을 화답하니 운흥에 경산[89]이라
漢太祖 四百都邑 以義與 하얏싯고
한태조 사백도읍 의에 맞추어 하였었고

82 경북 봉화군.
83 울산시 울주군에 있는 지명.
84 경남 밀양시.
85 경북 고령군.
86 경북 칠곡군.
87 겸전兼全. 여러 가지를 갖추다.
88 경남 고성군.
89 경북 경산시.

楚伯王 팔천제자 振軍威 하얏도다
초백왕 팔천제자 진군위 하였도다
王猛의 깃친일흠 清河武侯 하야잇고
왕맹에 끼친 이름 청하무후 하였고
王導의 노픈공은 安東將軍 하얏도다
왕도의 높은 공은 안동장군 하였도다
毓元氣於 靈山이요 訪休治於 清道로다
육원기에 영산이요 방휴치에 청도[90]로다
大夫 鳥公은 節度使於 河陽이요
대부 조공은 절도사에 하양이요
太守 季布난 股肱郡於 河東이라
태수 희포는 고굉군에 하동[91]이라
六國諸侯 朝會라니 阿房宮 咸陽이요
육국제후 조회라니 아방궁[92] 함양[93]이요
八代文章 復起하니 神廟碑 南海로다
팔대문장 복기하니 신묘비 남해로다
誰蔭室於 漆原인고 可化砂於 丹城이라
수음실에 칠원이고 가화사에 단성이라
聖人이 首出하니 人物이 咸安이요
성인이 수출하니 인물이 함안[94]이요
君子가 順德하니 子孫이 昌寧이라
군자가 순덕하니 자손이 창녕[95]이라

---

90 경북 청도시.
91 경남 하동군.
92 진시황이 지은 궁전.
93 경남 함양군.
94 경남 함안군.

有莘의 흘은별은 星州가 분명하고
유신의 흐른 별은 성주[96]가 분명하고
麗水의 통한물은 金海가 거기로다
여수의 통한 물은 김해[97]가 거기로다
虞機張而 省括이요 殷巨濟而 作舟로다
우기장에 성괄이요 은거제에 작주로다
桃夭室家 宜寧이요 竹苞福祿 居昌이라
도요실가 의령[98]이요 죽포복록 거창[99]이라
太白의 胡僧歌난 今十圍於 青松이요
태백의 호승가는 금십위에 청송[100]이요
郴州의 道士居난 又淑氣於 山淸이라
침주의 도사거는 우숙기에 산청[101]이라
男子祥於 熊川이요 大人文於 蔚山이라
남자상에 웅천이요 대인문에 울산[102]이라
旅泰山而 知禮하고 筮有孚於 盈德이라
여태산에 지례하고 무유부에 영덕[103]이라
滁亭의 歐陽修난 醴泉의 釀酒하고
저정의 구양수[104]는 예천[105]의 양주하고

95 경남 창녕군.
96 경북 성주군.
97 경남 김해시.
98 경남 의령군.
99 경남 거창군.
100 경남 청송군.
101 경남 산청군.
102 울산광역시.
103 경북 영덕군
104 중국 송나라 때의 문인, 소식.
105 경북 예천군.

眉州 蘇子瞻은 金山의 觧帶로다
미주 소자첨[106]은 금산의 해대로다
積善家 나문德澤 裕後裔而 聞慶이요
적선가 남은 덕택 유후예에 문경[107]이요
遠景樓 기친風俗 近古者而 三嘉로다
원경루 끼친 풍속 근고자에 삼가로다
碣石이 險阻하니 地之北日 昆陽이요
갈석이 험조하니 지지북왈 곤양이요
岐岑이 嵩高하니 山以西則 豊基로다
기잠이 숭고하니 산이서즉 풍기[108]로다
時和 歲豊하니 風雨가 順興이요
시화 세풍하니 풍우가 순흥이요
天尊 地卑하니 山川이 開寧이라
천존 지비하니 산천이 개녕이라
絃誦을 이겨시니 泗川之上 구경하고
현송을 이겼으니 사천지상 구경하고
戶數를 더러시니 晋州之陽 가자서라
호수를 덜었으니 진주남쪽 가자꾸나
君子의 구든뜻은 安義의 得道하고
군자의 굳은 뜻은 안의에 득도하고
群雄의 어딘지조 英陽의 鍾氣로다
군웅의 어떤 재주 영양의 종기로다

---

106 중국 송나라 때의 문인 소동파蘇東坡.
107 경북 문경시.
108 경북 영주시 풍기읍.

有本源 말근식얌 混混來而 永川이요
유본원 맑은 샘 곤곤래에 영천[109]이요
勝花時 됴흔경기 萋萋 咸而 草溪로다
승화시 좋은 경계 처처함에 초계로다
聖君이 慈仁하니 太古적 玄風이라
성군이 자인하니 태고적 현풍[110]이라

---

109 경북 영천시.
110 대구광역시 달성군에 있는 지명.

82. 탄궁가嘆窮歌

① 작품명 : 탄궁가嘆窮歌

② 작자명 : 정훈(鄭勳, 1563~1640)

정훈은 조선 명종 때의 문학가로, 자는 방로邦老, 호는 수남방옹水南放翁이며 경주慶州 사람이다. 정철鄭澈과 더불어 가사문학의 쌍벽을 이루었다. 임진왜란壬辰倭亂, 이괄李适의 난, 정묘호란丁卯胡亂, 인조반정仁祖反正, 병자호란丙子胡亂 등을 겪으면서 6편의 장가와 20수의 단가를 남겼다.

③ 출전 : 필사본《수남방옹유고水南放翁遺稿》,《17세기 가사전집》(이상보 편, 교학연구사, 1987)

④ 해제

〈탄궁가〉는 노계蘆溪 박인로朴仁老가 지은 〈누항사陋巷詞〉와 같은 계열에 들 만한 가사이다. 곤궁한 생활을 탄식하면서 안빈낙도安貧樂道하려는 뜻을 노래했으며 모두 85구이다.

⑤ 원문과 현대역

하늘이 삼기시믈 일졍(一定) 고로 ᄒᆞ련마ᄂᆞᆫ
하늘이 만들 때는 일정하고 평등하였건만
엇지ᄒᆞᆫ 人生이 이대도록 苦楚ᄒᆞᆫ고
인생은 어찌하여 이토록 고통스러울까
三旬 九食을 엇거나 못 엇거나
삼십 일에 아홉 끼니 먹는 가난은 계속되고

十年 一冠을 쓰거나 못 쓰거나
십년 동안 한 개 갓을 쓸 수조차 없으니
顔瓢 屢空인ᄃᆞᆯ 날ᄀᆞ치 뷔여시며
안연의 표주박이 비었대도 날 같이 비었으며
原憲 艱難인ᄃᆞᆯ 날ᄀᆞ치 已甚ᄒᆞᆯ가
원헌[1]의 가난인들 날 같이 심했을까[2]
春日이 遲遲ᄒᆞ야 布穀이 ᄇᆡ야거ᄂᆞᆯ
봄날 늦도록 빼꾸기[3]는 종사[4]를 재촉하거늘
東隣에 ᄯᅡ보 엇고 西舍에 호ᄆᆡ 엇고
동쪽에서 농기구[5] 얻고 서쪽에서 호미 얻어
집 안희 드러가 ᄡᅵ갓ᄉᆞᆯ 마련ᄒᆞ니
집 안에 들어가 씨앗을 마련하니
올벼ᄡᅵ ᄒᆞᆫ 말은 半나마 쥐 먹엇고
올벼 씨 한 말은 반 넘게 쥐가 먹었고
기장피 조 ᄑᆞᆺ튼 서너 되 부터거ᄂᆞᆯ
기장피[6]조 팥은 서너 되를 부쳤거늘
한아(寒餓)한 食口 일이ᄒᆞ야 어이 살리
춥고 배고픈 식구들 이리하여 어찌 살까
이바 아희들아 아모려나 힘ᄡᅥ쓰라
이봐라 아이들아 어쨌거나 힘내서 살자

---

1 청빈淸貧함을 이름. 즉, 공자의 제자弟子 원헌의 字이다. 思의 집이 몹시 가난한 것에서 나옴.
2 너무 지나침. 한도를 지남.
3 안일하고 한가로운 모양.
4 빼꾸기의 이명異名.
5 따비.
6 기장.

쥭은 물 샹쳥 먹고 거니 건져 죵을 주니

죽 쓴 국물 상전 먹고 건더기 건져 종을 주니

눈 우희 바늘 젓고 코흐로 ᄑ람 분다

눈 위에 바늘 올려놓은 듯 흘겨 뜨며 콧방귀 뀐다

올벼는 ᄒᆞᆫ 볼 뺏고 조 ᄑᆞᆺ튼 다 무기니

올벼 한 발 수확하고 조와 팥은 다 묵히니

살히피 바랑이는 나기도 슬찬턴가

싸리랑 피랑 바랑이는 나기 싫다던가!

환자(還子) 장이는 무어스로 당만ᄒᆞ며

관청에서 빌린 곡식 높은 이자 무엇으로 장만하여

徭役 貢賦는 엇지ᄒᆞ야 ᄎᆞᆯ와낼고

(의무적인)노역[7]과 세금은 어떻게 채워낼까

百爾思之라도 겨닐 셩이 전혜 업다

백방으로 생각해도[8] 감내할 길 전혀 없고

萇楚의 無知를 불어ᄒᆞ나 엇지ᄒᆞ리

무지하여 가난 걱정 없는 장초를 부러워하니 어찌할까

時節이 豊ᄒᆞᆫ들 지어미 빅브르며

시절이 풍년인들 아내가 배부르며

겨스를 덥다ᄒᆞᆫ들 몸을 어이 ᄀᆞ리울고

겨울이[9] 따뜻하다고 한들 몸을 무엇으로 가릴까

機杼도 쁠듸 업서 空壁의 찌쳐 잇고

베틀 북은 쓸데없이 빈 벽에 걸리고

---

7 역노役勞.

8 여러 모로 이리저리 생각하여 봄.

9 겨울 날씨.

釜甑도 ᄇᆞ려 두니 불근 비티 다 되엿다
떡 찌는 시루 솥[10] 버려두니 붉은 녹이 끼었구나
歲時朔望 名日忌祭ᄂᆞᆫ 무어스로 饗祀ᄒᆞ며
세시 절기 명절 제사 무엇으로 향사하며
遠近親戚 來賓往客은 어이ᄒᆞ야 接待ᄒᆞᆯ고
친척과 오가는 손님 무엇으로 대접할까
이 얼굴 진여 이셔 어려운 일 하고 만다
이 얼굴을 하고서 어려운 일이 많은 걸까
이 怨讎 窮鬼를 어이ᄒᆞ야 녀희려뇨
이 원수 같은 가난 귀신 어찌하여 이별할까[11]
수릐 餱糧을 ᄀᆞ초오고 일홈 불러 餞送ᄒᆞ야
술과 마른 양식 준비하여 이름 불러 전송하고
日吉 辰良에 四方으로 가라 ᄒᆞ니
길일 좋은 시간에 사방으로 가라 하니
啾啾 憤憤ᄒᆞ야 怨怒ᄒᆞ야 니른 말이
시끄럽게 떠들면서 화내고 원망하는 말
自少 至老히 喜怒 憂樂을 너와로 ᄒᆞᆷᄭᅴ ᄒᆞ야
어릴 적부터 늙을 때까지 희로애락을 함께 하며
죽거나 살거나 져ᄒᆞᆯ 줄이 업섯거ᄂᆞᆯ
죽거나 살거나 이별할 줄이야 없었거늘
어듸 가 뉘 말 듣고 가라 ᄒᆞ여 니ᄅᆞᄂᆞ뇨
어디 가서 누구 말 듣고 가라고 이르는가!
이ᄂᆞᆫ 덧 ᄭᅮ짓ᄂᆞᆫ 덧 온 가지로 恐嚇커ᄂᆞᆯ
우는 듯 꾸짖는 듯 여러 가지로 날 꾸짖거늘

10 솥과 시루.
11 여의려는가.

도롯셔 싱각ᄒᆞ니 네 말도 다 올토다
도리어 생각하니 네 말도 다 옳구나
然情ᄒᆞᆫ 世上은다 나ᄅᆞᆯ ᄇᆞ리거ᄂᆞᆯ
무정한 세상은 나를 버렸거늘
네 호자 有信ᄒᆞ야 나ᄅᆞᆯ 아니 ᄇᆞ리거든
너 가난 귀신 혼자 믿음 있어 날 버리지 않았으니
人威로 避絕ᄒᆞ여 좀ᄭᅬ로 녀힐너냐
일부러 피하여 관계 끊고 잔꾀로 너와 이별할까
하ᄂᆞᆯ 삼긴 이 내 窮을 혈마ᄒᆞᆫᄃᆞᆯ 어이 ᄒᆞ리
하늘이 만들어준 이 가난 설마한들[12] 어쩌랴
貧賤도 내 分이어니 셜워 므슴ᄒᆞ리.
빈천도 내 분수인데 서러워해서 무엇하랴.

12 셜마한들.

83. 탐라별곡耽羅別曲

① 작품명 : 탐라별곡耽羅別曲

② 작자명 : 정언유(鄭彦儒, 1687～1764)

정언유는 서울 출생으로, 본관은 동래, 자는 임종林宗, 호는 오헌迃軒이다. 어려서 조부에게서 수학했는데, 문장과 식견이 출중했다. 35세에 벼슬길에 나아갔고, 주로 외직에서 활동하면서 공평 청렴한 목민관으로서 민생을 잘 돌보았다. 직언을 잘하였으며, 청빈한 삶을 살아 훗날 청백리로 추천되었다.

③ 출전 : 필사본 《오헌집迃軒集》(계명대 소장)

④ 해제

〈탐라별곡〉은 작자의 나이 63세 때인 1749년부터 2년 동안 제주목사로 재직하면서 지은 것이다. 관할 지역을 순력하고 제주의 역사·지리·민생·자연·풍속 등을 국한문혼용체로 노래한 유람기행가사다. 제주의 역사와 지리적 환경, 제주목사로 부임하는 과정, 제주도민의 참상과 위정 활동, 제주의 풍광과 풍류의 흥취, 목민관으로서의 고뇌와 소회 등을 노래했다. 유람기행가사의 일반적 진술 패턴과 달리 제주 백성들의 고달픈 생활상을 애민의식에 실어 노래하면서, 진정성에 입각한 목민관의 사명을 부각시키고 있다. 조선 전기 사대부 가사의 전통을 잇고 있으면서도 현실주의적 세계관을 투영하고 있다는 점이 주목되는 작품이다.

⑤ 원문과 현대역

耽羅 녯 都邑이 몃 千年 基業인고
탐라 옛 도읍이 몇 천 년 업적인가
星主 王子 디난 후의 物換星移 오랫거다
성주 왕자[1] 지나간 후에 물정 세태 변한 지[2] 오래도다
城郭이 곳치시니 人民인들 녯 깃탈손가
성곽이 달라졌으니 백성인들 예와 같을 것인가
聖朝의 臣屬ᄒᆞ믜 命吏을 보ᄂᆡ시니
조선의 신하로 예속됨[3]에 관리를 파견하시니
ᄒᆞᆫ 됴각 彈丸小島 大海예 ᄯᅥ 잇난ᄃᆡ
한 조각 탄환처럼 작은 섬 큰 바다에 떠 있는데
三邑을 ᄂᆞᆫ화 안쳐 솟발로 버려시니
세 읍을 나누어 앉혀 솥발같이 벌였으니
山南은 兩縣니오 山北은 州城니라
한라산 남쪽은 두 현이요 한라산 북쪽은 제주 성이다
土地ᄂᆞᆫ 긔 을믹여 民物은 어ᄃᆡᄒᆞ니
토지는 그 얼마며 민생 물산은 어떠한가
營門을 陞設ᄒᆞ여 名位을 重히 ᄒᆞ여
감영 문을 올려 지어 이름 지위를 중하게 하여

---

1 성주·왕자는 고을나高乙那의 15대손 고후高厚 삼형제가 바다를 건너 신라 땅인 탐진耽津에 왔을 때 신라왕이 고후와 아우인 고청高淸에게 준 칭호. 탐라耽羅라는 명칭 또한 탐진에 와서 신라에 조회했기 때문에 신라에서 붙여준 이름임.

2 물환성이物換星移. 만물은 바뀌고 세월은 흐르며, 시대와 세태가 끊임없이 변화함을 의미함.

3 조선조(1416·태종 2)에 이르러 탐라 성주星主 고봉례高鳳禮와 왕자王子 문충세文忠世 등이 성·주·왕자라는 칭호는 참람되니 개칭해 줄 것을 건의하자, 임금이 성주를 좌도지관左都知管 왕자를 우도지관右都知管으로 개칭함으로써 탐라국은 없어졌음.

節制使 兼防禦로 一島를 彈壓ᄒᆞ니
절제사 겸 방어사로 한 섬을 관할케 하니
丹邱의 차던 印綬 식 使君씌 傳掌ᄒᆞ고
영해[4]에서 찼던 인끈 새 관료에게 넘겨주고
行李를 收拾ᄒᆞ야 嶺湖로 도라와셔
행장을 수습하여 영남 호남으로 돌아와서
諭書를 압셔오고 重溟을 겨우 건너
부임 명령서 앞세우고 겹겹 바다를 겨우 건너
禾北鎭 下碇ᄒᆞ여 東城門 도러드니
화북진에 닻을 내려 동성문 돌아드니
閭閻이 雜錯ᄒᆞᆫᄃᆡ 四隅의 石墻이오
백성의 집들이 뒤섞여 있는데 네 귀퉁이에 돌담이요
街路가 廣平ᄒᆞᆫᄃᆡ 兩行의 楊柳러라
도로가 넓고 평평한데 길 양쪽에 버드나무구나
左右을 둘너보니 壯麗할손 公廨로다
좌우를 둘러보니 웅장 수려한 것은 관아로다
觀德亭 노피 안쟈 壯士의 禮貌 밧고
관덕정 높이 앉아 장군 병사들 신고 받고
殿牌의 肅謝ᄒᆞ고 斧鉞을 손의 쥐니
전패[5]에 절 올리고 부월[6]을 손에 쥐니
公然ᄒᆞᆫ 白面書生 大將의 威儀로다
번듯한 백면서생 대장의 위용이도다

---

4 단구丹邱. 영해寧海의 옛 이름.
5 임금을 상징하는 '전殿'자를 새겨 각 고을의 객사에 세운 나무패. 공무로 간 관리나 그 고을 원이 절을 하고 예를 표시하였음.
6 출정하는 대장에게 통솔권의 상징으로 임금이 손수 주던 작은 도끼와 큰 도끼·정벌·군기·형륙刑戮을 뜻함.

延曦閣 잠간 쉬여 巡歷 길 밧비 나셔
연희각에서 잠깐 쉬고 순력 길 서둘러 나서
海方도 둘너보며 風俗도 살펴보니
바다쪽도 둘러보며 풍속도 살펴보니
어엽불ᄉᆞ 우리 百姓 무ᄉᆞᆷ 일노 偏苦ᄒᆞ여
불쌍하도다 우리 백성 무슨 일로 고달파서
衣食이 艱窘ᄒᆞ니 興味가 잇실손가
입고 먹는 것 군색하니 사는 재미가 있겠는가
八陽足踏 겨우 ᄒᆞ여 薄田을 耕作ᄒᆞ니
발을 겨우 옮길 만한 척박한 밭을 경작하니
자른 호ᄆᆡ 져근 보십 辛苦히 ᄆᆡ갓고아
짧은 호미 작은 쟁기로 고생하며 매고 가꾸어
五六月 盡力ᄒᆞ여 西成을 바라더니
오뉴월 갖은 힘을 써 가을 추수[7]를 바랐더니
造物이 忌極ᄒᆞ고 天時도 그릇되여
조물주 시기 심하고 하늘의 도움도 그릇되어
惡風과 甚ᄒᆞᆫ 霖雨 ᄒᆡᄒᆡᄆᆞ다 孔極ᄒᆞ니
사나운 바람 심한 폭우 해마다 막심하니
田畝을 도라보면 兵馬로 즛발론 닷
밭이랑을 돌아보면 군마가 짓밟아 놓은 듯
各穀을 둘려보면 鐵鞭으로 즛쳐ᄂᆞᆫ 듯
곡식들을 둘러보면 쇠채찍으로 마구 내리친 듯
나문 이삭 주어 ᄂᆡ니 뷘 써플 ᄲᆞᆫ이로다
남은 이삭 주워 내니 빈 껍데기 뿐이도다

7 서성西成. 음양오행설에서 서쪽이 가을을 뜻한 것에서 가을에 익은 농작물을 거두어들이는 일을 이르는 말.

무어술 公債 갑고 어디 구러 사라날고

무엇으로 빚을 갚고 어디에서 꾸어 살아날까

거리거리 모든 飢民 駕轎 잡고 니른 말리

거리마다 모든 굶주린 백성 가마 잡고 이르는 말이

셜러울손 우리 性命 나라희 달려시니

서럽고 서러운 우리 목숨 나라에 달렸으니

流民圖 옴겨다가 人君 겨신 딕 알외고져

유랑 백성 그림으로 그려 임금 계신 데 아뢨으면

가쥭옷 풀戰笠니 이 무슨 衣冠이며

가죽옷 풀벙거지가 이 무슨 의관이며

모밀밥 橡實粥이 긔 무산 飮食일고

메밀밥 도토리죽이 그 무슨 음식일까

歲歲예 國恩 입어 羅鋪移轉 虛費흔니

해마다 국은 입어 흉년 구호미[8] 허비하니

請粟도 돗치 업고 生計도 茫然흔니

곡식 청함도 낯이 없고 생계도 아득하니

牧子 一族 鮑作 구실 이에셔 더 셜우며

목장[9] 일하는 가족 물질하는[10] 해녀 이보다 더 서러우며

船格의 貿易 무리 긔 안이 難堪흔가

배를 부리며[11] 무역하는 무리 그 아니 난감한가

---

8 나포이전羅鋪移轉. 제주도에 흉년이 들었을 때 도민들이 굶주림 때문에 육지로 도망가는 것을 막기 위해 전라도 임피에 마련해 둔 구호미를 제주도로 실어 오는 것을 말함.

9 목자牧子. 나라의 목장에서 소와 말을 치는 사람.

10 포작鮑作. 해녀들이 바다 속에 들어가 해산물을 채취하는 일.

11 선격船格. 조선시대에 사공의 일을 돕던 수부水夫.

滄溟이 限隔ᄒᆞ고 邦禁이 嚴截ᄒᆞ니

드넓은 바다가 경계로 막히고 나라에서 금하는 일 엄격하니

살 곳예 못 가기ᄂᆞᆫ 紇干山 언 ᄉᆡ ᄀᆞᆺ도다

살만한 곳에 못 가기는 흘간산[12] 얼어죽은 새 같도다

슬푸다 너의 艱苦 ᄂᆡ 어이 모라리오

슬프다 너의 고달픔 내 어찌 모르리오

힘ᄃᆡ로 救濟키ᄂᆞᆫ 官長의게 ᄆᆡ여씨나

힘 닿는 대로 구제하기는 관장에게 달려 있으나

견듸여 디ᄂᆡ기ᄂᆞᆫ 네 ᄆᆞ음의 ᄃᆞᆯ려시니

견디며 지내는 일은 네 마음에 달려 있으니

글러ᄉᆞ록 惕念ᄒᆞ야 常히 心性 保全ᄒᆞ야

그럴수록 경계하고 두려워하여 일상의 심성 보전하여

天恩을 닛지 말고 父子兄弟 相愛ᄒᆞ면

임금의 은혜 잊지 말고 부자 형제 서로 아껴주면

玉皇니 구버 보셔 福祿을 쥬시ᄂᆞ니

옥황상제 굽어 보시어 복록을 주시노니

窮困을 恨치 말고 네 道理 盡心ᄒᆞ면

곤궁함을 한탄하지 말고 네 도리 마음 다 하면

그 中의 榮華 잇셔 貧賤을 버셔나니

그 가운데 영화로움 있어 가난과 천함 벗어날 것이니

녯 時節 도라보면 그 안니 알 일인가

옛 시절 돌아보면 그 아니 알 일인가

---

12 일명 흘진산紇眞山으로, 여름에도 눈이 쌓여 있기에 "흘진산 꼭대기 참새 한 마리 죽었네, 어지하여 날아가서 즐겁게 살지 못했는가."(《자치통감資治通鑑》)라는 노래가 있었다고 함.

三聖山 소ᄉᆞᆫ 後 民俗이 淳和ᄒᆞ니
삼성산 솟아난 후 민생 풍속이 순후하니
歲事도 豐登ᄒᆞ고 人畜도 蕃盛ᄒᆞ여
일 년 농사도 풍작이고 사람 가축도 번성하여
집집이 橘林이오 곳곳이 駿馬너라
집집마다 귤밭이요 곳곳마다 준마로다
御乘도 예셔 나고 祭牛도 예셔 나니
임금님 말도 예서 나왔고 제사 소도 예서 나니
國畜도 盛커니와 私屯인덜 져글넌가
국가 목축도 성대하거니와 개인 둔전인들 적겠는가
飛龍 ᄀᆞᄐᆞᆫ 宛馬種은 各 牧場의 가득ᄒᆞ고
나는 용 같은 완마 품종은 여러 목장에 가득하고
黃金 갓ᄐᆞᆫ 洞庭橘은 公私園의 香ᄂᆡ 나니
황금 같은 동정귤은 국가 개인 농원에서 향내 나니
和平ᄒᆞᆫ 別天地을 前古의 일너시니
화평한 별천지를 예로부터 일러 왔으니
조흔 ᄣᅵ 그 世界예 너희처로 셔러ᄒᆞ랴
좋은 때 그 세상에서 너희처럼 서러워하랴
하물며 漢拏山이 天下의 일홈 잇셔
하물며 한라산이 천하에 이름이 있어
瀛州가 奇異ᄒᆞᆷ이 三神山의 ᄒᆞᆫᄂᆞ히니
제주도가 기이함이 삼신산의 하나이니
老人星 발근 光彩 壽域을 여러 노코
노인성 밝은 광채 장수 경지 열어 놓고
金剛草 ᄑᆞ른 빗치 白髮을 검게 ᄒᆞ니
금강초 푸른 빛이 백발을 검게 하니

녯날의 秦皇 漢武 못 보아 遺恨인ᄃᆡ
그 옛날 진시황 한무제 못 보아서 한스러워했는데
너희ᄂᆞᆫ 仙分 됴화 이곳에 生長ᄒᆞ여
너희는 신선의 연분이 좋아 이곳에서 자라나서
瀛室을 겻희 두고 白鹿潭 우희 안쟈
신선의 집을 곁에 두고 백록담 위에 앉아
流霞觴 가ᄃᆞᆨ 부어 老仙과 酬酌ᄒᆞ니
유하주 술잔에 가득 부어 신선들과 주고받으니
烟火食 不關커든 다른 念慮 이실논가
세속의 음식 관여치 않거든 다른 염려 있겠는가
ᄃᆞ톨 거시 무어시며 求ᄒᆞᆯ 거시 무어시니
다툴 것이 무엇이며 구할 것이 무엇인가
노푼 峰 올너 셔셔 塵土을 구버보면
높은 봉우리 올라 서서 세속을 굽어보면
큰 바다 잔만 ᄒᆞ여 世上이 春夢이라
큰 바다 술잔만 하여 세상이 봄꿈이리라
그 가운ᄃᆡ 인ᄂᆞᆫ ᄉᆞ람 營爲ᄒᆞ기 可笑로다
그 가운데 있는 사람 일을 꾸려나가는 것 가소롭도다
山房을 볼작시면 뷘 절만 基址 잇고
산방을 보자 하면 빈 절만 터를 잇고
土城을 ᄉᆞᆯ펴보면 녯 陣 터 잇셔시니
토성을 살펴보면 옛 진 터 이어 있으니
萬事을 혜아리면 뉘 안니 헛되리오
만사를 헤아리면 누구 아니 헛되리오
金方慶 崔瑩 將軍 왓던 踪跡 긔 뉘 알며
김방경 최영 장군 왔던 종적 그 누가 알며

李景文 三別抄ᄂᆞᆫ 叛亂만 지어 잇네
이경문 삼별초는 반란 일으킨 것만 남아 있네
九鎭이 버려 잇셔 防守을 申飭ᄒᆞ믜
아홉 진이 벌어져 있어 방비를 단단히 함에
兵器도 精巧ᄒᆞ고 武士도 壯健ᄒᆞᆫ니
병장기도 정교하고 무사도 강건하니
異國이 여어본들 ᄂᆞ라 못 건너리니
나른 나라들이 엿본들 날아 못 건너리라
軍餉이 업건마ᄂᆞᆫ 天塹이 밋분지라
군량이 없건마는 천연 요새 미더운지라
閑漫ᄒᆞᆫ 營中 公事 開閉門 ᄲᅮᆫ이로다
한가한 감영의 일 문 여닫는 것 뿐이도다
ᄎᆞ라히 막ᄃᆡ 잡고 勝地나 遊賞ᄒᆞ러
차라리 지팡이 잡고 명승지나 유상하러
翠屛潭 題名ᄒᆞ고 登靈區 ᄎᆞ쟈가셔
취병담에 이름을 새기고 등령구 찾아가서
流觴曲水 노리ᄒᆞ며 追雉 ᄉᆞ양 시쟉ᄒᆞᄂᆡ
냇물에 술잔 띄워 놀며 꿩 사냥 시작하네
妓女의 歌管 소ᄅᆡ 仙樂과 和答ᄒᆞᄆᆡ
기녀들의 노랫소리 신선의 풍악에 화답함에
天風에 놀ᄂᆞᆫ 笙鶴 半空의 ᄂᆞ리오니
하늘 바람에 놀란 생학이 공중에 내려오니
世緣을 다 ᄯᅥᆯ치고 胸海을 더 널리니
세간 인연을 다 떨어버리고 가슴속을 더 넓히니
赤松子 安期生을 거이 셔로 만날러니
적송자 안기생[13]을 거의 서로 만날 듯하도다

王事을 못 닛져셔 驅點을 시쟉ᄒᆞ니
나랏일을 못 잊어서 국마 점검 시작하니
十二場 ᄎᆞ례 지여 往來ᄒᆞ며 볼슬피니
열 두 목장 차례를 지어 왕래하며 보살피니
무리무리 모든 말리 구름인가 비든인가
무리무리 모든 말이 구름인가 비단인가
壯觀이 더ᄒᆞ기는 山馬點烙릴로다
장관을 더하기는 산마에 낙인 찍는 일이도다
木柵을 구지 겻고 一時예 모라ᄂᆡ니
통나무 울을 굳게 엮고서 일시에 몰아내니
ᄂᆞ는 둧 뛰노는 닷 巖谷이며 林藪로다
나는 듯 뛰노는 듯 바위계곡에서 숲에서도다
북소릐 旗幟 빗치 山獸됴차 ᄂᆡᄃᆞᄅᆞ니
북소리 깃발 빛깔에 산짐승조차 내달으니
豪健ᄒᆞᆫ 모든 將校 다토와 ᄌᆡ조 뵈니
씩씩한 모든 장교 다투어 재주를 보이니
獐鹿도 만커이와 武勇도 壯ᄒᆞ도다
노루 사슴도 많거니와 무사 용맹도 장하도다
一場에 勝ᄒᆞᆫ 로옴 보기도 죠컨니와
한 판에 승부 내는 모습 보기도 좋거니와
民情을 히알리니 心膽이 아득ᄒᆞ여
민생 형편을 생각하니 가슴속이 아득하여
悄悄히 도로와 와셔 臥仙閣의 비겨더니
시름없이 돌아와서 와선각에 비스듬히 기댔더니

13 적송자와 안기생 모두 중국 진나라 때의 신선.

無端ᄒᆞᆫ ᄎᆞᆫ 비발암이 橘園에셔 릴어ᄂᆞ니
무단한 찬 비바람이 귤 농원에서 일어나니
시음으로 쟈던 ᄭᅮᆷ을 놀ᄂᆞ ᄭᆡ여 이러ᄂᆞ셔
시름하며 자던 꿈을 놀라 깨어 일어나서
望京樓 노픈 欄干 의지ᄒᆞ여 멀리 보니
망경루 높은 난간 의지하여 멀리 보니
바다빗 아득ᄒᆞᆫᄃᆡ 長安이 멀러시니
바다 빛 아득한데 서울이 멀리 있도다
瓊樓玉宇 縹渺ᄒᆞᆫ 곳 우리 人君 치우신가
옥루궁궐 아득히 먼 곳 우리 임금 춥지는 않으신지
孤臣의 수문 근심 到處의 ᄆᆡ쳐시니
외로운 신하 숨은 근심 도처에 맺혀 있으니
어나 ᄣᆡ 順風 만나 險海을 利涉ᄒᆞ여
어느 때 순풍을 만나 험한 바다 쉬이 건너
이곳에 物情民憂 細細히 알외고져
이곳의 물정 민생을 세세히 아뢰고 싶구나
嘿嘿히 혼쟈 안쟈 百 가지로 思量ᄒᆞᆫ니
묵묵히 혼자 앉아 백 가지로 생각하니
술이라 盡醉ᄒᆞ여 한 ᄣᆡ나 이살지라
술이라도 잔뜩 취해 한 때나마 잊으리라
一盃一盃 復一盃을 無盡無盡 먹어시니
한 잔 한 잔 다시 한 잔 무진무진 먹었으니
睡鄕인 듯 醉鄕인 닷 客懷世慮 有無間에
잠결인 듯 꿈결인 듯 세상 시름 유무 간에
ᄇᆞ람길 畵角聲에 玉簫仙을 졉ᄒᆞᄂᆞᆫ ᄃᆞᆺ
바람결 화각소리[14]에 옥퉁소 부는 신선 만나는 듯

恍惚호 이닉 몸이 華胥天에 와 잇는ㄱ

황홀한 이내 몸이 선선 세계에 와 있는가

塵客인가 仙官인가 긔 뉘라셔 分辨호리

세속 나그네인가 선궁 관리인가 그 누구라서 분변하리

어화 이러져렁 지닉니 萬斛 시음 다 풀어ㅂ리거라

어와 이렇게 저렇게 지내니 온갖 시름 다 풀어버리거라

---

14 악기의 하나. 겉에 그림이 그려져 있는 쇠뿔 같은 것인데, 불어서 소리를 냄.

84. 태평곡太平曲

① 작품명 : 태평곡太平曲

② 작자명 : 침굉현변(枕肱懸辯, 1616~1684)

침굉현변의 속성은 윤씨, 본관은 나주, 자는 이눌而訥이다. 8세에 아버지를 여의고 9세에 천풍산 처우에게 출가해 승려가 되었다. 13세에 소요태능逍遙太能의 법을 이어받고 선암사 주지가 되었다. 선승이었으나 유학의 교양도 지녔다. 불교가사 〈귀산곡歸山曲〉·〈태평곡太平曲〉·〈청학동가靑鶴洞歌〉를 지었다. 이 작품들은 포교가 목적인 대부분의 불교가사와는 달리 자기 생활을 되돌아본 것으로, 사대부의 은일가사와 상통한다.

③ 출전 : 《한국불교전서》 제8책(동국대 출판부, 1987)

④ 해제

숙종 21년(1695) 10월 조계산 선암사에서 개간된 목판본 《침굉유고枕肱遺稿》에 국한문혼용체로 실려 있다. 《침굉집》에는 〈태평곡〉과 함께 〈귀산곡〉·〈청학동가〉 등 이른바 '침굉 가사' 3편이 수록되어 있다. 〈태평곡〉은 무위도식無爲徒食을 일삼으며 잡지견雜知見만 배우고 정작 불도에는 용맹정진하지 않는 사이비 승려들을 꾸짖고, 염불참선에 정진하여 해탈의 태평한 경지에 오를 것을 권하고 있다.

⑤ 원문과 현대역

避役爲僧 鳥鼠僧아 誤着袈裟 專혜마라

피역위승[1] 조서승[2]아 오착가사[3] 전혀 말라

道伴禪朋 아니븟고 割眼宗師 參禮ᄒᆞ야

도반선붕[4] 따르지 않고 활안종사[5] 참례[6]하여

法語六段 바히몰나 一介無字 둘혜내ᄂᆡ

법어육단[7] 전혀 몰라 일개무자[8] 둘로 쪼개네

用心ᄒᆞᆯ줄 ᄀᆞ라쳐도 일졀아니 고지듯고

용심[9]할 줄 가르쳐도 일절 아니 곧이 듣고

黑山下의 조오다가 鬼窟裡예 춤흘려 온긷셔길 ᄲᅮᆫ이로다

흑산 아래 졸다가 귀굴리에 침 흘려[10] 옷깃 섞힐 뿐이로다

이읏고 ᄭᅵᄃᆞᄅᆞ면 ᄆᆞ음이 流蕩ᄒᆞ야

이읏고 깨다르면 마음이 방탕[11]하여

散亂의 븟들려 飢虛을 못내계워

산란[12]에 붙들려 기허[13]를 참지 못해

1 병역兵役을 피해 스님이 됨.
2 박쥐스님. 곧 스님 아닌 사이비 스님을 비유.
3 스님의 옷인 가사를 잘못 입음.
4 불교를 수행하는 벗.
5 할안종사瞎眼宗師의 오기誤記. 애꾸눈 스님이라는 뜻.
6 법회에 참여함.
7 법어의 여섯 가지. 대혜선사大慧禪師의 《서장書狀》에서 거비자擧拂子 · 격선상擊禪床 · 양미揚眉 · 순목瞬目 · 양구良久 · 방할棒喝을 말함.
8 없을 무無 한 글자. 여기서는 '무'자 화두話頭를 뜻함.
9 마음을 다루는 것.
10 임제종臨濟宗에서는 간화선看話禪을 중시하는데 조동종曹洞宗에서 이를 두고 '깜깜한 흑산 아래 귀굴리에서 답답한 노릇이 아니냐!'며 비판했음.
11 방탕함.
12 어지럽고 혼란스러움.

도리ᄭᅩ갈 지버연고 ᄶᅵ업슨 누리입고
도리고깔[14] 집어 얹고 깃없는 누더기 입고
조랑망태 두러메고 괴톱싸 겻틔바가
조랑망태[15] 둘러메고 괴톱낫[16] 곁에다가
조막도ᄎᆡ ᄇᆞ릅쥐고 ᄇᆡᄯᆞ쟈 밤ᄶᅮ쟈
주먹 도끼 부릅 쥐고 배따자 밤따자
石茸ᄯᆞ쟈 松茸ᄯᆞ쟈 그러ᄒᆞᆫ 머로ᄃᆞ래
석이따자 송이따자 그러한 머루다래
다훌ᄯᅳ더 무더두고 粥飯도올 ᄲᆞᆫ이로다
다 훑어서 묻어두고 죽반[17]도울 뿐이로다
又有一般 늘근거슨 三十年二十年을 山中의 드러이셔
또한 일반 늙은 것은 삼십년 이십년을 산중에 들어 있어
活句參詳 ᄒᆞ노라ᄃᆡ 杜撰長 依憑ᄒᆞ야
활구참선[18] 한다지만 두찬장[19] 의빙[20]하여
惡知惡覺 殘羹數般 雜知見을 주어ᄇᆡ화
악지악각[21] 잔갱수반[22] 잡지견[23]을 주워 배워

---

13 몹시 굶어서 배가 고픔.
14 스님들이 승무僧舞에 쓰는 머리장식.
15 새끼나 갈대를 엮어 만든 기구.
16 고양이 발톱만한 낫.
17 죽과 밥.
18 활구를 참조하여 자세히 살핌. 여기서 활구는 화두話頭를 말함.
19 두찬杜撰은 전거典據나 출처가 없는 문자를 써서 틀린 곳이 많은 글을 말함. 장長은 노승老僧.
20 남의 힘을 빌려 의지함.
21 수행의 깨달음을 얻는 데 방해가 되는 사악한 엉터리 지식.
22 먹다 남긴 반찬 또는 국. 찌꺼기.
23 인과의 이법理法에 대한 바르지 못한 인식을 말함.

禪門도 내알고 敎門도 내아노라

선문[24]도 내 알고 교문[25]도 내 알겠도다

無知흔 首座드려 매도록 샤와리되

무지한 수좌[26]에게 내도록 지껄이되

七識자리 이러흐고 八識자리 져러흐다

칠식[27]자리 이러하고 팔식[28]자리 저러하다

禪門의 活句을 다註解 흐노매라

선문의 활구를 다 주해[29] 하는구나

無知흔 首座와 有信흔 居士舍堂

무지한 수좌와 유신[30]한 거사사당[31]

져런줄을 바히몰나 冬花ᄀ튼 릅프로

저런 줄을 전혀 몰라 동화[32]같은 무릎으로

기리쑤러 合掌흐야 쥐똥이 니러께 비븨ᄂ니 손이로다

계속 꿇고 합장하여 쥐똥[33]이 일어나게 비비는 것이 손이로다

어와 져써들히 무슨福德 심써관듸

어와 저것들이 무슨 복덕 심었는지

高峯大惠 後애나셔 末世眼을 머로는고

고봉대혜[34] 후에 나서 말세안식[35] 모르는가

---

24 선정禪定의 법문. 선종禪宗.

25 교법敎法. 교종敎宗.

26 맨 윗자리. 여기서 수행하는 스님.

27 법상종法相宗에서 인간의 심식心識을 8종으로 나눈 것.

28 유식종唯識宗에서 나누는 식의 종류. 안식眼識·이식耳識·비식鼻識·설식舌識·신식身識·의식意識·말나식末那識·아뢰야식阿賴耶識.

29 본문의 뜻을 알기 쉽게 풀이함.

30 믿음 있는.

31 남자를 거사, 여자를 사당이라 함. 여기서 사당패라는 말이 유래.

32 동과冬瓜와 같은 말로 박과에 속하는 일년생 식물. 박덩이.

33 손바닥을 자주 비비면 쥐똥처럼 때가 나오는 것을 말함.

高峯大惠 겨시더면 머리깨쳐 개주리라
고봉대혜 계신다면 머리 깨쳐 개주리라
그스승 그弟子을 다묵여 겨쳐두고
그 스승 그 제자를 다묶여 가둬두고
閻王의 鐵杖으로 萬萬千千 ᄯᅡ리고쟈
염왕[36]의 철장으로 만만천천 때리고자
다시一童 다김바다 千里萬里 보내리라
다시 일동 다짐받아 천리만리 보내리라
그나믄 범法僧도 病事도 더옥만타
그 남은 범법승[37]도 병폐도 더욱 많다
蔽陽이 두혀쓰고 블희升杖 ᄢᅵ기쥐고
패랭이 둘러쓰고 뿌리 죽장 비껴 쥐고
全州潭陽 오로ᄂᆞ려 黃花ᄀᆞ아 ᄃᆞᆫ니며
전주담양 오르내려 황화전[38] 다니며
술바다 恣飮ᄒᆞ고 醉ᄒᆞ야 븨거르며
술받아 자음[39]하고 취하여 비틀거리며
쟈근저올 큰저올 다다마 질머지고
작은 저울 큰 저울 다담아 짊어지고
全羅道 慶尙道 通八道 두로ᄃᆞᆫ녀 求ᄒᆞᄂᆞ니 利慾이다
전라도 경상도 팔도 두루 다녀 구하느니 이욕[40]이다

---

34 중국 원나라 때 스님 고봉선사高峯禪師와 송나라 때 스님 대혜선사大慧禪師를 말함.
35 말세의 안식眼識.
36 지옥의 왕으로 사람의 생전生前의 죄를 판정하는 염라대왕閻羅大王을 말함.
37 범법승犯法僧. 법을 어긴 스님.
38 황화전荒貨廛. 생활용품 가게. 황화荒貨의 오기誤記.
39 제멋대로 마심.
40 사사로운 이익을 탐하는 마음.

어와 어로신닉 이내말숨 드러보소

어와 어르신네 이 내 말씀 들어보소

人壽定命 八十歲예 壽短이 업쏘던가

인수정명[41] 팔십세에 수단[42]이 없었던가

賤兩財寶 田地牛羊 어딕쓸고 求得ᄒᆞ야

천량재보[43] 전지우양 어디 쓰고 구득하여

이몸이 주글제도 錢兩財寶 ᄀᆞ져갈가

이 몸이 죽을 때도 천량재보 가져갈까

公然ᄒᆞᆫ 天地間의 비러나 자시과쟈

공연히 천지간에 빌어나 잡수구려

白雲낀 綠溪邊의 절로도ᄃᆞᆫ 취줄기와

백운 낀 녹계변의 절로 돋는 취나무 줄기와

靑山裡 기픈고래 프ᄂᆞᆫ松葉 어듸두고

청산리 깊은 곳에 피는 솔잎 어디 두고

一身孤命 사로랴고 그대도록 곤고ᄒᆞᆯ샤

일신고명[44] 사리려고 그렇게 곤고[45]하는가

슬프고 셜온지라 佛法이 下쇠호매

슬프고 서럽도다 불법이 하쇠[46]하니

邪魔外道 熾盛ᄒᆞ니 正知正見 펼듸젹다

사마외도[47] 치성[48]하니 정지정견[49] 펼 데 적다

---

41 사람의 수명에 일정한 양이 있다고 하는 설.

42 장수長壽와 단명短命.

43 많은 재물을 뜻하는 천량千兩의 오기誤記.

44 이 한 몸 외로운 목숨.

45 곤고困苦. 곤란하고 고생스러움.

46 하쇠下衰. 쇠퇴함.

47 불법을 방해하는 삿된 무리.

48 불같이 성함.

山門의 學者도 是非만 ᄯᆞ로노매

산문의 학자도 시비만 따지나니

아모大師 엇써ᄒᆞ며 아모法師 엇써ᄒᆞᆫ고

아무 대사 어떠하며 아무 법사 어떠한가

本覺科目 어듸들며 頓悟頓修 엇지볼고

본각[50]과목 어디 들며 돈오돈수[51] 어찌 볼까

觀音圓通 이리ᄒᆞᆯ가 十如是을 엇지볼고

관음원통[52] 이리 할까 십여시[53]를 어찌 볼까

無限思想 일노와다 問去答來 ᄒᆞ읍다가

무한 생각 일으켜 문거답래[54] 하다가

嗔心을 憤起ᄒᆞ야 너올흐니 나올흐니

진심[55]을 분기[56]하여 너 옳으니 나 옳으니

이놈져놈 들레거든 有識ᄒᆞᆫ 君子들은

이놈저놈 떠들썩하니 유식한 군자들은

비웃ᄂᆞ니 구시로다 그아래 블강學者

비웃으니 굿이로다 그 아래 불강학자[57]

議論도 말려이와 ᄆᆞ음이 아득ᄒᆞ야

의논도 말거니와 마음이 아득하여

---

49 불교의 바른 진리를 찾는 과정인 팔정도八正道 중 정견正見을 말함.
50 모든 이가 가지고 있는 더럽히지 않은 본래 청정한 깨달음의 본체.
51 돈과 수를 한 순간에 완성하는 것. 곧 한번에 깨닫는 것.
52 자비의 마음으로 중생을 구제하고 제도하며 지혜로 참의 이치를 깨달음.
53 지옥계地獄界로부터 불계佛界에 이르기까지 일체 구유一切具有한 보편성普遍性.
54 묻고 답함.
55 성내는 마음.
56 화내어 일어남.
57 벌거숭이 학자. 곧 미숙한 사람.

口讀도 채모ᄅᆞ며 行實은 專혜업고

구독[58]도 채모르며 행실은 전혀 없고

人我山은 더옥노파 聲聞緣覺 ᄂᆞ리보고

인아산[59] 더욱 높아 성문[60]연각[61] 내려보고

諸佛諸祖 다ᄭᅮ지저 어른네를 輕히너겨

제불제조 다 꾸짖어 어른네를 가벼이 여겨

ᄂᆞᆾ으로 반일며 말노필 ᄲᅮᆫ이로다

낯으로 반질거리며 말로 필 뿐이로다

禪門이 搖動ᄒᆞ매 法棟이 기오노매

선문이 요동하여 법동[62]이 기우나니

念佛參禪 새로히 是非나 마로되야

염불참선 새로이 시비나 마시구려

어와 이젓ᄯᅡ다 내역시 니젓ᄯᅡ다

어와 잊었도다 나 역시 잊었도다

出家ᄒᆞᆫ 本志야 이러코쟈 ᄒᆞᆯ가만ᄂᆞᆫ

출가한 본뜻이야 이러고자 할까만은

不習懈怠 學習ᄒᆞ야 禪要書狀 都序節要

불습해태[63] 학습하여 선요서장[64]

楞嚴般若 圓覺法化 花嚴起信 諸子百家

능엄반야[65] 원각법화[66] 화엄기신[67] 제자백가[68]

---

58 글을 읽기 편하게 점 또는 부호로 표시하는 구두법句讀法을 말함.

59 사람의 몸과 마음 속에 변하지 않는 본체가 있다고 여기는 생각.

60 부처의 설법을 듣고 사제의 이치를 깨달아 열반에 들어간 사람.

61 12인연의 이치를 관찰하여 홀로 깨달았다는 뜻.

62 불법의 대들보.

63 불도수행을 게을리 함.

64 고봉화상高峯和尙의 《선요禪要》와 대혜종고大慧宗杲의 《서장書狀》을 말함.

65 능엄경楞嚴經과 반야경般若經.

다주어 두러보고 情神을 抖擻ᄒᆞ야

다 주어 들어보고 정신을 두수[69]하여

栢樹子을 쎠거쥐고 石牛鐵馬 둘러ᄐᆞ매

백수자[70]를 꺾어쥐고 석우철마[71] 둘러타니

玉女木童 牽馬잡펴 無絃琴 ᄐᆞ이며

옥녀목동 견마 잡아 무현금 타며

智異山 ᄆᆞᆰ근ᄇᆞ람 楓岳山 ᄇᆞᆰ근ᄃᆞᆯ과

지리산 맑은 바람 풍악산 밝은 달과

太白山 雄峰下와 妙香山 깁픈고래

태백산 웅봉 아래 묘향산 깊은 곳에

이리가고 져리가고 任意히 노릴며

이리 가고 저리 가고 마음대로 노닐며

祖師關 부스치고 眞州蘿蔔 드러ᄉᆞᆷ켜

조사관[72] 부수고 진주나복 들어삼켜

如來 廣大刹의 넌쯧넌쯧 ᄃᆞᆫ이다가

여래 광대찰[73]에 넌짓넌짓 다니다가

우ᄒᆞ로 소사올나 碧空밧긔 ᄯᅧ혀안자

위로 솟아올라 벽공 밖에 떨쳐 앉아

---

66 원각경圓覺經과 법화경法華經.

67 화엄경華嚴經과 대승기신론大乘起信論.

68 중국 춘추전국시대의 여러 학자 및 학파를 통틀어 말함.

69 번뇌를 떨어뜨리고 불도에 정진함.

70 잣나무. 조주趙州선사가 달마가 서쪽에서 온 까닭을 묻는 말에 대답하기를 '뜰 앞의 잣나무'라고 했음.

71 돌로 된 소와 나무로 된 아이. 선종禪宗의 화두話頭.

72 역대조사歷代祖師.

73 넓고 큰 땅.

無底船의 넌즈올라 智慧月을 조쳐씨고

무저선[74]의 언뜻 올라 지혜월[75]을 따라 싣고

大悲網 쎄쩌펴 欲海魚를 건져내여

대비망[76] 비껴 펴서 욕해어[77]를 건져내어

涅槃岸의 올려두고 囉囉囉 哩羅羅 太平曲을 블니리라

열반안[78]에 올려두고 라라라 이라라 태평곡을 부르리

번님네 物外丈夫을 다시어듸 求홀고

벗님네야 물외장부[79]를 다시 어디에서 구하려는가

---

74 어떤 것에도 집착함이 없는 철저한 경지를 말함.

75 부처님의 지혜를 널리 중생들을 비추어 주는 달에 비유.

76 대비심의 그물.

77 애욕의 세계에 있는 중생.

78 열반의 언덕.

79 세간의 일을 초월한 절대적인 경지에 오른 사람.

85. 태평사太平詞

① 작품명 : 태평사太平詞

② 작자명 : 박인로(朴仁老, 1561~1642)

박인로의 자는 덕옹德翁, 호는 노계蘆溪 또는 무하옹無何翁이다. 선조 25년(1592) 임진왜란이 일어나자 수군에 종군, 좌병사 성윤문의 밑에서 왜적 섬멸에 진력하였으며, 선조 32년(1599)에 무과에 급제하여 벼슬이 조라포수군만호助羅浦水軍萬戶에 이르렀다.

작품으로는 〈태평사太平詞〉·〈선상탄船上歎〉·〈사제곡莎提曲〉·〈누항사陋巷詞〉·〈독락당獨樂堂〉·〈영남가嶺南歌〉·〈노계가蘆溪歌〉·〈소유정가所有亭歌〉·〈입암별곡立巖別曲〉 등 9편의 가사와 68수의 시조가 전한다. 《노계집蘆溪集》에 이 작품들 일부가 실려 있다.

③ 출전 : 목판본 《노계집蘆溪集》

④ 해제

이 작품은 선조 31년(1598)에 지어졌으며, 목판본 《노계집》에 국한문혼용체로 실려 있다. 박인로가 좌병사左兵使 성윤문成允文의 휘하에서 왜적과 싸우던 중, 적이 밤을 타서 도망하자 본영으로 돌아와 수군水軍들을 위로하기 위하여 지은 일종의 전쟁가사이다. 내용은, 기사起詞에서 도이島夷의 침입과 나라의 위기를 읊고, 승사承詞에서는 명병明兵의 내원來援과 잘 싸워서 승리한 일을 노래하고, 전사轉詞에서는 개선 귀영과 귀향 후의 교훈을 서술하고, 결사結詞에서는 천지신명에게 태평성대를 축원하고 있다.

⑤ 원문과 현대역

나라히 偏小ᄒᆞ야 海東애 ᄇᆞ려셔도
나라가 편소[1]하여 동해에 버려져 있어도
箕子 遺風이 古今업시 淳厚ᄒᆞ야
기자 유풍이 고금 없이 순후하여
二百年 來예 禮義를 崇尙ᄒᆞ니
이백년 이래로 예의를 숭상하니
衣冠 文物이 漢唐宋이 되야쩌니
의관 문물이 한당송처럼 되었더니
島夷 百萬이 一朝애 衝突ᄒᆞ야
섬나라 오랑캐 백 만이 갑자기 쳐들어와
億兆 驚魂이 칼 빗츨 조차나니
놀란 백성들이 칼빛에 쫒기나니
平原에 사힌ᄲᅧᄂᆞᆫ 뫼두곤 노파잇고
평원에 쌓인 뼈는 산보다 높아 있고
雄都 巨邑은 豺狐窟이 되얏거ᄂᆞᆯ
웅도 거읍은 여우굴이 되었거늘
凄凉 玉輦이 蜀中으로 뵈아드니
처량한 임금 행차[2] 의주로 재촉해[3] 들어가니
煙塵이 아득ᄒᆞ야 日色이 열워쩌니
안개 먼지 아득하여 햇빛이 흐리더니

1 작고 치우침.
2 옥 같은 수레로 임금의 행차를 이름.
3 당나라 현종이 안록산 반란으로 촉蜀의 서쪽으로 피란한 고사에 비유하여 선조가 의주로 파천한 것을 뜻함.

聖天子 神武ᄒᆞ샤 一怒를 크게내야
성천자 신무하시어[4] 크게 노여워하니
平壤 群兇을 一劒下의 다버히고
평양의 흉악한 무리를 한 칼에 다 베고
風驅 南下ᄒᆞ야 海口에 더져두고
바람처럼 남하하여[5] 바다에 던져두고
窮寇을 勿迫ᄒᆞ야 몃몃ᄒᆡ를 디내연고
왜적[6]을 몰아치지 않고 몇몇 해를 지내왔는고
江左 一帶예 孤雲갓ᄒᆞᆫ 우리물이
강좌[7] 일대에 외로운 구름같은 우리 무리
偶然 時來예 武侯龍을 幸혀만나
뜻밖에[8] 무후같은 장군[9]을 행여 만나
五德[10]이 ᄇᆞᆯ근아래 獵狗몸이 되야써가
오덕이 밝은 아래 용맹전사 되었다가
英雄 仁勇을 喉舌에 섯겨시니
영웅 인용이 후설[11]에 섞였으니
炎方이 稍安ᄒᆞ고 士馬 精强 ᄒᆞ야써니
남쪽[12]이 안정[13]되고 군마가 강건[14]하니

---

4 거룩한 황제의 무술이 뛰어나시어. 성천자聖天子는 명明의 신종神宗을 말함.
5 바람처럼 남쪽으로 몰고 내려옴.
6 궁지에 몰린 도적.
7 낙동강 동쪽.
8 뜻밖에 좋은 때가 돌아옴.
9 제갈공명. 훌륭한 장군이란 뜻으로, 여기서는 성윤문成允文을 가리킴.
10 장군이 지니고 있는 다섯 가지 덕으로 지智·신信·인仁·용勇·엄嚴을 말함.
11 천자의 말을 전하는 사람. 곧 명의 심유경(沈惟敬)이 외교로 왜군을 설복시킨 것을 말함.
12 더운 곳이라는 뜻으로, 남쪽 지방을 이르는 말.
13 차츰 평안해짐.

皇朝 一夕에 大風이 다시이니
황조 일석[15]에 병란이 다시 이니
龍ᄀᆞᆺ흔 將帥와 구름ᄀᆞᆺ흔 勇士들이
용같은 장사와 구름같은 용사들이
旌旗 蔽空ᄒᆞ야 萬里예 이어시니
깃발로 하늘을 가리고[16] 만 리를 이으니
兵聲이 大振ᄒᆞ야 山岳을 ᄯᅴ엿ᄂᆞᆫᄃᆞᆺ
병성이 크게 떨쳐 일어나[17] 산악을 흔드는 듯[18]
兵房 御營大將은 先鋒을 引導ᄒᆞ야 賊陣에 突擊ᄒᆞ니
병방 어영대장은 선봉을 인도하여 적진에 돌격하니
疾風 大雨에 霹靂이 ᄌᆞ치ᄂᆞᆫᄃᆞᆺ
큰 비바람에 천둥번개가 쏟아지는 듯[19]
淸正 小竪頭도 掌中에 잇것마ᄂᆞᆫ
왜장 청정의[20] 모가지도 손바닥[21]에 있건마는
天雨 爲祟ᄒᆞ야 士卒이 疲困커ᄂᆞᆯ
하늘의 비가 말썽을 부려[22] 사졸이 피곤하거늘
져근ᄃᆞᆺ 解圍ᄒᆞ야 士氣을 쉬우더가
잠깐 동안 풀어[23] 주어 사기를 북돋우고

---

14 군사와 병마가 오로지 강건함.
15 천자가 다스리는 태평스런 때의 하루 저녁.
16 날리는 깃발이 하늘을 가림.
17 크게 떨쳐 일어남.
18 뜨게 하는 듯.
19 쏟아지는 듯.
20 왜장 가등청정加藤淸正.
21 손바닥 안. 여기서는 울산蔚山 공위攻圍를 말함.
22 하늘의 비가 말썽을 부림.
23 포위망을 풀어줌.

賊徒ㅣ 犇潰ᄒᆞ니 못다잡아 말년제고

적도가 도망쳐 흩어지니[24] 못다잡고 말겠구나

窟穴을 구어보니 구든덧도 ᄒᆞ다마는

적굴을 굽어보니 튼튼한 듯 하다마는

有敗 灰燼니 不在險을 알니로다

패하고 잿더미가[25] 되니 요새지도 소용없음을 알겠노라

上帝 聖德과 吾王 沛澤이 遠近업시 미쳐시니

명제의[26] 성덕과 임금의 덕화가[27] 원근에 미쳤으니

天誅 猾賊ᄒᆞ야 仁義를 돕ᄂᆞᆫ쏘다

하늘이 교활한 도적을 죽여 인의를 돕는도다

海不揚波 이젠가 너기로라

바다 물결 일지 않음은[28] 지금인가 여기노라

無狀ᄒᆞᆫ 우리물도 臣子되야 이셔더가

못난[29] 우리들도 신하되어 있었다가

君恩을 못갑흘가 敢死心을 가져이셔

군은을 못 갚을까 감히 죽고야 말겠다는 마음을 갖고 있어

七載를 奔走터가 太平오ᄂᆞᆯ 보완디고

칠 년 간[30]을 쏘대다가 태평한 오늘을 보왔도다

投兵 息戈ᄒᆞ고 細柳營 도라들제

전쟁을 끝마치고[31] 세류영[32]에 돌아들 때

---

24 도망해 흩어짐.
25 싸움에 져서 잿더미가 됨.
26 명나라 신종을 가리킴.
27 우리나라 임금(선조)의 큰 은혜.
28 바다에 물결이 일지 않고 고요함. 곧 외환外患이 없는 태평시대임을 말함.
29 못 생긴. 아무 공이 없는.
30 7년(1592, 임진(壬辰)~1598, 무술戊戌).
31 병기를 던지고 창질을 멈춤. 곧 전쟁을 그침.

太平簫 노픈솔의예 鼓角이 섯겨시니
태평소 드높은 소리에 고각이 섞였으니
水宮 깁흔곳의 魚龍이 다우는돗
수영 깊은 곳에 고기떼들이 다 웃는 듯
龍旗 偃蹇ᄒᆞ야 西風에 빗겨시니
군기는 휘날려서[33] 바람에 나부끼니
五色祥雲 一片의 半空애 써러딘 돗
오색 구름 찬란하게 반공에 떨어진 듯
太平 模榛이 더옥ᄒᆞ나 반가올사
태평한 이 모양이 더욱더 반갑구나
揚弓 擧失ᄒᆞ고 凱歌를 아뤼오니
활과 화살을 높이 들고 개선가를 아뢰오니
爭唱 歡聲이 碧空애 얼히ᄂᆞ다
외치는 환청 소리가 공중에 어리도다
三尺 霜刃을 興氣계워 둘러메고
예리한 긴 칼[34]을 흥에 넘쳐 둘러메고
仰面 長嘯ᄒᆞ야 춤을추려 이러셔니
휘파람 불면서[35] 춤을 추며 일어서니
天寶 龍光이 斗牛間의 소이ᄂᆞ다
보배로운 칼 빛[36]이 두우간[37]에 쏘이도다

---

32 중국 섬서성의 세류에 있던 군영으로 한나라의 주아부가 주둔했는데 군령이 엄했다고 함. 여기서는 군대의 기율이 엄격한 군영이란 뜻으로 쓰임.
33 장군의 기가 위엄 있게 휘날림.
34 서릿발 같은 긴 칼.
35 얼굴을 쳐들고 길게 휘파람을 불음.
36 천연의 진보珍寶인 보검寶劍의 칼빛.
37 북두성과 견우성 사이.

手之舞之 足之蹈之 절노절노 즐거오니

손이 춤추고 발이 뛰어 덩실덩실 춤을 추며[38] 저절로 즐기니

歌七德 舞七德을 그칠줄 모ᄅᆞ로다

칠덕가 칠덕무[39]를 그칠 줄을 모르도다

人間 樂事ㅣ 이ᄀᆞᆺᄒᆞ니 ᄯᅩ인ᄂᆞᆫ가

인간의 즐거움이 이 같음이 또 있는가

華山이 어ᄃᆡ오 이말을 보내고져

화산이 어디요 이 말을 보내고저

天山이 어ᄃᆡ오 이활을 노피거쟈

천산이 어디요 이 활을 높이 쏘고자

이제야 ᄒᆞ올일이 忠孝一事 ᄲᅮᆫ이로다

이제야 할 일이 충효의 일 그 뿐이로다

營中이 일이업셔 긴ᄌᆞᆷ드러 누어시니

영중에 일이 없어 긴 잠 들어 누었으니

뭇노라 이날이 어ᄂᆡ적고

묻노라 이 날이 어느 땐가

羲皇 盛時를 다시본가 너기로라

옛 중국의 복희씨 태평 시절[40]을 다시 본 듯 여기노라

天無 淫雨ᄒᆞ니 白日이 더욱븕다

궂은 비도 멎어지고[41] 밝은 해가 더욱 밝다

---

38 손으로 춤추고 발로 뜀. 너무 좋아서 저도 모르게 덩실덩실 추는 춤.

39 칠덕가七德歌를 노래하고 칠덕무七德舞를 춤. 곧 전란이 평정된 후에 태평을 즐거워하는 파진 악破陣樂. 칠덕 가는 당나라 태종이 제정한 무곡명舞曲名으로 본명은 태왕파진악泰王破陣樂.

40 복희씨伏羲氏의 때와 같은 태평세월.

41 하늘이 궂은비를 내리지 않음.

白日이 볼그니 萬方애 비최노다

햇빛이 밝으니 만방에 비추도다

處處 溝壑애 흐터잇던 老羸드리

곳곳의 골짜기[42]에 흩어져 있던 노인들이

東風 新燕가치 舊巢을 ᄎᆞ자오니

봄날의 제비같이 옛집을 찾아오니

首邱 初心에 뉘아니 반겨ᄒᆞ리

그립던 고향인데[43] 누가 아니 반겨하겠는가

爰居 爰處에 즐거옴이 엇더ᄒᆞᆫ뇨

여기저기로 옮겨 거처하니[44] 즐거움이 어떠한고

孑遺 生靈들아 聖恩인줄 아ᄂᆞᆫ다

겨우 살아남은 백성들아 임금의 은혜인 줄 알아라

聖恩이 기픈아릐 五倫을 발켜ᄉᆞ라

성은이 깊은 아래 오륜을 밝혀 보세

敎訓 生聚ㅣ라 절로아니 닐어가랴

백성을 가르치고[45] 국력을 기르면 저절로 나아가지 않겠는가

天運 循環을 아옵게다 하ᄂᆞ님아

천운이 순환함을 알겠도다 하느님이시여

佑我 邦國ᄒᆞ샤 萬歲無疆 눌리소셔

이 나라를 도우시여 만세무강 누리게 하소서

---

42 여기저기의 궁벽한 골짜기.

43 항상 고향을 잊지 못하는 마음. 죽어서라도 고향에 가 묻히고 싶은 본디 마음. 여우는 평생 언덕에 굴을 파고 사는데, 죽을 때엔 머리를 언덕을 향하여 그 본원을 잊지 않는다는 데서 온 말.

44 여기에 있고 여기에 삶. 여기저기로 옮겨 사는 삶.

45 백성을 가르치고 국력을 기름.

唐虞 天地예 三代日月 비최소셔

당우 천지[46]에 삼대 일월[47] 비추소서

於 萬斯年에 兵革을 그치소셔

아 만년토록 전쟁을 그치소서

耕田 鑿井에 擊壤歌을 불니소셔

밭 갈고 우물을 파며 격양가[48]를 부르게 하소서

우리도 聖主을 뫼읍고 同樂太平 ᄒᆞ오리라

우리도 임금을 모시고 함께 태평[49]을 즐기리라

46 요순 때와 같은 태평 세상.

47 고대 중국의 태평하던 하·은·주 세 시대에 비치던 해와 달.

48 태평세월을 즐기는 노래. 요순시대에 백성들이 밭에서 일하며 부르던 태평가太平歌.

49 태평세월을 함께 즐김.

86. 퇴계가退溪歌

① 작품명 : 퇴계가退溪歌

② 작자명 : 이황(李滉, 1501～1570)

이황의 호는 퇴계退溪·도옹陶翁·퇴도退陶·도수陶叟·청양산인淸凉山人 등으로, 진성인이다. 33세 때 식년시에 급제하여 공조·예조참판을 거쳐서 우찬성과 대제학을 지낸 후 도산에 은퇴하여 후진양성과 학문연구에 전념하였다. 그의 학풍은 이기호발설理氣互發說을 핵심으로 하여 영남학파를 이루었다.

③ 출전 : 대학본 《청구영언》

④ 해제

〈퇴계가〉는 사본에 따라 〈귀전가歸田歌〉·〈환산별곡還山別曲〉·〈낙빈가樂貧歌〉·〈은군자가隱君子歌〉 등 제목이 다양한데, 그 내용은 관계의 환란을 피하여 향리 전원으로 돌아와 유유자적하는 산림 처사적 성격이 잘 나타난 강호한정가사다.

〈퇴계가〉는 모두 24행 3단락으로 나눌 수 있다. 서사는 전원으로 귀향하는 모습으로 시상을 일으키고, 본사는 가을날에 시내놀이를 하는 어부생활의 진미를 노래하였으며, 결사는 태평시절에 퇴관하여 자유로운 몸으로 날마다 즐거움을 취하는 생활로 남은 생애를 누리겠다는 내용이다.

⑤ 원문과 현대역

어제 옳던 말이 오늘이야 왼쥴 알고

어제까지 옳은 일 오늘에야 그름[1]을 알고

葛巾布衣로 녯뜰을 ᄎᆞᄌᆞ가니

갈건과 베옷[2]으로 옛 정원을 찾아가니

山川은 녯빗치요 松竹이 새로왜라

산천은 옛 빛이요 송죽이 새롭구나

數間茅屋의 집ᄌᆞ리 ᄒᆞᆫ 닙 깔고

몇 칸 초가집[3]에 짚자리 한 입 깔고

淸風의 興을 겨워 閑暇이 누어시니

청풍에 흥이 겨워 한가히 누었으니

연못 가득한 紅蓮花는 정자 주변에 어리었다

연못에 가득한 홍연화 정자주변에 어리었다

아침 새노라니 밤 즑ᄂᆞᆫ 아희들과

아침이 밝아오니 밤 줍는 아이들과

사립문의 개 즈즈니 고기 웨는 장ᄉᆞ로다

사립에 개 짖으니 고기사려 왜치는 장수로다

이웃 친척들과 白酒黃鷄로 냇노리 가ᄌᆞ셰라

이웃들과 백주황계[4]로 냇노리[5] 가자꾸나

저녁 낚시를 말야ᄒᆞ고 되롱이 몸에 걸고

저녁 낚시 가려고 도롱이 몸에 걸고

---

1 잘 못되었음, 그르다.

2 갈건과 베옷, 은사의 소박한 의상.

3 몇 간 안 되는 작은 초가.

4 흰 술(막걸리)과 누런 닭.

5 냇가에서 하는 놀이.

蓑笠을 젓겨 쓰고 그물을 두러메고

삿갓[6]을 비껴 쓰고 그물을 둘러메고

시내로 ᄎᆞ자가셔 누런 송아지를 치올라 타고

시내로 찾아가서 누런 송아지 올라타고

夕陽을 띄여가니 험한 산길의 풍경이 다정ᄒᆞ다

석양을 따라가니 산길 풍경 다정하다

맑은 강물은 먼 하늘과 한 빛인ᄃᆡ

맑은 강물은 먼 하늘과 한 빛인데

細白絲 져 그물을 여흘여흘 더져두고

가늘고 흰 저 그물[7]을 물살 빠른 곳에 던져두고

銀鱗玉尺이 고고이 맷첫거늘

모양 좋은 큰 고기[8]가 그물에 걸렸으니

자나 굵으나 다 쥬어 따내어

작으나 굵으나 다 주어 창자 따서

잔고기 ᄉᆞᆺ고치고 굵은고기 膾를 쳐서

작은 고기 끓이고[9] 굵은 고기 회쳐서

瓦樽에 거른 술을 朴盞에 가득부어

와준[10]에 거른 술을 박잔[11]에 가득 부어

잡거니 권ᄒᆞ거니 醉토록 먹은 後에

잡거니 권하거니 취하게 먹은 후에

---

6 도롱이와 삿갓.

7 가늘고 흰 실.

8 비늘이 은빛처럼 번쩍거리고 모양이 좋은 큰 고기.

9 부글부글 끓이고. 매운탕.

10 진흙으로 빚어 만든 술 단지.

11 박으로 만든 술잔.

日落咸池ᄒᆞ고 月生東谷커늘

해 떨어져 함지[12]에 들고 달이 떠 골짜기 비치니[13]

업써들며 곱써들며 사립문을 ᄎᆞᄌᆞ오니

꼬꾸라져 넘어지며[14] 사립문을 찾아오니

자식은 扶醉ᄒᆞ고 아내는 歡迎이라

자식은 부축[15]하고 아내는 환영하다

아마도 江山主人은 나뿐인가 ᄒᆞ노라

아마도 강산주인은 나뿐인가 하노라

---

12 해가 져서 함지에 떨어짐.

13 달이 동쪽 골짜기에서 솟아오름.

14 엎어지고 고꾸라져 넘어지다. 술 취한 모습.

15 취한 몸을 부축하고.

87. 회심가回心歌

① 작품명 : 회심가回心歌

② 지은이 : 휴정(休靜, 1520~1604)

〈회심가고回心歌稿〉라는 제목으로 《보권염불문》(1764 동화사, 1765 묘향산 용문사, 1776 해인사, 1787 선운사)에 실려 있으며, 《보권념불문》에는 지은이가 밝혀져 있지 않다. 《신편보권문》(1776 해인사)에 〈청허존자회심가〉라는 제목으로 실려 있으며, 청허대사淸虛大師 휴정을 작자로 소개하였다.

③ 출전 : 《신편보권문》·《보권염불문》·《보권념불문》·《자칙가》·《감응편》·《불교가사》, 《부인치가사》·《증도가》·《가집》(126번)·《아악부가집》(13번)·《악부》(12번)·석문의범》에 실려 전한다.

④ 해제

〈회심가〉의 이본은 같은 제목 외에 〈회심곡〉·〈권불가〉·〈재이변 회심곡〉 등으로도 유통되었다. 〈회심가〉는 〈회심곡〉과 유사한 성격의 가사이다. 이 작품은 《보권염불문》에 있는 해인사 판본이다.

⑤ 원문과 현대역

텬디이의 분흔후에 삼나만샹 일어나니
하늘과 땅[1] 나누어진 후 삼라만상[2] 생겼으니

---

1 하늘과 땅. 의儀는 우주의 대본(大本)을 가리킴. '양의천지야 삼의천지인야兩儀天地也 三儀天地人也'. 《강희자전康熙字典》.

유졍무졍 삼긴얼골 텬진면목 졀묘호ᄃᆡ

유정 무정[3] 생긴 형상 자연[4] 그대로 절묘한데

범부고텨 셩인되ᄆᆞᆫ 오직사ᄅᆞᆷ 최귀ᄒᆞ다

범부가 다시 성인됨은 오직 사람만이 귀한 것이다

요순우탕 문무주공 삼강오샹 팔죠목을

요순우탕[5] 문무주공[6] 삼강오륜[7] 여덟 조목[8]

ᄐᆡ평셰에 장엄ᄒᆞ니 금슈샹에 쳠화로다

평화로운 세상을 장식하니 금상첨화[9]로다

동셔남북 간ᄃᆡ마다 형뎨ᄀᆞᆺ티 화합ᄒᆞ니

동서남북 간 데마다 형제같이 화합하니

텬하ᄐᆡ평 가감업서 안양국이 거의러니

온 세상 태평함이 가감 없어 극락세계[10]러니

어화 황공ᄒᆞ다 우리민심 황공ᄒᆞ다

아하! 황공[11]하다 우리 민심 황공하다

태고 텬디 ᄂᆞ려오고 요슌일월 ᄇᆞᆯ가시되

오랜[12] 세상 내려와 태평성대[13] 밝았으되

---

2 우주간에 존재하는 무수한 일체의 것.

3 살아서 희로애락喜怒哀樂의 감정을 가지고 있는 일체의 존재인 생물과 그렇지 않은 무생물.

4 천진한 면목. 곧 자연 그대로의 참된 모습.

5 중국 고대의 성군聖君인 요堯·순舜·우禹·탕湯 임금.

6 중국 고대 주周나라의 문왕·무왕·주공.

7 유교의 도덕의 기본이 되는 마땅히 지켜야 할 도리. 삼강은 군위신강君爲臣綱·부위자강父爲子綱·부위부강夫爲婦綱. 오상은 인仁·의義·예 禮·지智·신信.

8 《대학大學》에 나오는 격물格物·치지致知·성의誠意·정심正心·수신修身·제가齊家·치국治國·평천하平天下의 여덟 조목.

9 금상첨화錦上添花. 좋은 일에 또 좋은 일이 더함.

10 서방西方 극락국極樂國의 다른 이름. 《의적소義寂疎》에 "마음을 편안하게 하고 몸을 양養함으로 안양安養이라 한다."고 함.

11 어쩔 줄 모르고 두려워함. 황송惶悚.

야쇽ᄒᆞᆯ셔 말셰풍쇽 츙효신ᄒᆡᆼ 다ᄇᆞ리고

야속하구나! 어지러운 세상풍속 충효신행 다 버리고

애욕망에 깁히드러 형뎨투ᄌᆡᆼ 마댠ᄂᆞ니

애·욕심에 깊이 들어 형제 투쟁 끝없으니

가련ᄒᆞ다 ᄇᆡᆨ발부모 의로ᄒᆞᆯᄃᆡ 바히업서[14]

가련하다 늙은 부모 의지[15]할 곳 전혀 없어

문외예 바잔일며 흘니느니 눈믈일다

문밖에서 부질없이[16] 오락가락 흘리는 눈물

골육샹잔 져리ᄒᆞ니 촌외인을 의논ᄒᆞᆯ가

형제 싸움[17] 저리하니 먼 일가사람[18]과 의논할까

인심이 대변ᄒᆞ니 텬신이 발노ᄒᆞ야

사람 마음 크게 변하니 하늘이 크게 노해

대호악귀 모라나야 비명악ᄉᆞ 수업ᄉᆞ며

악한 귀신에 몰리어서 죽는 사람[19] 수 없이 많고

한지풍상 ᄌᆞ조드러 쳔문만호 긔근ᄒᆞ니

세상풍상[20] 자주 들어 많은 인가[21] 굶주리니[22]

김가박가 사ᄅᆞᆷ마다 부모쳐ᄌᆞ 분리ᄒᆞ야

김가 박가 사람마다 부모 처자 헤어지고

---

12 아주 오랜 옛날.

13 요堯·순舜 임금이 통치한 기간. 곧 태평성대의 비유.

14 전혀 없어.

15 남에게 의지함.

16 바장이며. 부질없이 짧은 거리를 오락가락하며.

17 부자父子·형제兄弟 또는 동족同族간의 싸움.

18 촌수를 따지지 않는 먼 일가의 사람.

19 제 목숨대로 살지 못하고 뜻밖의 재난으로 죽음. 비명횡사非命橫死.

20 가뭄으로 인한 재앙. 풍상風霜은 바람과 서리. 곧 세상의 어려움과 고생.

21 많은 인가人家.

22 먹을 양식이 없어서 굶주림.

농샹천변 ᄂᆞᆷ의ᄯᅡ히 여긔뎌긔 긔ᄉᆞᄒᆞ니
농상천변[23] 남의 땅에 여기저기 굶주려 죽으니[24]
참혹ᄒᆞ다 주검이여 다ᄆᆞᆫ됴ᄀᆡᆨ 가마괴라
비참[25]하다 송장이여 조객[26]은 까마귀[27]뿐
불슌인도 ᄉᆞᆯ피시소 우텬ᄌᆡ앙 뎌러ᄒᆞ니
불순한 사람 도리 살피고 하믈이 내리는 재앙 저러하니
텬고쳥비 ᄌᆞ조ᄡᅵᆺ텨 ᄌᆞ긔촌심 바로딘녀
하늘은 다 들으니 자기 마음 잔 갖추고 지녀서
일변으로 념불ᄒᆞ고 일변으로 츙효ᄒᆞ소
한편으로 염불하고 한편으로 충효하소
구텬이 감응ᄒᆞ면 요슌태평 아니볼가
하늘[28]이 감응하면 요순 태평 아니 올까
불법어ᄃᆡ 일뎡ᄒᆞ며 요슌어ᄃᆡ 시이실고
불법은 일정하며 요순의 씨 어디 있을까.[29]
념불ᄒᆞ면 불법이요 츙효ᄒᆞ면 요슌이니
염불하면 불법이요 충효하면 요순이니
츙효가져 입신ᄒᆞ고 념불가져 안양가새
충효하여 몸 세우고 염불하여 극락가세
아미타불 태ᄌᆞ시예 념불법문 고디듯고`
아미타불 태자 때에 염불법문 곧이듣고

---

23 밭 근처. 천변川邊은 냇가. 밭 근처와 냇가.
24 굶주려 죽음.
25 비참하고 끔찍함. 끔찍하게 불쌍함.
26 남의 상사喪事에 조의弔意를 표하는 사람.
27 까마귀.
28 가장 높은 하늘. 구중천九重天.
29 씨가 있을까.

발원ᄒᆞ야 닐ᄋᆞ샤ᄃᆡ 내 므져 념불ᄒᆞ여

부처에게 소원 빌어 내가 먼저 염불하여

안양국에 가온후에 귀쳔남녀 노쇼업시

극락 간 후에 귀천 남녀노소 없이

나의명호 외오니면 악취중에 아니가고

나의 이름 외운 이면 악한 짓[30] 하지 않고

극낙으로 바로갈줄 ᄉᆞ십팔원 셰워시니

극락으로 바로 가려고 부처님 처소에 사십팔대원[31] 세웠으니

셰망에 걸닌사ᄅᆞᆷ 불국으로 인도ᄒᆞ니

세상[32] 욕심 그물에 걸린 사람 극락정토[33]로 인도하니

비감심을 니르와다 즐겨부터 념불ᄒᆞ소

비감한 마음[34] 일으켜서[35] 즐거워하며 염불하고

금시태평 후시안양 만고복덕 구ᄒᆞᆯ딘대

현세 태평 후세 극락 만고복덕 구할진대

금구소셜 무샹법을 지셩으로 봉지ᄒᆞ소

금구소설[36] 말 없는 가르침[37] 지성으로 받들면[38]

---

30 악한 짓이 원인이 되어 태어나는 곳. 곧 지옥地獄·축생畜生 등을 말함. 3악취·4악취·5악취·6악취로 분별함.

31 아미타불이 법장비구로 있을 때 세자재왕世自在王 부처님 처소에서 세운 48가지의 서원誓願.

32 속세의 번루繁累함을, 어조魚鳥 등이 그물에 걸려 있음에 비유하여 이르는 말.

33 불국토佛國土. 부처의 나라. 극락정토極樂淨土.

34 슬프게 느끼는 마음.

35 니르완다. 일으키다.

36 석존의 입을 금구金口라 하고, 그 입으로 말한 교설敎說을 금구설金口說이라 함. 석존의 몸이 황금빛이고, 그 말씀은 금강과 같이 견고하여 무너지지 않는다는 의미에서 금구金口라고 함.

37 일체의 법 가운데 열반보다 나은 것이 없다는 뜻임.

38 받들어 모심.

셔가여래 츌가시예 뉴리뎐샹 칠보궁에

석가여래 출가 시에 유리 궁위[39] 일곱 보배궁

황개청개 밧치시고 삼천궁녀 시위ᄒᆞ니

황개청개[40] 받치시고 삼천궁녀 호위[41]하니

텬샹인간 아모ᄃᆡ도 뎌런복덕 업ᄉᆞ오ᄃᆡ

천상인간 아무 곳에도 저런 복덕 없사오나

헌신ᄀᆞᆺ티 ᄇᆞ리시고 만쳡청산 혼자드러

헌신같이 버리시고 녹음 우거진 깊은 산[42]에 혼자 들어가

뉵년고ᄒᆡᆼ 념불ᄒᆞ야 극낙으로 도라가니

육 년 고행[43] 염불하여 안락한 이상향[44] 돌아가니

셰간영화 ᄠᅥᆺᄠᅥᆺᄒᆞ고 불법진락 업슬딘대

세간 영화로움 떳떳하고 불법진락 없을진대

만승왕위 ᄇᆞ리시고 셜산고ᄒᆡᆼ 뎌리ᄒᆞᆯ가

높은 지위[45] 버리시고 설산고행[46] 저리 할까.

츌격진인 도일딘대 념불일셩 최귀ᄒᆞ니

속세를[47] 벗어나 염불함이 가장 귀하니

셜산대ᄉᆞ ᄒᆡᆼᄉᆞ보와 츌농학이 어셔되소

설산대사[48] 행한 일[49] 새장 안에서 빠져나가는 학[50] 되소

---

39 칠보 중의 하나인 유리로 만든 궁전 위.

40 황개黃蓋·청개靑蓋는 고대 의장儀仗의 하나. 개蓋를 누런 사紗로 싼 것이 황개黃蓋요, 푸른 사紗로 싼 것이 청개靑蓋임.

41 임금을 모시어 호위함.

42 겹겹이 둘러싸인 녹음이 우거진 산.

43 석존釋尊이 출가한 이후 성도成道할 때까지 겪은 6년 동안의 고행.

44 아미타불의 정토淨土. 즐거움만 있고 괴로움은 없는 안락한 이상향.

45 천자天子 또는 황제皇帝의 높은 지위.

46 석존이 과거세過去世에 히말라야 산에서 수행한 것을 말함.

47 출격은 모든 격식과 구속에서 벗어남을 말하고, 진인眞人은 참 된 도를 체득한 사람을 말함.

셰간탐심 못ᄇᆞ리면 삼악도에 ᄠᅥ러디고

세상 탐욕 못 버리면 지옥[51]으로 떨어지고

물외ᄉᆞ를 좃ᄉᆞ오면 안양세계 간다ᄒᆞ니

세상 물정[52] 벗어난 일 따르면 극락세계 간다하니

ᄌᆞ조ᄌᆞ조 념불ᄒᆞ야 불국으로 어셔가새

자주자주 염불하여 불국으로 어서 가세

부모효심 바히업고 념불ᄒᆞᆫ번 아니ᄒᆞ며

부모효심 전혀 없고 염불 한 번 아니하며

무샹복덕 ᄇᆞ라보며 쟝슈코쟈 기ᄃᆞ리니

무상 복덕 바라보며 장수하고자 기다리니

동동ᄒᆞ면 다구신가 안ᄌᆞᆫ방이 엇디갈고

북만 치면[53] 다 굿인가 앉은뱅이 어찌 갈까

신심업시 도야나며 공덕업시 득ᄒᆞᆯ딘대

믿는 마음 공덕 없이 얻을 수만 있다면

신광션ᄉᆞ ᄑᆞᆯ버히며 션ᄌᆡ동ᄌᆡ 블에들가

신광선사[54] 팔 베고 선재동자[55] 불 속 들어갔을까

---

48 석존이 과거세에 동자童子로 있으면서 설산에 들어가 불도佛道를 수행하던 때의 이름. 설산동자雪山童子라고도 함.

49 어떠한 일을 행함. 또 그 일.

50 새장을 벗어난 학. 곧 마음의 집착을 벗어난 경지를 비유한 말.

51 죄악을 범한 결과로 태어나서 고통을 받는 악한 곳으로, 지옥地獄·아귀餓鬼·축생畜生을 말함. 삼악취三惡趣라고도 함.

52 세상 물정을 벗어난 일. 물질계 이외의 일.

53 굿할 때 내는 북소리.

54 혜가慧可 대사를 말함. 혜가는 중국 스님으로, 선종禪宗의 제2조. 32세 때 향산에서 8년 동안 좌선하고, 40세에 숭산 소림사의 달마대사를 찾아가서 눈 속에 앉아 가르침을 구하였으나 허락하지 않으므로 왼팔을 끊어 그 굳은 뜻을 보여 마침내 허락을 받음. 당 태조가 정종보각대사正宗普覺大師라 시호함.

55 《화엄경華嚴經》 입법계품入法界品에 나오는 구도자求道者. 53선 지식을 두루 찾아 뵙고, 나중에 보현보살을 만나서 10대원을 듣고 아미타불 국토에 왕생하여 입법

념불비방 죄를보소 우마샤신 뎌아닌가
남녀비방[56] 죄 좀 보소 우마사신[57] 아닌가
션힝닷근 덕을보소 국왕대신 뎌아닌가
선행 닦은 덕을 보소 국왕 대신들 아니던가
팔만대장 니른말과 ᄇᆡᆨ쳔논소 사긴말숨
팔만대장경[58] 이른 말씀 백천논소[59] 새긴 말씀
금ᄒᆞᆫ거시 탐욕이오 권ᄒᆞᆫ거시 념불이니
금지하는 것 탐욕이요, 권하는 것 염불이니
이리귀ᄒᆞᆫ 사ᄅᆞᆷ인제 뎌리됴ᄒᆞᆫ 진묘법을
이리 귀한 사람인데 저리 좋은 진귀한 법[60]을
못듯고ᄂᆞᆫ 말녀니와 듯고ᄎᆞᆷ아 아니ᄒᆞᆯ가
못 들었으면 말려니와 듣고 차마 아니 할까.
뎡토문을 귀경ᄒᆞᆫ니 신심으로 념불ᄒᆞ면
정토문[61] 구경한 사람 믿음으로 염불하면
극낙도ᄉᆞ 아미타불 금년으로 ᄃᆞ려가면
극락도사[62] 아미타불 금년으로 데리고 가
칠보년ᄃᆡ 옥호광에 무샹쾌락 슈ᄒᆞᆯᄯᅢ예
칠보연대[63] 옥호광[64]에 무상쾌락 받을 때에

계의 지원志願을 채웠다 함.

56 (남을) 헐뜯어서 말하거나 비웃어 말함.

57 소와 말과 뱀의 몸뚱이. 곧 삼악도三惡道 중의 하나인 축생에 태어남을 의미함.

58 팔만은 무한한 수를 의미함. 대장은 대장경大藏經의 약칭으로, 경經·율律·논論의 삼장三藏이나 여러 고승의 저서 등을 모아서 만든 불교 성전(聖典)을 말함.

59 백천百千은 많은 수를 의미. 논소論疎는 현성賢聖의 저작을 논論이라 하고, 경론經論을 쉽게 해석한 것을 소疎라 함.

60 진귀하고도 절묘한 법.

61 아미타불의 구원에 의하여 극락정토極樂淨土에 왕생往生해서 성불成佛하고, 다시 이 세계에 돌아와서 중생제도衆生濟度의 성업成業에 종사할 것을 가르친 법문.

62 극락의 길잡이. 극락으로 인도해 주는 스승.

만셰만셰 디나가되 반일ᄀᆞᆺ다 니ᄅᆞ시니

오랜 세월 지나가도 반나절 같다 이르시니

인간고초 하셜우니 뎌진락에 어셔가새

인간고초 서러우니 진정한 즐거운 곳에 어서 가세

몽즁ᄀᆞᆺᄒᆞᆫ 사ᄅᆞᆷ사리 초로인ᄉᆡᆼ 구디너겨

꿈 속 같은 사람살이 풀 위에 이슬[65] 같고

쳔셰밧게 사ᄅᆞ랴고 무ᄒᆞᆫ탐심 닐와드니

천세 밖에 살려고 끝없는 탐욕 일어나

진심악샹 ᄂᆞᆺᄎᆡ올라 ᄃᆡ면ᄒᆞ기 놀납ᄉᆞ외

진심악상[66] 높이 치솟아 대면하기 놀랍구나

나의용심 모르거든 ᄂᆞᆷ을보와 ᄭᆡ티시소

나의 용심[67] 모르겠거든 남을 보아 깨우치소

무샹살귀 ᄂᆞ라드러 ᄉᆞ대환신 ᄶᅧᆺᄶᅧ낼ᄌᆡ

덧없는 악귀 날아들어 몸[68]을 감싸 꺾어 낼 때

힘을가져 당젹ᄒᆞ며 ᄌᆡ믈가져 인졍ᄒᆞᆯ가

힘을 가져 당해내며[69] 재물을 뇌물로 쓸까

만당쳐ᄌᆞ 어ᄃᆡᄡᅳ며 우양젼지 ᄃᆡ드릴가

집 마루[70]에 가득찬 아내 자식[71] 어디에 쓰며

---

63 칠보七寶로 된 연대蓮臺. 행업行業의 우세優勢에 따라 정토에 왕생하는 자가 앉는 9종의 연화대를 구품연화대九品蓮花臺라고 하는데, 연화대는 중상품中上品, 칠보연대는 중중품에 해당함.

64 석존의 미간眉間에 있는 흰 털白毫에서 나오는 빛. 옥호광명玉毫光明.

65 풀 위의 이슬처럼 허망한 인생살이.

66 성내는 마음과 사악한 상념.

67 정성스런 마음을 씀.

68 지地·수水·화火·풍風의 사대四大로 이루어진 환신이라는 뜻. 환신幻身은 사람의 몸이 실상實相이 없고 환幻과 같다는 의미임.

69 당하여 대적함.

70 집에 가득한 아내와 자식들.

도산검슈 졔디옥에 만반고통 슈ᄒᆞᆯᄣᆡ예
소와 양[72] 밭과 땅으로 저승길[73]을 대신할까
디장보살 대원인ᄃᆞᆯ 뎌ᄅᆞᆯ엇디 구뎨ᄒᆞᆯ고
지장보살[74] 큰 소원 저런 사람 어찌 구제할까
블속에 죽ᄂᆞᆫ나비 제들거든 엇디ᄒᆞᆯ고
불 속에 죽는 나비 제 스스로이거늘 어찌 할까
즐어죽ᄂᆞᆫ 쥬ᄉᆡᆨ에ᄂᆞᆫ 귀쳔업시 다즐기고
지레 죽는 술과 여색 귀천 없이 다 즐기고
진락슈ᄒᆞᆯ 념불에ᄂᆞᆫ 승쇽남녀 다피ᄒᆞ니
즐거운 세상 염불 스님과 속세 남녀 다 피하니
말셰되니 그러ᄒᆞᆫ가 지혜인이 아조져거
말세 되어 그러한가 지혜로운 사람 적으니
녁ᄃᆡ왕후 고금호걸 부귀공명 쳐ᄌᆞᄋᆡ를
역대 왕후 옛날 호걸들 부귀공명 처자 애착심
왕법으로 베말녀도 일명말기 어렵거ᄂᆞᆯ
왕법으로 베고 말려도 일정하게 금지시키기 어렵거늘
념불듯고 뚜여나니 즉금셩인 이아닌가
염불 듣고 뛰어나니 지금 성인이 아닌가
아모쳠지 념불ᄒᆞ면 인인마다 칭찬ᄒᆞ고
아무나 염불하면 사람마다 칭찬하고
아모ᄉᆞ과 검다ᄒᆞ면 노쇼업시 외다ᄒᆞ니
어떤 인간 검다하면 늙은이 젊은이 모두가 그르다 하니

---

71 소·양과 경작하는 토지.

72 산 또는 나무가 칼로 이루어진 지옥. 도산지옥과 검수지옥.

73 갖가지의 고통. 온갖 고통.

74 석존이 입멸入滅한 뒤부터 미타불彌勒佛이 출현할 때까지 부처님이 없는 세계에서 천상에서 지옥까지의 일체 중생을 교화하는 대자대비大慈大悲한 보살.

텬당가며 디옥갈줄 사라신ᄌᆡ 알리로쇠

천당 가며 지옥 갈 줄 살았을 때 알 리 없어

긔한인을 의식주고 빈병인을 구뎨ᄒᆞ며

헐벗고 굶주린 사람[75] 의식주고 가난하고 병든 사람[76] 구제하며

아당시비 바히말고 금슈보와 믜여말면

아당시비[77] 하지 말고 석가모니를 보고 좋아하면

요슌민이 이아니며 보현만힝 ᄯᅩ인ᄂᆞᆫ가

요순백성 아니며 보현보살 대자 대비한 공덕[78] 또 있는가

부모젼에 나사들며 합쟝ᄒᆞ고 ᄉᆞᆲᄉᆞ오ᄃᆡ

부모 앞에 나아가 합장[79]하고 말하되

인간ᄇᆡᆨ발 압히업서 셔산낙일 민망ᄒᆞ니

인간 백발 앞이 없어 사람 늙어 죽는 것[80] 민망[81]하니

십이시즁 쥬야업시 미타셩호 외우쇼셔

열 두 시 가운데 밤낮없이 아미타불[82] 외우소서

간쳥ᄒᆞᄂᆞᆫ 그효ᄌᆞ와 신쳥ᄒᆞᄂᆞᆫ 뎌부모ᄂᆞᆫ

간청하는 그 효자 믿고 듣는 저 부모는

비록말셰 나와시나 관음후신 아니신가

비록 어지러운 세상에 나왔으나 관음보살[83] 아니신가

---

75 헐벗고 굶주린 사람.

76 가난하고 병든 사람.

77 아당과 시비. 아당은 아첨하고 편을 듦. 시비는 옳으니 그르니 하는 말다툼.

78 보현보살普賢菩薩이 중생 교화를 위해 베푸는 자비의 실천행實踐行.

79 부처에게 절할 때 두 손바닥을 마주 합치는 예법. 두 손바닥을 합하여 마음이 한결같음을 나타내는 고대 인도의 경례법.

80 서산에 지는 해. 곧 세력 등이 기울어져 어쩔 수 없이 멸망하게 된 판국을 비유하는 말. 여기서는 사람이 늙어 죽는 것을 말함.

81 답답하고 딱하여 걱정스러움.

82 아미타불을 부르는 소리.

83 관음보살이 다시 태어난 몸. 관음보살은 대자대비大慈大悲하여 중생이 괴로울 때

금싱녀신 득흔사름 젼싱죄로 나와시니
금생 여자로 태어난 사람 전생 죄로 나왔으니
음해샤심 다ᄇᆞ리고 ᄌᆞ비션심 념불ᄒᆞ면
음해사심[84] 다 버리고 자비선심[85] 염불하면
마야부인 부러ᄒᆞ니 팔셰용녀 이 아닌가
마야부인[86] 부러워하니 팔세용녀[87]가 이 아니냐
빗바왕과 위부인을 뉴리태자 아샤왕이
빗바왕[88]과 위부인을 유리태자 아사왕[89]이
주기고쟈 가도와놀 위부인이 슬피울고
죽이고자 가두었거늘 위부인이 슬피 울고

에 정성으로 그 이름을 외우면 그 음성을 듣고 곧 구제한다는 보살.

84 넌지시 남을 해치는 마음과 사악한 마음.

85 중생에게 즐거움을 주는 것을 자慈, 괴로움을 없애주는 것을 비悲라고 함. 선심善心은 참괴慙愧의 이법二法과 무탐無貪·무진無嗔·무치無癡의 삼근三根과 더불어 이에 상응하여 일어나는 일체의 마음 과 심소心所를 말함.

86 석존의 어머니. 구리성주拘利城主 선각왕善覺王의 누이. 가비라 성주 정반왕의 왕비가 되어 왕자 싯달다를 낳고 이레 만에 죽었음.

87 사갈라 용왕의 딸. 《법화경》 제바달다품提婆達多品에, 사갈라 용왕의 딸은 나이 겨우 8세이지만 지혜가 숙성하였는데, 문수보살의 교화로 제법실상의 진리를 깨닫고 석가모니 부처님께 와서변신하여 남자가 되고, 보살행을 수행하여 남방무구세계에 가서 성불하였다고 함.

88 빈비사라頻毘娑羅왕. 중인도 마갈타국의 임금으로, 처음 석존이 출가하였을 적에 왕은 정반왕의 명령을 좇아 본국으로 돌아가기를 권했고, 석존이 성도한 뒤에는 귀의하여 가란타에 죽림정사竹林精舍를 지어 바침. 또 영취산 꼭대기에 돌층대를 쌓아 부처님이 오르내리기 쉽도록 함. 교살라 부인과 위제희 부인은 모두 왕의 비서로서 역시 불법에 독실히 귀의함. 태자인 아사세阿闍世에게 갇히어 옥에서 죽음. 그때는 부처님 멸도滅道 전 8년, 임금이 된 지 50년이었음.

89 아사다설돌로阿闍多說咄路라고도 하며 미생원未生怨이라고도 함. 장성하자 새 교단을 조직하려던 도중에 데바달다의 꼬임에 빠져 부왕을 죽이고 어머니를 가두는 등 역적죄를 감행함. 그러나 뒤에 부처님께 귀의하여 교단의 외호자外護者가 되어 불경을 결집하는 대사업을 완성함.

불젼에 ᄀᆞᆫ도ᄒᆞᆫ대 셔가여래 아ᄅᆞ시고

불전에 간절히[90] 기도하니 석가여래가 아시고

녕산으로 ᄃᆞ려다가 극락으로 보내시고

영산[91]으로 데려다가 극락으로 보내시고

청뎨부인 살ᄉᆡᆼᄒᆞ고 무간옥에 갓텨거ᄂᆞᆯ

청제부인[92] 죽이고 무간지옥[93]에 갇혔거늘

츌가효ᄌᆞ 목년존쟈 념불ᄒᆞ야 건뎌내고

출가한 효자 목건련[94] 염불하여 건져내고

손경덕이 목버힐제 념불ᄒᆞ고 죽댜니니

손경덕[95] 목 벨 때 염불하고 죽지 아니하니

오직념불 어셔ᄒᆞ고 일체원슈 ᄆᆡᆺ디마소

오직 염불 어서 하고 일체 원수 맺지 마소

광대녕통 무량슈불 ᄌᆞ긔샹에 명ᄇᆡᆨᄒᆞ야

광대넝통[96] 무량수불[97] 자기 위에 명백하여

---

90 간절히 기도함.

91 중인도 마갈타국의 왕사성 부근에 있는 산. 석존께서 법화경法華經을 말씀하신 곳으로 유명함.

92 목건련의 과거세過去世의 어머니.

93 팔열지옥八熱地獄의 하나. 범어 'arici'의 번역. 남섬부주 아래 2만 유순由旬 되는 곳에 있는 혹독한 지옥. 이 지옥은 괴로움을 받는 것이 끊임없으므로 이렇게 이름을 지음. 오역죄五逆罪의 하나를 범하거나, 인과因果를 무시하고 삼보정재三寶淨財인 절이나 탑을 무너뜨리거나, 성중聖衆을 비방하고 공연히 시주施主의 물건을 축내는 사람은 이 지옥에 떨어진다고 함. 가지각색의 극심한 형벌을 받는 이 지옥에는 흑승黑繩·등활等活 등의 지옥과 같은 별처別處가 있음.

94 목건련目揵連. 범어 'Maudgalyavana'의 번역. 부처님의 10대 제자 중의 한 사람으로, 불문佛門에 들어온 뒤 지옥에 빠진 그의 어머니를 구했다고 함. 신통神通 제일.

95 왕생요집에 나오는 인물.

96 너르고 크며 신령스럽게 통함.

97 수명壽命이 끝이 없는 부처님의 덕德을 찬양하여 일컫는 말. 아미타불의 별칭.

셔가여릭 아니나고 보리달마 못외신지
석가여래 아니 나고 보리달마[98] 못 오신 때
부아모아 쇼쇼ᄒᆞ고 ᄎᆞ다덥다 녁녁ᄒᆞᆫᄃᆡ
부아모아 소소[99]하고 차다 덥다 분명[100]한데
ᄋᆡ욕심이 밤이되야 의ᄂᆡ쥬를 바히몰나
애욕심[101]이 밤이 되어 옷 안의 진주 전혀 몰라
어분아기 못어드며 가진졈심 ᄇᆡ골ᄒᆞ니
업은 아기 못 얻으며 점심에도 배고프니
반야혜검 ᄲᅢ혀나야 무명황초 버히시고
반야혜검[102] 빼어내서 무자각한 것[103]을 베어내고
아미타불 외오다가 ᄌᆞ긔미타 친히보면
아미타불 외우다가 자기 미타 친히 보면
일보도 옴디아녀 극낙국에 니릐ᄂᆞ니
한 걸음도 옮기지 않고 극락국에 이르나니
부ᄂᆞᆫᄇᆞ람 요풍이오 ᄇᆞᆰ근광명 슌일이라
부는 바람 요풍[104]이요 밝은 광명 평화로운 나날[105]
년화ᄃᆡ예 올라안자 됴쥬쳥다 부어먹고
연꽃 대[106]에 올라앉아 맑은 차[107]를 부어먹고

---

98 남인도의 왕자로, 중국 숭산의 소림사에서 9년간의 면벽참선 끝에 득도함. 중국 선종의 시조.

99 사리가 뚜렷이 드러나서 밝음.

100 또렷함. 분명함.

101 좋아하여 바라는 마음. 또 애정과 욕심.

102 지혜. 지혜의 검.

103 번뇌의 거친 풀. 참된 진리에 무지한 것을 거친 풀에 비유함.

104 부드러운 바람. 요堯임금 때의 태평성대에 비유한 말.

105 순舜임금 때의 태평성대에 비유한 말.

106 연꽃으로 만든 대臺받침. 이것은 불보살佛菩薩의 상좌常座임.

107 중국 당唐나라 때 조주趙州의 관음원觀音院에 있던 진제대사眞際大師가 끓여 주던

ᄇᆡᆨ우거를 멍에메워 녹양쳔변 방초안에

백우거[108]를 멍에[109] 메워 녹양천변[110] 방초안[111]에

등등임운 임운등등 ᄌᆞᄌᆡ히 닐면서

등등임운[112] 임운등등 아름다운 풀 언덕에[113] 자유로이 노닐면서

태평곡을 부르리라 나무아미타불 나라리

태평곡을 부르리라. 나무아미타불 나라리

리라라 나무아미타불

리라라 나무아미타불

맑은 차란 뜻. '조주趙州의 끽다거喫茶去'란 것이 하나의 공안公案이 되었음.

108 흰 소가 끄는 수레. 백우거白牛車는 《법화경法華經》의 '화택火宅의 비유'에 나오는 삼거三車 중의 하나로, 보살을 의미함. 삼거三車는 양거羊車·녹거鹿車·우거牛車를 말하는 것으로 양거羊車는 성문聲聞, 녹거鹿車는 연각緣覺을 의미함.

109 말이나 소의 목에 얹고 수레나 쟁기를 끌게 하는 '∧'모양의 가로나무.

110 푸른 잎이 우거진 버드나무가 있는 냇가.

111 향기로운 풀이 있는 언덕.

112 임운자재任運自在라고도 함. 모든 일에 대하여 전혀 사로잡힘이 없이 불도佛道에 정진하는 것을 말함. 임운任運은 마음을 써서 새삼스러이 노력하지 않더라도, 혼자 손으로 할 수 있는 것. 등등騰騰은 공중을 날듯이 자재自在함.

113 마음대로. 저절로.

담양의 가사문학

의리와 명분을 중시하던 조선시대 사림士林들은 불합리하고 모순된 정치 현실을 피하여 따뜻한 기후와 풍부한 물산으로 인심이 넉넉한 호남 지방으로 낙남하여, 전라남도 담양에 많은 누정을 건립하고 인재 양성은 물론 시단詩壇의 결성과 시회詩會를 통하여 심금을 울리는 훌륭한 시가문학을 창작하였다.

그 같은 인문의 전통은 국문시가의 하나인 가사문학歌辭文學 창출의 비옥한 터전이 되었다. 조선 중기 이서李緖의 〈낙지가樂志歌〉를 필두로 20세기 정해정의 〈민농가〉에 이르기까지 600여 년 동안 담양권 가사문학의 제작은 끊임없이 지속되었다. 이는 한국시가문학사상 크게 평가되는 사실이다.

담양에서 가장 먼저 지어진 이서의 〈낙지가〉는 서사·본사·결사의 3단 구성으로 되어 있다. 전체 내용은 중국 후한시대의 처사處士 중장통仲長統의 삶을 흠모하여 권력 등 세속의 영화와는 멀리한 채 자연과 함께하는 안빈낙도의 처사적 삶을 노래한 것이다.

이어 나온 송순宋純의 〈면앙정가俛仰亭歌〉 역시 그 내용은 서사·본사·결사의 3단 구성으로 되어 있다. 서사에서는 면앙정의 위치와 그 모습을, 본사에서는 면앙정에서 바라보는 원근의 풍경과 춘하추동 사계의 경관을, 결사에서는 자연 속에서 살아가는 즐거움과 임금을 그리는 정을 노래하였다.

정철鄭澈은 이곳 담양에서 4편의 가사를 지었다. 〈성산별곡星山別曲〉·〈관동별곡關東別曲〉·〈사미인곡思美人曲〉·〈속미인곡續美人曲〉 등이 그것이다. 〈성산별곡〉은 서사·춘사·하사·추사·동사·결사 등 6단의 구성으로 시간에 따른 순차적 전개를 취하고 있으며, 강호전원생활의 풍류를 우리말의 어감을 한껏 살려 훌륭하게 드러내었다. 〈관동별곡〉은 당쟁으로 담양에 물러나 있던 정철에게 강원도 관찰사가 제수되자 그때의 기쁨과 관동 지역의 승경 탐승으로 고조된 정서를 진솔하게 읊었는데, 작자의 풍류와 함께 관료로서의 포부 및 연군의 정을 우리말의 묘미를 유감없이 살려 4단락에 나누어 매우 적절하게 노래했다는 평을 받고 있다.

〈사미인곡〉 또한 〈성산별곡〉처럼 6단 구성으로 되어 있다. 서사·춘원·하원·추원·동원·결사 등이 시간의 순서에 따라 전개되어 있다. 그 내용은 임과 이별을 한 어떤 여인의 입장을 빌려 불우한 자신의 처지를 노래하였는데, 〈속미인곡〉과 함께 충신 연주가사의 백미로 칭송된다. 〈속미인곡〉은 〈사미인곡〉의 속편 격으로 본의 아니게 임금에게서 버림받은 작자의 입장을, 외롭게 된 여인의 처지에 비유한 충신 연주가사이다. 갑·을 두 여인의 대화체와 극적 진술 양식으로 전개되고 있음이 그 특색이다.

정식鄭湜의 〈축산별곡竺山別曲〉은 작자가 경상도 용궁 지방(예천)의 현감으로 재임할 당시 그곳의 산천 풍물과 거기에서 느낀 심회를 읊은 가사이다. 춘하추동 사시의 절서 감각을 내세우는 등 작자의 풍류가 잘 드러나 있는데, 정철의 〈성산별곡〉과 〈관동별곡〉의 가풍이 느껴지기도 한다.

남극엽南極曄의 가사로는 〈향음주례가鄕飮酒禮歌〉와 〈충효가忠孝歌〉 등 2편이 전한다. 그중 〈향음주례가〉는 전체 4부로 구성되어 있다. 정조대왕의 덕교와 덕치가 만백성에게 미치어 삼강과 오륜이 지켜지고 예법이 이어져 양속良俗의 하나인 향음주례가 베풀어짐을 기리며 좋은 세월에 대한 기쁨을 노래했다.

남극엽의 〈충효가〉 또한 4부 구성으로 되어 있다. 중국의 훌륭한 인물과 조선 역사의 유구함 및 충효로 뛰어난 인물을 칭송하고, 후손으로서 지녀야 할 자세와 다짐을 교술적으로 서술한 것이다.

유도관柳道貫도 〈경술가庚戌歌〉와 〈사미인곡思美人曲〉 등 2편의 가사를 남겼다. 〈경술가〉는 전체 내용이 6단락으로 되어 있다. 경술년에 공자 등 훌륭한 인물이 태어난 사실을 말한 뒤, 같은 경술년에 원자(조선조의 순조)가 태어난 것을 경축하면서, 중국의 요순처럼 정치를 잘하여 담양에서도 태평가를 부를 수 있기를 바라는 충정을 노래했다. 〈사미인곡〉 역시 유도관의 작품으로, 그 내용은 6단락으로 나누어진다. 임금과 신하의 관계가 해와 해바라기와 같다고 하면서 작자는 임금이 자신을 찾을 때까지 정성을 다 바칠 뿐만 아니라, 상사곡을 타면서 충성하는 마음 변치 않겠다는 의지를 담은 충신 연주가사이다.

남석하南碩夏의 가사로는 〈백발가白髮歌〉·〈초당춘수곡草堂春睡曲〉·〈사친곡思親曲〉·〈원유가願遊歌〉 등이 전한다. 〈백발가〉는 그 내용에서 한시와 달거리 형식을 함께 취하는 등 작품 구성이 시가 장르의 혼합 양상을 보이고 있어 자못 흥미롭다. 먼저 역대 훌륭한 인물들이 모두 백발을 이겨내지 못하고 북망산으로 돌아갔음을 말한 뒤, 늙어지면 미인이나 맛 있는 음식도 모두 허사이니 늙기 전에 인생을 허송하지 말 것을 권유한 노래이다. 〈초당춘수곡〉은 전체 3단 구성으로 되어 있다. 제1단은 봄날의 정취를, 제2단은 독락의 안분지족적 생활을, 제3단은 부귀와 공명의 덧없음을 말하였는데, 그 내용에는 영원히 불변하는 강산과 더불어 일생을 마치겠다는 작자의 의지가 극명하게 드러나 있다.

〈사친곡〉은 남석하가 돌아가신 부모를 그리워하여 제작한 작품이다. 평생을 포의로 살았던 아버지 남극엽과 어머니 남원윤씨가 천당에가 계신다는 확신 아래 천당에 찾아가면 그동안의 불효를 사죄하고 효도하지 못한 원통함을 아뢰겠다는 내용이다. 끝에서는 임금에 대한 걱정과 근심을 말하면서 자신의 단충丹忠을 호소하였다. 〈원유가〉 역시 3단 구성의 가사이다. 여기에는 웬만큼 벼슬을 한 뒤 욕심 내지 않고 벼슬을 반납한 채 자연과 더불어 질병 없이 평생 즐거움을 누리겠다는 소망적 주제가 담겨 있다. 임금과 대화하는 대화체 수법을 통하여 작자의 포부를 말하고, 자신이야말로 직신直臣이요 충신忠臣임을 은근히 드러내고 있다.

정철의 10대손인 정해정鄭海鼎은 〈석촌별곡石村別曲〉·〈민농가憫

農歌〉 등 2편의 가사를 남겼다. 전자는 정철이 지은 〈성산별곡〉의 유적지를 대하는 감회와 무등산의 수려한 승경을 유람한 흥취를 주된 내용으로 하였다. 아울러 갑신정변(1884)이 일어나기 직전의 어수선한 당시의 현실을 심히 걱정하던 작자가 시대를 개탄하는 심회를 감추지 못하면서 산수 간에서 숨어살고자 하는 심정을 담고 있어 은일가사로 분류된다. 〈민농가〉는 기 · 승 · 전 · 결의 4단으로 구성된 권농가사이다. 기사에서는 국가의 근본이 백성이며, 백성의 근본 된 일은 농사이므로 이에 더욱 노력하라 하고, 승사에서는 농사 때가 중요하니 때를 놓치지 말고 정성으로 농사지을 것을 권하고, 전사에서는 농사일의 어려움과 지나친 세금 착취에 대한 탄식을, 결사에서는 악초 제거와 좋은 볍씨 확보 등으로 풍년 농사에 더욱 힘쓰라는 내용으로 되어 있다.

이 외에도 작자 미상의 〈효자가孝子歌〉가 있다. 이는 서사 · 본사 · 결사의 3단 구성을 한 도덕가사이다. 그 내용은 무등산 아래 산음동 출신의 효자 전우창이 9세 때 아버지를 대신하여 스스로 옥에 갇혔고, 풀려난 뒤에는 부친의 병환에 상분嘗糞을 꺼리지 않고 지극 정성으로 효도하였으며, 어버이를 잃은 후에도 시묘살이를 지속적으로 이행하는 등 평생을 효성으로 일관했다는 효행담을 담고 있다.

담양권의 가사

작 가	생 몰 연 대	작 품	비고(출전)
宋 純	1493～1582	俛仰亭歌	雜詞, 俛仰集
鄭 澈	1536～1593	星山別曲	松江歌辭
〃	〃	思美人曲	〃
〃	〃	續美人曲	〃
〃	〃	關東別曲	〃
鄭 湜	1661～1731	竺山別曲	先祖歌詞
李 緖	1484～?	樂志歌	夢漢零稿
柳道貫	1741～1813	思美人曲	崑坡遺稿
〃	〃	庚戌歌	〃
南極曄	1736～1804	鄕飮酒禮歌	愛景堂言行錄
〃	〃	忠孝歌	〃
南碩夏	1773～1853	草堂春睡曲	秋潭遺稿
〃	〃	白髮歌	〃
〃	〃	思親曲	〃
〃	〃	願遊歌	〃
鄭海鼎	1850～1923	石村別曲	石村別曲
〃	〃	憫農歌	〃
작자 미상		孝子歌	山陰世稿
梁山甫	1503～1557	愛日歌(作品失傳)	瀟灑園事實

1. 면앙정가俛仰亭歌

① 작품명 : 면앙정가俛仰亭歌

② 작자명 : 송순(宋純, 1493～1583)

송순의 호는 기촌企村 · 면앙정俛仰亭이다. 27세 때 과거에 급제하여 사간원 정원이 되었으나, 김안로金安老 등이 집권하게 되자 벼슬에서 물러나 귀향하여 41세 때(1533) 면앙정을 짓고 자연을 벗 삼아 유유자적悠悠自適하였다. 선조 2년 대사헌에 오른 후 한성부 판윤을 거쳐 의정부 우참판 겸 춘추관사를 지냈다.

③ 출전 : 국문 시가는 필사본 《잡가》, 한역가는 《면앙집》에 수록

④ 해제

〈면앙정가〉는 73행으로 내용은 6단락이다. 서사는 면앙정 주변과 조망의 경치를, 본사는 사계四季의 경관, 한거취흥閑居醉興, 호탕자락浩蕩自樂 등을, 결사는 임금님의 은혜를 읊고 있다.

이 작품은 내용 구성과 표현 형식의 완성도, 우리말 시어의 자유자재한 구사, 격조 높은 풍류 등의 특징을 드러내고 있어 가사문학의 걸작으로 평가받고 있다. 특히 정극인의 〈상춘곡〉에서 자연 친화의 사상을 이어받아 자연미를 발견하고 자연의 흥취를 즐기는 정서를 본격적으로 노래하고 있다. 특히 사계절의 변화에 따라 짜임새 있게 경치를 묘사하는 방식은 정철의 〈성산별곡〉에 계승되었다.

⑤ 원문과 현대역

無等山 ᄒᆞᆫ 활기 뫼히 東다히로 버더이셔
무등산 한 줄기 산이 동쪽으로 뻗어서
멀리 ᄯᅦ쳐와 霽月峰이 되어거ᄂᆞᆯ
멀리 떨치고 나와 제월봉이 되었거늘
無邊大野의 므슴 짐쟉 ᄒᆞ노라
끝없이 넓은 들에 무슨 생각하느라고
일곱 구ᄇᆡ ᄒᆞᆫᄃᆡ 움쳐 므득므득 버러ᄂᆞᆫ ᄃᆞᆺ
일곱 굽이 한데 움츠려 무더기무더기 벌여 놓은 듯
가온ᄃᆡ 구ᄇᆡᄂᆞᆫ 굼긔 든 늘근 뇽이
가운데 굽이는 구멍에 든 늙은 용이
선ᄌᆞᆷ을 ᄀᆞᆺ ᄭᆡ야 머리ᄅᆞᆯ 언쳐시니
선잠을 막 깨어 머리를 얹어 놓은 것 같으니
너ᄅᆞ바회 우ᄒᆡ 松竹을 헤혀고
넓은 바위 위에 송죽을 헤치고
亭子ᄅᆞᆯ 안쳐시니 구름탄 청학이
정자를 앉혔으니 구름 탄 청학이
千里를 가리라 두 나ᄅᆡ 버렷ᄂᆞᆫ ᄃᆞᆺ
천 리를 가려고 두 날개 벌린 듯
玉泉山龍泉山 ᄂᆞ린 믈히
옥천산 용천산 내린 물이
亭子 압 너븐 들ᄒᆡ 兀兀히 펴진 드시
정자 앞 넓은 들에 올마다 펴진 듯이
넙거든 기노라 프르거든 희지 마나
넓거든 길지나 말거나 푸르거든 희지나 말거나

雙龍이 뒤트ᄂᆞᆫ ᄃᆞᆺ 긴 깁을 ᄎᆡ폇ᄂᆞᆫ ᄃᆞᆺ
쌍룡이 뒤트는 듯 긴 비단을 온통 펼쳐놓은 듯
어드러로 가노라 므ᄉᆞᆷ 일 ᄇᆡ얏바
어디로 가느라고 무슨 일이 바빠서
ᄃᆞᆺᄂᆞᆫ ᄃᆞᆺ ᄯᆞ로ᄂᆞᆫ ᄃᆞᆺ 밤ᄂᆞᆽ즈로 흐르ᄂᆞᆫ ᄃᆞᆺ
달리는 듯 따르는 듯 밤낮으로 흐르는 듯
므조친 沙汀은 눈ᄀᆞᆺ치 펴졋거든
물을 따른 모래톱은 눈같이 펼쳐 있고
어즈러은 긔럭기ᄂᆞᆫ 므스거늘 어르노라
어지럽게 기러기는 무엇을 노리려고
안즈락 ᄂᆞ리락 모드락 흣트락
앉았다 내렸다 모였다 흩어졌다
蘆花을 사이 두고 우러곰 ᄌᆞᆺ니ᄂᆞᆫ뇨
갈대꽃을 사이에 두고 울며서 쫓는고
너븐 길 밧기요 긴 하ᄂᆞᆯ 아ᄅᆡ
넓은 길 밖 긴 하늘 아래
두르고 ᄭᅩ존 거슨 뫼힌가 屛風인가
둘러 있고 꽂혀 있는 것은 산인가 병풍인가
그림가 아닌가 노픈 ᄃᆞᆺ ᄂᆞ즌 ᄃᆞᆺ
그림인가 아닌가 높은 듯 낮은 듯
ᄀᆞᆺᄂᆞᆫ ᄃᆞᆺ ᄂᆡᆺᄂᆞᆫ ᄃᆞᆺ 숨거니 뵈거니
끊어진 듯 이어진 듯 숨거니 보이거니
가거니 머믈거니 어즈러온 가온ᄃᆡ
가거니 머물거니 어지러운 가운데
일홈ᄂᆞᆫ 양ᄒᆞ야 하ᄂᆞᆯ도 젓치아녀
이름난 듯하여 하늘도 두려워 않고

웃독이 셧ᄂᆞᆫ 거시 秋月山 머리 짓고
우뚝 선 것이 추월산 머리 삼고
龍龜山 夢仙山 佛臺山 魚登山
용구산 몽선산 불대산 어등산
湧珍山 金城山이 虛空의 버러거든
용진산 금성산이 허공에 벌어져 있는데
遠近蒼崖의 머믄 짓도 하도 할샤
멀고 가까운 푸른 언덕에 머문 것이 많기도 많구나
흰 구름 브흰 煙霞 프로니ᄂᆞᆫ 山嵐이라
흰구름 뿌연 안개 푸른 것은 산 아지랑이라
千巖萬壑을 제 집을 삼아 두고
많은 바위와 골짜기를 제집으로 삼아 두고
나명셩 들명셩 일ᄒᆡ도 구ᄂᆞᆫ지고
나며 들며 아양도 떠는구나
오르거니 ᄂᆞ리거니 長空의 ᄯᅥ나거니
오르거니 내리거니 장공에 떠나거니
廣野로 건너가니 프르락 블그락
광야를 건너가니 푸르락 붉으락
여트락 지트락 斜陽과 서거지어 細雨조ᄎᆞ ᄲᅮ리ᄂᆞᆫ다
옅으락 짙으락 석양과 섞이어 가랑비조차 뿌리는구나
藍輿ᄅᆞᆯ ᄇᆡ야타고 솔 아ᄅᆡ 구븐 길노
남여[1]를 재촉하여 솔 아래 굽은 길로
오며가며 하ᄂᆞᆫ적의 綠楊의 우ᄂᆞᆫ 黃鶯 嬌態겨워 ᄒᆞᄂᆞᆫ괴야
오고 가며 하는 때에 녹양에 우는 꾀꼬리는 교태겨워 하는구나

1 뚜껑 없는 가마.

나모 새 ᄌᆞᄌᆞ지여 樹陰이 얼린 적의

나무 사이 우거져 녹음이 짙어지니

百尺欄干의 긴 조으름 내여펴니

백척 난간에서 긴 졸음 내어 펴니

水面凉風이야 그칠 줄 모르ᄂᆞᆫ가

수면의 서늘한 바람이야 그칠 줄 모르는구나

즌서리 ᄡᅡ진 후의 산 빗치 금슈로다

된서리 거친 후에 산 빛이 수놓은 비단이로다

黃雲은 ᄯᅩ 엇지 萬頃의 편거지요

황운은 또 어찌 끝없는 들에 펼쳐 있는가

漁笛도 흥을 계워 ᄃᆞᆯᄅᆞᆯ ᄯᆞ라 브니ᄂᆞᆫ다

어적[2]도 흥을 못 이기어 달을 따라 부르는가

草木 다 진 후의 江山이 ᄆᆡ몰커ᄂᆞᆯ

초목이 다 진후에 강산이 묻혔거늘

造物리 헌ᄉᆞᄒᆞ야 氷雪노 ᄭᅮ며내니

조물주가 야단스러워 빙설로 꾸며내니

瓊宮瑤臺와 玉海銀山이 眼底의 버러셰라

경궁요대[3]와 옥해은산[4]이 눈앞에 펼쳤어라

乾坤도 가ᄋᆞᆷ열샤 간 ᄃᆡ마다 경이로다

천지도 풍성하구나 간 데마다 경치로다

人間을 ᄯᅥ나와도 내 몸이 겨를 업다

인간을 떠나와도 내 몸이 겨를 없다

---

2 어부가 부는 피리.

3 아름다운 구슬로 꾸민 궁궐과 대.

4 옥같은 바다와 은같은 산.

니것도 보려ᄒᆞ고 져것도 드르려코
이것도 보려 하고 저것도 들으려 하고
ᄇᆞ람도 혀려ᄒᆞ고 ᄃᆞᆯ도 마즈려코
바람도 쐬려 하고 달도 맞으려 하고
ᄇᆞᆷ으란 언제 줍고 고기랑 언제 낙고
밤일랑 언제 줍고 고기일랑 언제 낚고
柴扉란 뉘 다드며 딘 곳츠란 뉘 쓸려뇨
사립문은 누가 닫으며 떨어진 꽃잎은 누가 쓸 것인가
아ᄎᆞᆷ이 낫브거니 나조ᄒᆡ라 슬흘소냐
아침이 부족한데 저녁이라 싫을소냐
오ᄂᆞᆯ리 不足거니 來日리라 有餘ᄒᆞ라
오늘이 부족한데 내일이라 넉넉하랴
이 뫼ᄒᆡ 안자 보고 져 뫼ᄒᆡ 거러보니
이 산에 앉아 보고 저 산에 걸어보니
煩努ᄒᆞᆫ ᄆᆞᄋᆞᆷ의 ᄇᆞ릴 일리 아조 업다
번거로운 마음에 버릴 것이 전혀 없다
쉴 ᄉᆞ이 업거든 길히나 젼ᄒᆞ리야
쉴 사이 없는데 길이나 전하리라
다만 ᄒᆞᆫ 青藜杖 다 뫼되여 가노ᄆᆡ라
다만 한 청려장이 다 무디어져 가는구나
술리 닉어거니 벗지라 업슬소냐
술이 익었거니 벗이야 없겠는가
블ᄂᆞ며 ᄐᆞ이며 혀이며 이아며
부르며 타며 켜고 흔들어대며
온 가짓 소ᄅᆡ로 醉興을 ᄇᆡ야거니
온갖 소리로 흥취를 재촉하니

근심이라 이시며 시ᄅᆞᆷ이라 브터시랴

근심이라 있으며 시름이라 붙었으랴

누으락 안즈락 구부락 져츠락

누었다 앉았다가 구부렸다 젖혔다가

을프락 ᄑᆞᄅᆞᆷᄒᆞ락 노혜로 노거니

읊었다가 휘파람 불고 마음놓고 노니

天地도 넙고 넙고 日月도 ᄒᆞᆫ가ᄒᆞ다

천지도 넓고 넓어 세월도 한가하다

羲皇을 모을너니 니적이야 긔로괴야

희황[5]을 몰랐더니 지금이 그때로구나

神仙이 엇더턴지 이 몸이야 긔로고야

신선이 어떠했는지 이 몸이 신선이로다

江山風月 거ᄂᆞᆯ리고 내 百年을 다 누리면

강산풍월 거느리고 내 평생을 다 누리면

岳陽樓上의 李太白이 사라오다

악양루 위에 이태백이 살아와도

浩蕩情懷야 이예셔 더ᄒᆞᆯ소냐

호탕한 정회야 이보다 더할소냐

이 몸이 이렁굼도 亦君恩이샷다

이 몸이 이러함도 역시 임금의 은혜이시다

---

5 중국 상고시대의 제왕인 복희씨(태평성대를 뜻함).

2. 성산별곡星山別曲

① 작품명: 성산별곡星山別曲

② 작자명: 정철(鄭澈, 1536~1593)

정철의 자는 계함季涵, 호는 송강松江이다. 서울에서 출생하여 10세 때 을사사화로 부친을 따라 귀양 다니다가 16세 때 선영이 있는 전라남도 담양군 가사문학면(이전 남면)에 소재한 성산에 와서 27세 때 문과에 급제할 때까지 그곳에서 임억령·양응정·김인후·송순·기대승 등에게 수학하였다.

③ 출전: 이선본, 입력대본, 《가사 I》 한국고전문학전집 3(최강현 역주, 고려대민족문화연구소, 1993)

④ 해제

이 작품은 조선 중기 송강 정철이 지은 가사작품으로 6단락 구성이다. 제목에 나오는 성산은 이 작품의 주요 배경인 서하당棲霞堂과 식영정息影亭이 위치한 곳의 지명으로, 지금의 담양군 가사문학면(이전 남면) 지곡리에 속한다. 내용은 성산의 아름다운 자연에 묻혀 사는 서하당, 식영정 주인의 고아한 산중 사계절 생활을 찬미한 것으로, 강호 은일 가사의 성격을 지니고 있다. 송강은 45세 때 강원도 관찰사로 부임하여 가사 〈관동별곡〉과 시조 〈훈민가〉 16수를 지었다. 예조판서를 거쳐 퇴임하고 창평으로 돌아와 4년간 머물면서 〈사미인곡〉과 〈속미인곡〉 등의 명작을 남겼다.

이 작품은 송순의 〈면앙정가〉에서 많은 영향을 받은 작품으로, 《송강가사》와 《서하당유고棲霞堂遺稿》 등에 실려 전한다.

⑤ 원문과 현대역

엇던 디날손이 星산의 머믈며셔
어떤 나그네가 성산[1]에 머물면서
棲霞堂 息影亭 主人아 내말ᄃᆞᆺ소
서하당[2] 식영정[3] 주인아 내 말 듣소
人生 世間의 됴흔일 하건마ᄂᆞᆫ
인간 세상에 좋은 일 많건마는
엇디ᄒᆞᆫ 江山을 가디록 나이녀겨
어찌 한 강산을 갈수록 낫게 여겨
寂寞 山中의 들고아니 나시ᄂᆞᆫ고
적막 산중에 들고 아니 나오신가
松根을 다시쓸고 竹床의 자리보아
송근[4]을 다시 쓸고 대평상 자리 보아
져근덧 올라안자 엇던고 다시보니
잠시 올라앉아 어떤가 다시 보니
天邊의 ᄯᅥᆫᄂᆞᆫ구름 瑞石을 집을사마
하늘가의 뜬 구름이 서석[5]을 집을 삼아
나ᄂᆞᆫᄃᆞᆺ 드ᄂᆞᆫ양이 主人과 엇더ᄒᆞᆫ고
나가는 듯 드는 모습 주인과 어떠한고
滄溪 흰믈결이 亭子알ᄑᆡ 둘러시니
창계[6]의 흰 물결이 정자 앞에 둘렀으니

1 전남 담양군 가사문학면(이전 남면) 지곡리에 소재한 산. 우리말 이름 '별뫼'.
2 서하 김성원이 지은 정자의 이름.
3 김성원이 자신의 스승이자 장인인 석천 임억령을 위해 지어 준 정자.
4 소나무 밑.
5 상서로운 돌. 광주 무등산의 옛 이름.

天孫 雲錦을 뉘라셔 버혀내여
직녀[7]의 좋은 비단[8] 그 누가 베어 내어
닛는듯 펴티는듯 헌ᄉᆞ토 헌ᄉᆞᄒᆞᆯ샤
잇는 듯 펼치는 듯 요란도 하구나
山中의 冊曆업서 四時ᄅᆞᆯ모ᄅᆞ더니
산중에 책력 없어 사시를 모르더니
눈아래 헤틴 景이 쳘쳘이 절로나니
눈 아래 펼친 경치 철철이 나타나니
듯거니 보거니 일마다 仙間이라
듣거니 보거니 일마다 신선의 세계로다
梅窓 아젹볏ᄎᆡ 香氣예 ᄌᆞᆷ을ᄭᆡ니
매화창 아침 볕의 향기에 잠을 깨니
山翁의 ᄒᆡ올일이 곳업도 아니ᄒᆞ다
산 늙은이 해야 할 일 아주 없지 아니하다
울밋 陽地편의 외씨ᄅᆞᆯ ᄲᅵ허두고
울밑의 양지 편에 오이씨 뿌려두고
ᄆᆡ거니 도도거니 빗김의 달화내니
매거니 돋우거니 비 온 김에 손질하니
靑門 故事ᄅᆞᆯ 이제도 잇다ᄒᆞᆯ다
청문의 고사[9]를 지금도 있다 하리
芒鞋ᄅᆞᆯ 뵈야 신고 竹杖을 훗더디니
서둘러 짚신을 신고 대지팡이 흩어 짚으니

---

6 식영정 앞에 흐르는 시내.

7 천손은 직녀성의 이름.

8 운금은 구름 같은 비단을 말함. 은하수.

9 청문고사는 청문의 옛일. '청문'은 한나라 장안성의 동남문인데 소평이라는 이가 청문 밖에 오이를 심었으므로 그것을 '청문과靑門瓜라 하였다는 고사.

桃花핀 시내길히 芳草洲의 니어셰라
도화핀 시냇길이 방초주에 이어 있구나
닷봇근 明鏡中 절로그린 石屛風
맑게 닦은 거울 속 절로 그린 돌병풍
그림애ᄅᆞᆯ 버들사마 西河로 ᄒᆞᆷᄭᅴ가니
그림자 벗을 삼고 서하로 함께 걸어가니
桃源은 어드매오 武陵이 여긔로다
도원은 어디인가 무릉이 여기로다
南風이 건듯부러 綠陰을 혜텨내니
남풍이 잠깐 불어 녹음을 헤쳐 내니
節아ᄂᆞᆫ 괴ᄭᅩ리ᄂᆞᆫ 어드러셔 오ᄃᆞᆺ던고
때를 아는 꾀꼬리는 어디에서 왔었던고
羲皇 벼개우희 픗ᄌᆞᆷ을 얼픗ᄭᅵ니
희황[10]베개 위에서 풋잠을 얼핏 깨니
空中 저즌欄干 믈우희 ᄯᅥ잇고야
공중 젖은 난간 물 위에 떠 있구나
麻衣ᄅᆞᆯ 니믜 ᄎᆞ고 葛巾을 기우 쓰고
삼베옷 걸쳐 입고 갈건을 기울여 쓰고
구브락 비기락 보ᄂᆞᆫ거시 고기로다
구부락 비기락 보는 것이 고기로다
ᄒᆞᄅᆞ밤 비ᄭᅴ운의 紅白蓮이 섯거피니
하룻밤 비 기운에 홍백련이 섞어 피니
ᄇᆞ람ᄭᅴ 업서셔 萬山이 향긔로다
바람기 없어서 온 산이 향기롭다

---

10 '희황'은 중국 고대의 황제 '복희씨'를 말함.

濂溪ᄅᆞᆯ 마조보와 太極을 뭇ᄌᆸᄂᆞᆫᄃᆞᆺ
염계[11]를 마주 보아 태극[12]을 묻는 듯
太乙 眞人이 玉字ᄅᆞᆯ 헤혓ᄂᆞᆫᄃᆞᆺ
태을 진인[13]이 옥자를 헤쳤는 듯
鸕鶿巖 건너보며 紫微灘 겨ᄐᆡ두고
노자암[14] 건너보며 자미탄[15] 곁에 두고
長松을 遮日사마 石逕의 안자ᄒᆞ니
장송을 차일삼아 돌길에 앉아 보니
人間 六月이 여긔ᄂᆞᆫ 三秋로다
인간 세상 유월 달이 여기는 가을이로다
淸江의 ᄯᅥᆺᄂᆞᆫ 올히 白沙의 올마안자
맑은 강에 떠 있는 오리 백사장에 옮겨 앉아
白鷗ᄅᆞᆯ 벗을삼고 ᄌᆞᆷᄭᆡᆯ줄 모ᄅᆞ나니
백구를 벗을 삼고 잠 깰 줄 모르느니
無心코 閑暇ᄒᆞ미 主人과 엇더ᄒᆞ니
무심하고 한가함이 주인과 어떠한고
梧桐 서리ᄃᆞᆯ이 四更의 도다오니,
오동나무 사이로 밝은 달이 사경에 돋아 오니
千巖 萬壑이 나진ᄃᆞᆯ 그러ᄒᆞᆯ가
천암 만학[16]이 낮인들 그러할까

---

11 송나라의 도학자 주돈이의 호. 〈애련설〉이라는 유명한 글을 씀.
12 염계 주돈이가 펴냈다는 천리에 관한 이론을 말함.
13 천지의 도를 터득한 신선.
14 식영정 아래 창계에 있는 바위 이름.
15 자미는 목백일홍(배롱나무)의 한자식 다른 이름. '자미탄'은 식영정 아래를 흐르는 여울.
16 천암 만학은 수많은 바위와 골짜기. 즉 깊은 산속을 형용한 말.

湖洲 水晶宮을 뉘라셔 옴겨온고

호주의 수정궁[17]을 그 누가 옮겨왔나

銀河ᄅᆞᆯ ᄯᅱ여건너 廣寒殿의 올랏ᄂᆞᆫᄃᆞᆺ

은하 건너 뛰어 광한전에 올라간 듯

짝마ᄌᆞᆫ 늘근솔란 釣臺에 셰여두고

짝 맞은 늙은 소나무를 낚시터에 세워 두고

그아래 ᄇᆡᄅᆞᆯᄯᅴ워 갈대로 더뎌두니

그 아래 배를 띄워 가는 대로 던져두니

紅蓼花 白蘋洲 어ᄂᆞᄉᆞ이 디나관ᄃᆡ

홍료화 백빈주 어느 사이 지났는지

環壁堂 龍의소히 ᄇᆡᆺ머리예 다하셰라

환벽당[18] 용의 못에 뱃머리가 닿았어라

清江 綠草邊의 쇼머기ᄂᆞᆫ 아ᄒᆡ들이

맑은 강 푸른 풀밭 소 먹이는 아이들이

夕陽의 어위 계워 短笛을 빗기부니

석양의 흥취에 겨워서 피리를 빗겨 부니

ᄆᆞᆯ아래 ᄌᆞᆷ긴龍이 ᄌᆞᆷᄭᆡ야 니러날ᄃᆞᆺ

물 아래 잠긴 용이 잠 깨어 일어날 듯

ᄂᆡᄭᅴ예 나온鶴이 제기ᄉᆞᆯ 더뎌두고

내 기운에 나온 학이 제 깃을 벌리고

半空의 소소ᄠᅳᆯᄃᆞᆺ 蘇仙 赤壁은

반공에 솟아 뜰 듯 소동파의 적벽은

---

17 '호주'는 중국 서호에 있는 섬. '수정궁'은 오나라 왕 합려가 지은 부용원의 궁전 이름.

18 성산 맞은편 언덕에 위치한 정자. 송강의 처 외조부인 김윤제가 지내던 곳.

秋七月이 됴타호ᄃᆡ 八月 十五夜ᄅᆞᆯ
가을 칠월 좋다는데 팔월 십오야를
모다엇디 과ᄒᆞᄂᆞᆫ고 纖雲이 四捲ᄒᆞ고
모두 어찌 내세운가 비단구름 다 걷히고
믈결이 채잔적의 하ᄂᆞᆯ의 도ᄃᆞᆫ ᄃᆞᆯ이
물결이 잔잔할 제 하늘에 돋은 달이
솔우ᄒᆡ 걸려거ᄃᆞᆫ 잡다가 ᄲᅡ딘줄이
솔위에 걸렸거든 잡다가 물에 빠진
謫仙이 헌ᄉᆞ홀샤 空山의 ᄡᅡ힌닙흘
적선이 요란쿠나 빈 산에 쌓인 잎을
朔風의 거두부러 ᄣᅦ구름 거ᄂᆞ리고
삭풍이 거둬 불어 떼구름 거느리고
눈조차 모라오니 天公이 호ᄉᆞ로와
눈조차 몰아오니 조물주가 호사하여
玉으로 고ᄌᆞᆯ지어 萬樹 千林을
옥으로 꽃을 지어 만수 천림을
ᄭᅮ며곤 낼셰이고 앏여흘 ᄀᆞ리어러
꾸며도 내었구나 앞 여울 살짝 얼어
獨木橋 빗겻ᄂᆞᆫᄃᆡ 막대멘 늘근즁이
외나무다리[19] 걸쳤는데 막대 멘 늙은 중이
어ᄂᆡ뎔로 간닷말고 山翁의 이富貴ᄅᆞᆯ
어느 절로 간단 말인가 산 늙은이 이 부귀를
ᄂᆞᆷᄃᆞ려 헌ᄉᆞ마오 瓊瑤窟 銀世界ᄅᆞᆯ
남에게 자랑 마오 아름다운[20] 은세계를

---

19 독목교는 외나무다리.
20 경요굴은 신선의 세계에 있다는 아름다운 구슬로 된 굴. 여기서는 성산을 가리킴.

ᄎᆞᄌᆞ리 이실셰라 山中의 벗이 업서
찾으리 있을세라 산중에 벗이 없어
漢紀ᄅᆞᆯ 빠하두고 萬古 人物을
책을 쌓아두고 만고 인물을
거ᄉᆞ리 혜혀ᄒᆞ니 聖賢도 만커니와
거슬러 헤아리니 성현도 많거니와
豪傑도 하도할샤 하ᄂᆞᆯ 삼기실제
호걸도 많고 많다 하늘 만드실 때
곳無心 ᄒᆞᆯ가마ᄂᆞᆫ 엇디ᄒᆞᆫ 時運이
곧 무심 할까마는 어찌 한 시운이
일락배락 ᄒᆞ얏ᄂᆞᆫ고 모ᄅᆞᆯ일도 하거니와
일고 기울고 하였는고 모를 일도 많거니와
애ᄃᆞᆯ옴도 그지업다 箕山의 늘근고블
애달음도 그지없다 기산[21]의 늙은 고불[22]
귀ᄂᆞᆫ엇디 싯돗던고 박소ᄅᆡ 핀계ᄒᆞ고
귀는 어찌 씻었던가 표주박도 귀찮다고
조장이 ᄀᆞ장놉다 人心이 ᄂᆞᆺᄀᆞᆺᄐᆞ야
지조가 더욱 높다 인심이 얼굴 같아
보도록 새롭거ᄂᆞᆯ 世事ᄂᆞᆫ 구롬이라
볼수록 새롭거늘 세상 일은 구름이라
머흐도 머흘시고 엇그제 비ᄌᆞᆫ술이
험하기도 험하구나 엊그제 빚은 술이
어도록 니건ᄂᆞ니 잡거니 밀거니
얼마나 익었는가 잡거니 밀거니

21 옛날 요 임금 때 허유와 소부가 숨어 살았다는 하남성에 있는 산.
22 나이가 많은 사람. 명사고불名士古佛의 준말. 여기에서는 허유를 가리킴.

슬ᄏᆞ장 거후로니 ᄆᆞᄋᆞᆷ의 ᄆᆡ친시ᄅᆞᆷ
싫도록 기울이니 마음에 맺힌 시름
져그나 ᄒᆞ리ᄂᆞ다 거믄고 시욹언저
적으나마 풀려진다 거문고 줄[23]에 얹어
風入松 이야고야 손인동 主人인동
풍입송 잇는구나 손인지 주인인지
다니저 ᄇᆞ려셔라 長空의 ᄶᅥᆺᄂᆞᆫ鶴이
다 잊어 버렸어라 창공의 떠 있는 학이
이골의 眞仙이라 瑤臺 月下의
이 고을의 진짜 신선 휘영청 달빛 아래
ᄒᆡᆼ여 아니 만나신가 손이셔 主人ᄃᆞ려
행여 아니 만났는가 손이 주인에게
닐오ᄃᆡ 그ᄃᆡ권가 ᄒᆞ노라.
이르되 그대가 신선인가 하노라.

23 시욹은 줄. 현.

3. 사미인곡思美人曲

① 작품명 : 사미인곡思美人曲

② 작자명 : 정철(鄭澈, 1536~1593)

정철은 조선 중기의 문신이자 문인으로, 본관은 연일延日, 자는 계함季涵, 호는 송강松江이다. 전라도 담양에서 〈사미인곡思美人曲〉·〈속미인곡續美人曲〉·〈성산별곡星山別曲〉 등을 지었고, 강원도 관찰사로 부임하며 지은 〈관동별곡關東別曲〉 역시 명작으로 유명하다.

③ 출전 : 이선본 《송강가사松江歌辭》, 《국역 송강집(상·하)》(태학사, 1992. 수록)

④ 해제

송강 정철은 50세가 되던 선조 18년(1585)에 동인東人들의 공격을 받아 네 번째 낙향하여 1589년까지 대략 4년간 전라도 담양에서 지낸 적이 있었다. 이 작품은 그 당시 선조 임금을 사모하여 지은 연군가사이다. 네 번째 낙향기를 지낸 4년의 세월 중 정확히 언제 창작한 것인지는 알 수 없으나, 내용으로 보아 50세 이후의 작으로 보인다. 선조를 사모하는 간절한 연군의 정을 한 여인이 남편을 이별하고 연모하는 간절한 마음에 빗대어 노래한 것이며, 〈속미인곡續美人曲〉과 함께 굴원屈原의 〈이소離騷〉에 비견되기도 한다. 화자의 목소리가 사대부가의 정숙하고 단아한 규방 여인의 정서로 표출되었다고 보기도 하나, 속세를 벗어나 적강謫降한 신선계 여인의 목소리로 보는 것이 명작으로서 평가되는 근거가 될 것이다. 송강 가사는 널리 회자되어 여러 판본으로 간행·유포되었는데, 대표적으로 이선본李選本(황주본黃州本)·의성본義星本·성주본星州本·관서본關西本·관북본關北本 등이 있다.

⑤ 원문과 현대역

이 몸 삼기실제 님을 조차 삼기시니
이 몸을 만드실 때 임을 따라 만드시니
ᄒᆞᆫ ᄉᆡᆼ 緣연分분이며 ᄒᆞᄂᆞᆯ 모ᄅᆞᆯ 일이런가
한평생 연분이며 하늘이 모를 일이던가
나 ᄒᆞ나 졈어 잇고 님 ᄒᆞ나 날 괴시니
나 오직 젊어 있고 임 오직 나를 사랑하시니
이 ᄆᆞ음 이 ᄉᆞ랑 견졸 ᄃᆡ 노여 업다
이 마음 이 사랑을 비교할 곳이 다시 없다
平평生ᄉᆡᆼ애 願원ᄒᆞ요ᄃᆡ ᄒᆞᆫᄃᆡ 녜쟈 ᄒᆞ얏더니
평생에 원하되 함께 살아가려 하였더니
늙거야 므ᄉᆞ 일로 외오 두고 그리ᄂᆞᆫ고
늙어서야 무슨 일로 외따로 두고 그리워하는고
엇그제 님을 뫼셔 廣광寒한殿뎐의 올낫더니
엇그제 임을 모시고 광한전[1]에 올랐더니
그더ᄉᆡ 엇디ᄒᆞ야 下하界계예 ᄂᆞ려오니
그동안에 어찌하여 속세에 내려 왔느냐
올저긔 비슨 머리 헛틀언디 삼년일쇠
올 적에 빗은 머리가 헝클어진 지 3년일세
臙연脂지粉분 잇ᄂᆡ마ᄂᆞᆫ 눌 위ᄒᆞ야 고이 ᄒᆞᆯ고
연지분[2]이 있지마는 누구를 위해 곱게 할고
ᄆᆞ음의 ᄆᆡ친 실음 疊텹疊텹이 ᄡᅡ혀 이셔
마음에 맺힌 시름이 첩첩이 쌓여 있어서

1 달 속에 있다는 상상 속의 궁전.
2 볼연지와 분을 아울러 이르는 말.

짓ᄂᆞ니 한숨이오 디ᄂᆞ니 눈믈이라
짓는 것은 한숨이요 흐르는 것은 눈물이라
人인生ᄉᆡᆼ은 有유限ᄒᆞᆫᄒᆞᆫᄃᆡ 시ᄅᆞᆷ도 그지 업다
인생은 유한한데 시름은 끝이 없다
無무心심ᄒᆞᆫ 歲셰月월은 믈 흐ᄅᆞ듯 ᄒᆞᄂᆞᆫ고야
무심한 세월은 물 흐르듯 하는구나
炎염凉냥이 ᄣᅢᄅᆞᆯ 아라 가ᄂᆞᆫ ᄃᆞᆺ 고텨 오니
염량[3]이 때를 알아서 가는 듯 다시 오니
듯거니 보거니 늣길 일도 하도 할샤
듣는 것 보는 것이 느낄 일도 많기도 많구나
東동風풍이 건듯 부러 積젹雪셜을 헤텨 내니
봄바람이 문득 불어 쌓인 눈을 헤쳐 내니
窓창 밧긔 심근 梅ᄆᆡ花화 두세 가지 픠여셰라
창 밖에 심은 매화가 두세 가지 피었구나
ᄀᆞᆺ득 冷ᄂᆡᆼ淡담ᄒᆞᆫᄃᆡ 暗암香향은 므ᄉᆞ 일고
가뜩이나 몹시 찬데 그윽한 향은 무슨 일인고
黃황昏혼의 ᄃᆞᆯ이 조차 벼마ᄐᆡ 빗최니
황혼에 달이 따라와 베갯머리에 비치니
늣기ᄂᆞᆫ ᄃᆞᆺ 반기ᄂᆞᆫ ᄃᆞᆺ 님이신가 아니신가
느껴우는 듯 반가워하는 듯 임이신가 아니신가
뎌 梅ᄆᆡ花화 것거 내여 님 겨신 ᄃᆡ 보내오져
저 매화를 꺾어 내어 임 계신 곳에 보내고 싶구나
님이 너ᄅᆞᆯ 보고 엇더타 너기실고
임이 너를 보고 어떻다 생각하실까

3 더위와 서늘함.

ᄭᅩᆺ 디고 새닙 나니 綠녹陰음이 ᄭᆞᆯ렷ᄂᆞᆫᄃᆡ
꽃 지고 새 잎 나니 녹음이 깔렸는데
羅나幃위 寂적寞막ᄒᆞ고 繡슈幕막이 뷔여 잇다
나위[4] 적막하고 수막[5]이 비어 있다
芙부蓉용을 거더 노코 孔공雀쟉을 둘러 두니
부용[6]을 걷어 놓고 공작[7]을 둘러 두니
ᄀᆞᆺ득 시름 한ᄃᆡ 날을 엇디 기돗던고
가뜩이나 시름이 많은데 날은 어찌 길던가
鴛원鴦앙錦금 버혀 노코 五오色ᄉᆡᆨ線션 플텨내여
원앙금[8]을 베어 놓고 오색실[9]을 풀어내어
금자ᄒᆡ 견화이셔 님의 옷 지어내니
금자[10]로 재어서 임의 옷을 지어 내니
手슈品품은 ᄏᆞ니와 制졔度도도 ᄀᆞᄌᆞᆯ시고
솜씨는 물론이고 격식도 갖추었구나
珊산瑚호樹슈 지게 우ᄒᆡ 白ᄇᆡᆨ玉옥函함의 다마 두고
산호수[11]로 만든 지게 위의 백옥함에 담아 두고
님의게 보내오려 님 겨신 ᄃᆡ ᄇᆞ라보니
임에게 보내려고 임 계신 곳을 바라보니
山산인가 구름인가 머ᄒᆞ도 머흘시고
산인지 구름인지 험하기도 험하구나

---

4 얇은 비단으로 만든 장막.
5 수를 놓아 장식한 장막.
6 부용을 그리거나 수놓은 방장房帳.
7 공작을 수놓은 병풍.
8 원앙을 수놓은 비단.
9 파랑·노랑·빨강·하양·검정의 다섯 가지 빛깔의 실.
10 금척金尺, 신비한 힘을 지닌 상상 속의 자.
11 불가의 칠보 중 하나인 산호. 산호로 된 나무로 만든 지게.

千천里리 萬만里리 길히 뉘라셔 ᄎᆞ자갈고
천만리 먼 길을 누가 찾아갈까
니거든 여러 두고 날인가 반기실가
가거든 열어 두고 나를 보신 듯 반가워하실까
ᄒᆞᄅᆞ밤 서리김의 기러기 우러 녈제
하룻밤 서리 내릴 무렵 기러기 울며 날아갈 때
危위樓루에 혼자 올나 水슈晶정簾념을 거든마리
높다란 누각에 혼자 올라 수정렴[12]을 걷으니
東동山산의 ᄃᆞᆯ이 나고 北북極극의 별이 뵈니
동산에 달이 뜨고 북극성이 보이므로
님이신가 반기니 눈믈이 절로난다
임이신가 하여 반가워하니 눈물이 절로 난다
淸청光광을 픠워 내여 鳳봉凰황樓누의 붓티고져
맑은 달빛을 일으켜 내어 봉황루[13]에 부치고 싶다
樓누 우히 거러두고 八팔荒황의 다 비최여
누각 위에 걸어 두고 팔황[14]에 다 비추어
深심山산 窮궁谷곡 졈낫 ᄀᆞ티 ᄆᆡᆼ그쇼셔
깊은 산골짜기도 대낮 같이 환하게 만드소서
乾건坤곤이 閉폐塞ᄉᆡᆨᄒᆞ야 白ᄇᆡᆨ雪셜이 ᄒᆞᆫ 비친 제
천지가 닫히어 막히고 흰 눈으로 한 빛일 때
사ᄅᆞᆷ은 ᄏᆞ니와 ᄂᆞᆯ새도 긋처 잇다
사람은 물론이고 새들도 그쳐 있다

---

12 수정 구슬을 꿰어서 만든 아름다운 발.
13 임이나 임금이 계신 곳을 아름답게 이르는 말.
14 여덟 방위의 멀고 너른 범위라는 뜻으로, 온 세상을 이르는 말.

瀟쇼湘샹 南남畔반도 치오미 이러커든
소상강 남쪽 둔덕도[15] 추위가 이렇거늘
玉옥樓누 高고處쳐야 더옥 닐러 므슴 ᄒᆞ리
옥루 고처[16]야 더욱 말해 무엇 하랴
陽양春츈을 부쳐 내여 님 겨신ᄃᆡ 쏘이고져
봄기운을 부쳐 내어 임 계신 곳에 쐬게 하고 싶다
茅모簷쳠 비췬 ᄒᆡ롤 玉옥樓누의 올리고져
띳집 처마에 비친 따뜻한 볕을 임 계신 궁궐에 올리고 싶다
紅홍裳샹을 니ᄆᆡᄎᆞ고 翠취袖슈를 半반만 거더
붉은 치마를 걸쳐 입고 푸른 소매를 반쯤 걷어
日일暮모 脩슈竹듁의 혬가림도 하도 할샤
해질녘 수죽[17]에 기대어 생각이 많기도 많구나
댜ᄅᆞᆫ ᄒᆡ 수이 디여 긴 밤을 고초 안자
짧은 해가 이내 넘어가고, 긴 밤을 꼿꼿이 앉아
靑청燈등 거론 겻ᄐᆡ 鈿뎐箜공篌후 노하 두고
청등[18]을 걸어 둔 옆에 전공후[19]를 놓아 두고
ᄭᅮᆷ의나 님을 보려 ᄐᆞᆨ 밧고 비겨시니
꿈에서나 임을 보려고 턱을 괴고 기대어 있으니
鴦앙衾금도 ᄎᆞ도 ᄎᆞᆯ샤 이 밤은 언제 샐고
원앙 이불이 차기도 차구나 이 밤은 언제나 샐꼬

15 중국中國 동정호洞庭湖 남쪽의 소수瀟水와 상강湘江의 남쪽 언덕. 담양군 창평을 비유함.
16 옥으로 장식한 화려하고 높은 누각. 임이 계신 궁궐.
17 밋밋하게 자란 가늘고 긴 대.
18 궁중에서 사용하던 푸른 비단의 등롱.
19 자개로 수놓은 공후.

ᄒᆞᄅᆞ도 열두 ᄣᅢ ᄒᆞᆫ ᄃᆞᆯ도 셜흔 날
하루도 열두 때 한 달도 서른 날
져근덧 ᄉᆡᆼ각 마라 이 시ᄅᆞᆷ 닛쟈 ᄒᆞ니
잠시라도 생각 말고 이 시름을 잊으려 하여도
ᄆᆞ음의 ᄆᆡ쳐 이셔 骨골髓슈의 ᄢᅦ텨시니
마음에 맺혀 있어 뼛속까지 사무쳤으니
扁편鵲쟉이 열히 오다 이 병을 엇디 ᄒᆞ리
편작[20]이 열 명이 온다 해도 이 병을 어찌 하리
어와 내 병이야 이 님의 타시로다
어와 내 병이야 이 임의 탓이로다
출하리 ᄉᆡ어 디여 범나븨 되오리라
차라리 죽어 사라져 범나비가 되리라
곳나모 가지마다 간ᄃᆡ 족족 안니다가
꽃나무 가지마다 간 데 족족 앉고 다니다가
향므틴 ᄂᆞᆯ애로 님의 오ᄉᆡ 올므리라
향 묻은 날개로 임의 옷에 옮으리라
님이야 날인줄 모ᄅᆞ셔도 내 님 조ᄎᆞ려 ᄒᆞ노라
임께서야 나인 줄 모르셔도 나는 임을 따르려 하노라

20 중국 전국 시대의 명의名醫.

4. 속미인곡續美人曲

① 작품명 : 속미인곡續美人曲

② 작자명 : 정철(鄭澈, 1536~1593)

정철은 조선 중기의 문신·문인으로, 본관은 연일延日, 자는 계함季涵, 호는 송강松江이다. 전라남도 담양에서 〈사미인곡思美人曲〉·〈속미인곡續美人曲〉·〈성산별곡星山別曲〉 등을 지었고, 강원도 관찰사로 부임하며 지은 〈관동별곡關東別曲〉 역시 명작으로 유명하다.

③ 출전 : 이선본《송강가사松江歌辭》,《국역 송강집(상·하)》(태학사, 1992)

④ 해제

이 작품은 송강 정철이 선조 18년(1585)에 동인東人들의 공격을 받아 전라도 담양으로 낙향해 있던 4년간의 시기에 지은 연군가사이다. 〈사미인곡〉과 더불어 '전·후미인곡前·後美人曲'이라고 일컫는다. 모두 49절 96구로 되어 있으며, 〈사미인곡〉과 마찬가지로 임금을 그리워하는 마음을 젊은 여인이 남편을 사모하는 감정에 빗대어 읊고 있다. 구체적 표현 방법의 측면에서는 〈사미인곡〉과 달리 두 여인을 시적 화자로 등장시켜 문답 형식으로 진행하고 있다. 제1화자는 작품 내용을 이끌어가는 설명의 역할을 담당하며, 제2화자는 지나가던 각시님으로 설정된 주인공이다. 이와 같은 대화체 형식은 임을 간절히 그리워하는 여인의 구구절절한 하소연이면서도 속티를 벗어난 신선계 여인의 목소리라는 점에서 독자들의 공감대를 얻기 쉬운 장점으로 작용한 것으로 평가된다. 한편, 표현미학의 측면에서도 전고典故나 한자어구의 사용이 드문 대신 우리말 고유의 언어적 미감을 잘 살린 작품으로 인구에 널리 회자되었다. 그런 점에서 김만중은 〈서포만필〉에서 송강의 세 편 가사 중에서 이 작품이 가장 뛰어나다고 평가한 바 있다.

⑤ 원문과 현대역

뎨 가ᄂᆞᆫ 뎌 각시 본 듯도 ᄒᆞᆫ뎌이고
저기 가는 저 각시 본 듯도 하구나
天텬上샹 白ᄇᆡᆨ玉옥京경을 엇디ᄒᆞ야 離니別별ᄒᆞ고
하늘의 백옥경[1]을 어찌하여 이별하고
ᄒᆡ 다 뎌 져믄 날의 눌을 보라 가시ᄂᆞᆫ고
해 다 져 저문 날에 누구를 보러 가시는가
어와 네여이고 이내 ᄉᆞ셜 드러보오
아 너로구나 내 이야기 들어보오
내 얼굴 이 거동이 님 괴얌즉 ᄒᆞᆫ가마ᄂᆞᆫ
내 얼굴 이 태도가 님이 사랑함직 한가마는
엇딘디 날 보시고 네로다 녀기실ᄉᆡ
어쩐지 날 보시고 너로구나 여기시므로
나도 님을 미더 군ᄠᅳ디 젼혀 업서
나도 임을 믿어 딴마음이 전혀 없어
이ᄅᆡ야 교ᄐᆡ야 어ᄌᆞ러이 ᄒᆞ돗썬디
아양이야 교태야 지나치게 굴었던지
반기시ᄂᆞᆫ ᄂᆞᆺ비치 녜와 엇디 다ᄅᆞ신고
반기시는 얼굴빛이 옛날과 어찌 다르신가
누어 ᄉᆡᆼ각ᄒᆞ고 니러 안자 혜여ᄒᆞ니
누워서 생각하고 일어나 앉아 헤아려보니

1 하늘 위에 옥황상제玉皇上帝가 산다는 서울.

내 몸의 지은 죄 뫼ᄀᆞ티 빠혀시니
내 몸이 지은 죄 산같이 쌓였으니
하ᄂᆞᆯ히라 원망ᄒᆞ며 사ᄅᆞᆷ이라 허믈ᄒᆞ랴
하늘이라 원망하며 사람이라 탓하겠는가
셜워 플텨 혜니 造조物믈의 타시로다
서러워 풀어 생각해보니 조물주의 탓이로다
글란 ᄉᆡᆼ각마오 ᄆᆡ친 일이 이셔이다
그렇게는 생각마오 맺힌 일이 있습니다
님을 뫼셔 이셔 님의 일을 내 알거니
님을 모시고 있어 봐서 임의 일을 내 알거니
믈 ᄀᆞ튼 얼굴이 편ᄒᆞ실 적 몃날일고
물 같은 얼굴이 편하실 때가 며칠일까
春츈寒한 苦고熱열은 엇디ᄒᆞ야 디내시며
봄 추위 여름 더위는 어떻게 지내시며
秋츄日일 冬동天텬은 뉘라셔 뫼셧ᄂᆞᆫ고
가을과 겨울철에는 누가 모셨는가
粥쥭早조飯반 朝죠夕셕 뫼 녜와 ᄀᆞᆺ티 셰시ᄂᆞᆫ가
자릿조반과[2] 아침저녁은 옛날과 같이 잡수시는가
기나긴 밤의 ᄌᆞᆷ은 엇디 자시ᄂᆞᆫ고
기나긴 밤에 잠은 어찌 주무실까
님 다히 消쇼息식을 아므려나 아쟈 ᄒᆞ니
님 쪽 소식을 어떻게든 알려 하니
오ᄂᆞᆯ도 거의로다 ᄂᆡ일이나 사ᄅᆞᆷ 올가
오늘도 거의 저물었구나 내일이나 사람 올까

2 아침에 잠에서 깨어나는 대로 그 자리에서 먹는 죽이나 미음 따위의 간단한 식사.

내 ᄆᆞ음 둘 ᄃᆡ 업다 어드러로 가쟛 말고
내 마음 둘 데 없다 어디로 가야 한단 말인가
잡거니 밀거니 놉픈 뫼ᄒᆡ 올라가니
잡거니 밀거니 높은 산에 올라가니
구롬은 ᄏᆞ니와 안개ᄂᆞᆫ 므ᄉᆞ 일고
구름은 물론이고 안개까지 무슨 일인가
山산川천이 어둡거니 日일月월을 엇디 보며
산천이 어두우니 해와 달을 어떻게 보며
咫지尺척을 모ᄅᆞ거든 千쳔里리ᄅᆞᆯ ᄇᆞ라보랴
지척을 모르는데 천리를 바라보겠는가
출하리 믈ᄀᆞ의 가 ᄇᆡ길히나 보랴 ᄒᆞ니
차라리 물가에 가 뱃길이나 보려고 하니
ᄇᆞ람이야 믈결이야 어둥졍 된뎌이고
바람이야 물결이야 어수선하게 되었구나
샤공은 어ᄃᆡ 가고 븬 ᄇᆡ만 걸렷ᄂᆞᆫ고
사공은 어디 가고 빈 배만 걸렸는가
江강天텬의 혼자 셔셔 디ᄂᆞᆫ ᄒᆡᄅᆞᆯ 구버보니
강가에 혼자 서서 지는 해를 굽어보니
님 다히 消쇼息식이 더옥 아득ᄒᆞᆫ뎌이고
임 쪽의 소식이 더욱 아득하구나
茅모簷쳠 ᄎᆞᆫ 자리의 밤듕만 도라오니
띠집 처마 차가운 자리에 밤중에야 돌아오니
半반壁벽 靑쳥燈등은 눌 위ᄒᆞ야 ᄇᆞᆰ갓ᄂᆞᆫ고
반벽 청등[3]은 누구를 위하여 밝아 있는가

3 벽에 걸린 푸른 깁 초롱불.

오ᄅᆞ며 ᄂᆞ리며 헤ᄯᅳ며 바자니니
올라갔다 내려갔다 허둥거리며 돌아다녔더니
져근덧 力녁盡진ᄒᆞ야 픗ᄌᆞᆷ을 잠간 드니
어느새 힘이 다 해 풋잠을 잠깐 드니
精졍誠셩이 지극ᄒᆞ야 ᄭᅮᆷ의 님을 보니
정성이 지극하여 꿈에 임을 보니
玉옥 ᄀᆞᄐᆞᆫ 얼구리 半반이 나마 늘거셰라
옥 같은 얼굴이 반 넘게 늙었구나
ᄆᆞ음의 머근 말ᄉᆞᆷ 슬ᄏᆞ장 ᄉᆞᆲ쟈ᄒᆞ니
마음에 먹은 말을 실컷 아뢰려 했는데
눈믈이 바라나니 말ᄉᆞᆷ인들 어이ᄒᆞ며
눈물이 연달아 흐르니 말인들 어찌 하며
情졍을 못다ᄒᆞ야 목이조차 메여ᄒᆞ니
정을 다 못 풀어 목조차 메이니
오뎐된 鷄계聲셩의 ᄌᆞᆷ은 엇디 ᄭᆡ돗던고
방정맞은 닭 소리에 잠은 어찌 깨었던가
어와 虛허事ᄉᆞ로다 이 님이 어ᄃᆡ 간고
아 헛일이로다 이 임이 어디로 갔는가
결의 니러 안자 窓창을 열고 ᄇᆞ라보니
꿈결에 일어나 앉아 창을 열고 바라보니
어엿븐 그림재 날 조출 ᄲᅮᆫ이로다
불쌍한 그림자가 날 따를 뿐이로다
ᄎᆞᆯ하리 싀여디여 落낙月월이나 되야이셔
차라리 죽어지는 달이나 되어서
님 겨신 窓창 안히 번드시 비최리라
님 계신 창 안에 번듯하게 비치리라

각시님 ᄃᆞᆯ이야 ᄏᆞ니와 구즌 비나 되쇼셔
각시님 달은 그만두고 궂은 비[4]나 되십시오

4 끄느름하게 오랫동안 내리는 비.

5. 관동별곡關東別曲

① 작품명 : 관동별곡關東別曲

② 작자명 : 정철(鄭澈, 1536~1593)

정철은 서울 출생으로, 조선 시기 최고 시인 가운데 한 사람으로 알려져 있다. 을사사화의 여파로 아버지를 따라 낙향 생활 후 전남 담양에서 성장했다. 호남의 명유들에게서 수학했으며, 벼슬길에 나아간 후 서인의 영수로 활동했다. 시조와 가사, 특히 가사에 뛰어났으며, 우리말의 운용과 부림, 수사의 활용과 상상력의 참신함 등이 단연 돋보이는 시인이다.

③ 출전 : 이선본《송강가사松江歌辭》

④ 해제

〈관동별곡〉은 작자의 나이 45세 때인 1580년 강원도 관찰사에 제수되어 그해 3월 내외 해금강과 관동팔경을 두루 유람하면서 마주한 산수·풍경·고사·유적·풍속 등에 대한 감회를 활달·호방하게 노래한 유람기행가사의 백미다. 경물에 투사된 시인의 감성을 우리말의 특성과 묘미를 살려 탁월하게 형상화했다. 연군의 정서, 애민의식, 선정의 의지와 같은 사대부적 이념 및 관동의 풍토성에 기반한 개성적 풍류의 흥취 양면을 조화롭게 노래했다. 대대로 절창으로 일컬어지며 사대부로부터 기방에 이르기까지 다양한 계층에서 애호·향유되었다. 백광홍이 지은 〈관서별곡〉의 영향을 받았으며, 후대 유람기행가사 창작에 지대한 영향을 미쳤다.

⑤ 원문과 현대역

江강湖호애 病병이 깁펴 竹듁林님의 누엇더니
강호에 병이 깊어 죽림[1]에 누웠더니
關관東동 八팔百ᄇᆡᆨ里니에 方방面면을 맛디시니
관동 팔백리의 방면[2]을 맡기시니
어와 聖셩恩은이야 가디록 罔망極극ᄒᆞ다
아아 성은이야 갈수록 끝이 없구나
延연秋츄門문 드리ᄃᆞ라 慶경會회南남門문 ᄇᆞ라보며
연추문 내달아 들어 경회루 남문 바라보며
下하直직고 믈너나니 玉옥節졀이 알ᄑᆡ 셧다
하직하고 물러나니 옥절[3]이 앞에 섰구나
平평丘구驛역 ᄆᆞᆯ을 ᄀᆞ라 黑흑水슈로 도라드니
평구역에서 말을 갈아 타고 흑수로 돌아드니
蟾셤江강은 어ᄃᆡ메오 雉티岳악이 여긔로다
섬강은 어디인가 치악이 여기로다
昭쇼陽양江강 ᄂᆞ린 믈이 어드러로 든단말고
소양강 내린 물이 어디로 흘러든단 말인가
孤고臣신去거國국에 白ᄇᆡᆨ髮발도 하도할샤
외로운 신하 임금 곁 떠남에 백발도 많기도 많구나
東동州쥬밤 계오 새와 北븍寬관亭뎡의 올나ᄒᆞ니
철원에서 밤 겨우 새우고 북관정에 올라보니

1 대나무의 고장 담양 창평.
2 방면지임方面之任의 준말. 관찰사 소임.
3 옥으로 만든 부신符信.

三삼角각山산 第뎨一일峯봉이 ᄒᆞ마면 뵈리로다
삼각산 제일봉이 잘하면 보이겠도다
弓궁王왕 大대闕궐터희 烏오鵲쟉이 지지괴니
궁예왕 대궐터에 까막까치가 지저귀니
千쳔古고興흥亡망을 아ᄂᆞᆫ다 몰ᄋᆞᄂᆞᆫ다
천고흥망을 아는가 모르는가
淮회陽양 녜 일홈이 마초아 ᄀᆞᄐᆞᆯ시고
회양 옛 이름이 공교롭게도 같을시고
汲급長당孺유 風풍彩ᄎᆡ를 고텨 아니 볼 게이고
급장유[4] 풍채를 다시 아니 볼 것인가
營영中듕이 無무事ᄉᆞᄒᆞ고 時시節졀이 三삼月월인 제
감영 안이 무사하고 시절이 삼월인 때
花화川쳔 시내 길히 楓풍岳악으로 버더 잇다
화천 시내 길이 풍악으로 뻗어 있다
行ᄒᆡᆼ裝장을 다 ᄯᅥᆯ티고 石셕逕경의 막대 디퍼
행장을 간편히 하고 돌길에 막대 짚어
百백川쳔洞동 겨ᄐᆡ 두고 萬만瀑폭洞동 드러가니
백천동 곁에 두고 만폭동 들어가니
銀은ᄀᆞᄐᆞᆫ 무지게 玉옥ᄀᆞᄐᆞᆫ 龍룡의 초리
은 같은 무지개 옥 같은 용의 꼬리
섯돌며 ᄲᅮᆷᄂᆞᆫ 소ᄅᆡ 十십里리의 ᄌᆞ자시니
섯돌며[5] 뿜는 소리 십 리에 퍼졌으니
들을 제ᄂᆞᆫ 우레러니 보니ᄂᆞᆫ 눈이로다
들을 때는 우레러니 바라보니 눈이로나

---

4 중국 한나라 때 회양淮陽 태수로서 민정을 잘 살펴서 선정을 베풀었다는 인물.
5 섞여 돌며.

金금剛강臺ᄃᆡ ᄆᆡᆫ 우層층의 仙션鶴학이 삿기 치니
금강대 꼭대기에 선학이 새끼 치니
春츈風풍 玉옥笛뎍聲셩의 첫 ᄌᆞᆷ을 ᄭᆡ돗던디
춘풍 옥피리 소리에 첫잠을 깨었는지
縞호衣의玄현裳샹이 半반空공의 소소 ᄯᅳ니
호의현상[6]이 공중에 솟아 뜨니
西셔湖호 녯 主쥬人인을 반겨셔 넘노ᄂᆞᆫ ᄃᆞᆺ
서호 옛 주인[7]을 반겨서 넘노는 듯
小쇼香향爐노 大대香향爐노 눈 아래 구버보고
소향로 대향로 눈 아래 굽어보고
正졍陽양寺ᄉᆞ 眞진歇헐臺ᄃᆡ 고텨 올나 안ᄌᆞᆫ마리
정양사 진헐대 다시 올라 앉아보니
廬녀山산 眞진面면目목이 여긔야 다 뵈ᄂᆞ다
여산 진면목[8]이 여기서야 다 보이는구나
어와 造조化화翁옹이 헌ᄉᆞ토 헌ᄉᆞᄒᆞᆯ샤
아아 조화옹이 야단스럽기도 야단스럽구나
ᄂᆞᆯ거든 ᄯᅱ디 마나 셧거든 솟디 마나
날거든 뛰지 말지 섯거든 솟지 말지
芙부蓉용을 고잣ᄂᆞᆫᄃᆞᆺ 白ᄇᆡᆨ玉옥을 믓것ᄂᆞᆫ ᄃᆞᆺ
연꽃을 꽂았는 듯 백옥을 묶었는 듯
東동溟명을 박ᄎᆞᄂᆞᆫ ᄃᆞᆺ 北북極극을 괴왓ᄂᆞᆫ ᄃᆞᆺ
동해를 박차는 듯 북극성을 괴었는 듯

---

6 흰 저고리 검은 치마.

7 중국 송나라 때 서호에서 매화를 아내 삼고 학을 아들 삼아 살았다는 은자 임포林逋를 말함.

8 여산은 중국 강서성에 있는 절경의 산. 소동파의 〈제서림벽題西林壁〉에 나오는 '불식여산진면목不識廬山眞面目 여산 진면목을 알기 어려우니'에서 인용한 말.

놉ᄒᆞᆯ시고 望망高고臺ᄃᆡ 외로올샤 穴혈望망峰봉이
높을시고 망고대 외롭구나 혈망봉이
하ᄂᆞᆯ의 추미러 무ᄉᆞ 일을 ᄉᆞ로리라
하늘에 치밀어 무슨 일을 아뢰려고
千쳔萬만劫겁 디나ᄃᆞ록 구필줄 모ᄅᆞᄂᆞᆫ다
천만 겁 지나도록 굽힐 줄 모르는가
어와 너여이고 너 ᄀᆞᄐᆞ니 ᄯᅩ 잇ᄂᆞᆫ가
아아 너로구나 너 같은 이 또 있는가
開ᄀᆡ心심臺ᄃᆡ 고텨 올나 衆듕香향城셩 ᄇᆞ라보며
개심대 다시 올라 중향성 바라보며
萬만二이千쳔峯봉을 歷녁歷녁히 혀여ᄒᆞ니
만이천 봉을 자세히 헤아려 보니
峰봉마다 ᄆᆡᆺ쳐 잇고 긋마다 서린 긔운
봉우리마다 맺혀 있고 끝마다 서린 기운
ᄆᆞᆰ거든 조티 마나 조커든 ᄆᆞᆰ디 마나
맑거든 좋지 말지 좋거든 맑지 말지
뎌 긔운 흐터 내야 人인傑걸을 ᄆᆞᆫᄃᆞᆯ고쟈
저 기운 흩어 내어 인걸을 만들고 싶구나
形형容용도 그지 업고 體톄勢셰도 하도할샤
형용도 끝이 없고 체세[9]도 많기도 많구나
天텬地디 삼기실 제 自ᄌᆞ然연이 되연마ᄂᆞᆫ
천지가 생겨날 때 저절로 되었으련만
이제 와 보게 되니 有유情졍도 有유情졍ᄒᆞᆯ샤
이제 와서 보게 되니 정답고 정답구나

---

9 여기서는 산의 형세.

毗비盧로峰봉 上샹上상頭두의 올라 보니 긔 뉘신고
비로봉 꼭대기에 올라 본 이 그 누구신고
東동山산 泰태山산이 어ᄂᆞ야놉돗던고
동산 태산이 어느 것이 더 높던가
魯노國국 조븐 줄도우리ᄂᆞᆫ 모ᄅᆞ거든
노국 좁은 줄도 우리는 모르거든
넙거나 넙은 天텬下하 엇ᄯᅵᄒᆞ야 젹닷 말고
넓고도 넓은 천하 어찌하여 작단 말인가[10]
어와 뎌 디위ᄅᆞᆯ 어이ᄒᆞ면 알 거이고
아아 저 경지를 어찌하면 알 것인가
오ᄅᆞ디 못ᄒᆞ거니 ᄂᆞ려가미 고이ᄒᆞᆯ가
오르지 못하거늘 내려감이 이상할까
圓원通통골 ᄀᆞᄂᆞᆫ 길로 獅ᄉᆞ子ᄌᆞ峰봉을 ᄎᆞ자가니
원통골 가는 길로 사자봉을 찾아가니
그 알ᄑᆡ 너러바회 化화龍룡쇠 되어셰라
그 앞에 너럭바위 화룡소가 되었구나
千쳔年년 老노龍룡이 구ᄇᆡ구ᄇᆡ 서려 이셔
천년 묵은 늙은 용이 굽이굽이 서려 있어
晝듀夜야의 흘녀내여 滄창海ᄒᆡ에 니어시니
밤낮으로 흘러내려 바다에 이었으니
風풍雲운을 언제 어더 三삼日일雨우ᄅᆞᆯ 디련ᄂᆞ다
풍운을 언제 얻어 사흘 동안 비 내리려는가

---

10 《맹자孟子》〈진심장盡心章〉에 나오는 "공자가 동산에 올라 노나라를 작게 여기고, 태산에 올라 천하를 작게 여겼다(공자왈 등동산이소로 등태산이소천하孔子曰 登東山而小魯 登泰山而小天下)"라는 구절을 원용한 것.

陰음崖애예 이온 플을 다 살와 내여ᄉᆞ라
그늘진 언덕에 시든 풀을 다 살려 내려무나
磨마訶하衍연 妙묘吉길祥상 雁안門문재 너머 디여
마하연 묘길상 안문재 넘어 가서
외나모 ᄡᅥ근 ᄃᆞ리 佛블頂뎡臺ᄃᆡ 올라ᄒᆞ니
외나무 썩은 다리 건너 불정대에 올라가니
千쳔尋심 絕졀壁벽을 半반空공애 셰여 두고
천길 절벽을 공중에 반쯤 세워 두고
銀은河하水슈 한 구ᄇᆡ를 촌촌이 버혀 내여
은하수 큰 굽이를 마디마디 베어 내어
실ᄀᆞ티 플텨이셔 뵈ᄀᆞ티 거러시니
실같이 풀어내어 베같이 걸었으니
圖도經경 열두 구ᄇᆡ 내 보매ᄂᆞᆫ 여러히라
도경[11] 열 두 굽이 내 보기엔 여럿이라
李니謫덕仙션 이제 이셔 고텨 의논 ᄒᆞ게 되면
이적선[12]이 이제 있어 다시 의논하게 되면
廬녀山산이 여긔도곤 낫단 말 못ᄒᆞ려니
여산이 여기보다 낫다는 말 못 하려니
山산中듕을 ᄆᆡ양 보랴 東동海ᄒᆡ로 가쟈ᄉᆞ라
산중을 매양[13] 보랴 동해로 가자꾸나
藍남輿여 緩완步보ᄒᆞ야 山산映영樓누의 올나ᄒᆞ니
남여[14] 타고 완보[15]하여 산영루에 올라가니

---

11 산수의 지세를 그림으로 그려 설명한 책.
12 당나라 때 시인 이태백.
13 늘. 한결같이.
14 뚜껑이 없고 의자와 비슷하게 생긴 작은 가마.
15 천천히 걸음.

玲녕瓏농碧벽溪계와 數수聲셩啼뎨鳥됴ᄂᆞᆫ 離니別별을 怨원ᄒᆞᄂᆞᆫ ᄃᆞᆺ

영롱벽계[16]와 수성제조[17]는 이별을 원망하는 듯

旌졍旗긔를 ᄯᅥᆯ티니 五오色ᄉᆡᆨ이 넘노ᄂᆞᆫ ᄃᆞᆺ

정기[18]를 떨치니 오색이 넘노는 듯

鼓고角각을 섯부니 海ᄒᆡ雲운이 다것ᄂᆞᆫ ᄃᆞᆺ

북과 나팔 섞어 부니 바닷구름이 다 걷히는 듯

鳴명沙사 길 니근 ᄆᆞᆯ이 醉취仙션을 빗기 시러

명사[19]길 익숙한 말이 취선[20]을 비껴 실어

바다ᄒᆞᆯ 겻ᄐᆡ 두고 海ᄒᆡ棠당花화로 드러가니

바다를 곁에 두고 해당화로 들어가니

白ᄇᆡᆨ鷗구야 ᄂᆞ디 마라 네 버딘 줄 엇디 아ᄂᆞᆫ

갈매기야 날지 마라 네 벗인 줄 어찌 아느냐

金금蘭난窟굴 도라 드러 叢총石셕亭뎡 올라ᄒᆞ니

금란굴 돌아들어 총석정 올라가니

白ᄇᆡᆨ玉옥樓누 남은 기동 다만 네히 셔 잇고야

백옥루 남은 기둥 다만 넷이 서 있구나

工공垂슈의 셩녕인가 鬼귀斧부로 다ᄃᆞᆷ은가

공수[21]의 작품인가 귀부[22]로 다듬었는가

구ᄐᆡ야 六뉵面면은 므어슬 象샹톳던고

구태여 육면은 무엇을 형상했던가

---

16 맑고 찬란한 푸른 시내.

17 새들의 우짖는 소리.

18 오색 깃털을 깃대 끝에 드리워 꾸민 깃발.

19 밟으면 쇳소리 나는 모래.

20 신선과 같은 말.

21 중국의 명장名匠.

22 귀신의 도끼. 능력이 놀랍고 신기한 연장.

高고城셩을란 뎌만 두고 三삼日일浦포ᄅᆞᆯ ᄎᆞ자 가니

고성일랑 저만치 두고 삼일포를 찾아 가니

丹단書셔ᄂᆞᆫ 宛완然연ᄒᆞᄃᆡ 四ᄉᆞ仙션은 어ᄃᆡ 가니

단서[23]는 완연하되 사선은 어디로 갔는가

예 사ᄒᆞᆯ 머믄後 후의 어ᄃᆡ 가 ᄯᅩ 머믈고

여기서 사흘 머문 후에 어디 가서 또 머물까

仙션遊유潭담 永영郎낭湖호 거긔나 가 잇ᄂᆞᆫ가

선유담 영랑호 거기나 가 있는가

淸청澗간亭뎡 萬만景경臺ᄃᆡ 몃 고ᄃᆡ 안돗던고

청간정 만경대 몇 곳에 앉았던가

梨니花화ᄂᆞᆫ ᄇᆞᆯ셔 디고 졉동새 슬피 울 제

배꽃은 벌써 지고 접동새 슬피 울 때

洛낙山산 東동畔반으로 義의相샹臺ᄃᆡ예 올라 안자

낙산사 동쪽 언덕으로 의상대에 올라 앉아

日일出츌을 보리라 밤듕만 니러ᄒᆞ니

일출을 보려고 밤중에 일어나니

祥샹雲운이 집픠ᄂᆞᆫ 동 六뉵龍뇽이 바퇴ᄂᆞᆫ 동

상서로운 구름이 피어나는 듯 육룡이 받치는 듯

바다ᄒᆡ ᄯᅥ날 제ᄂᆞᆫ 萬만國국이 일위더니

바다에서 떠날 때는 만국이 일렁이더니

天텬中듕의 티ᄯᅳ니 毫호髮발을 혜리로다

하늘에 치뜨니 호발[24]을 세겠도다

아마도 녈구름 근쳐의 머믈셰라

아마도 지나가는 구름이 해 근처에 머물까 두렵구나

---

23 삼일포 호수 안 바위에 새겨진 '영랑도남석행永郎徒南石行'이라는 붉은 글씨.
24 아주 가늘고 짧은 털.

詩시仙션은 어ᄃᆡ 가고 咳ᄒᆡ唾타만 나맛ᄂᆞ니

시선[25]은 어디 가고 해타[26]만 남았는가

天텬地디間간 壯쟝ᄒᆞᆫ 긔별 ᄌᆞ셔히도 ᄒᆞᆯ셔이고

천지간 장한 기별[27] 자세히도 전했구나

斜샤陽양 峴현山산의 擲텩躅툑을 ᄆᆞ니ᄇᆞᆯ와

사양[28] 현산의 철쭉을 이어 밟아

羽우蓋개芝지輪륜이 鏡경浦포로 ᄂᆞ려가니

우개지륜[29]이 경포로 내려가니

十십里리氷빙紈환을 다리고 고텨 다려

십리빙환[30]을 다리고 다시 다려

長댱松숑 울흔 소개 슬ᄏᆞ장 펴뎌시니

장송 울창한 속에 싫도록 펼쳤으니

ᄆᆞᆯ결도 자도 잘샤 모래ᄅᆞᆯ 혜리로다

물결도 잔잔하기도 잔잔하구나 모래를 헤아리겠도다

孤고舟쥬解ᄒᆡ纜람ᄒᆞ야 亭뎡子ᄌᆞ 우ᄒᆡ 올나가니

고주해람[31]하여 정자 위에 올라가니

江강門문橋교 너믄 겨ᄐᆡ 大대洋양이 거긔로다

강문교 넘은 곁에 대양이 거기로다

從둉容용ᄒᆞᆫ댜 이 氣긔像샹 闊활遠원ᄒᆞᆫ댜 뎌境경界계

조용도 한 이 기상 넓고도 아득한 저 경계

---

25 이백.

26 원뜻은 기침과 침. 여기서는 훌륭한 사람의 입에서 나온 말이나 글.

27 이백이 〈등금릉봉황대登金陵鳳凰臺〉에서 묘사한 일출의 장쾌한 경관.

28 해질 무렵 비스듬히 비치는 햇볕.

29 왕후王侯의 수레에 녹색의 새털로 만든 덮개.

30 십리에 걸쳐 펼쳐진 얼음같이 희고 매끄러운 비단.

31 외로운 배 닻줄을 풂.

이도곤 ᄀᆞᄌᆞᆫᄃᆡ ᄯᅩ 어듸 잇닷 말고
이보다 갖춘 데 또 어디 있단 말인가
紅홍粧장 古고事사ᄅᆞᆯ 헌ᄉᆞ타 ᄒᆞ리로다
홍장고사[32]를 떠들썩할 만하다 하리로다
江강陵능 大대都도護호 風풍俗쇽이 됴흘시고
강릉 대도호부 풍속이 좋을시고
節절孝효 旌졍門문이 골골이 버러시니
충신 효자 열녀문이 고을마다 벌어져 있으니
比비屋옥可가封봉이 이제도 잇다 ᄒᆞᆯ다
비옥가봉[33]이 지금도 있다 하겠구나
眞진珠쥬館관 竹듁西셔樓루 五오十십川쳔 ᄂᆞ린 믈이
진주관 죽서루 오십천 흘러내린 물이
太태白ᄇᆡᆨ山산 그림재ᄅᆞᆯ 東동海ᄒᆡ로 다마 가니
태백산 그림자를 동해로 담아 가니
출하리 漢한江강의 木목覓멱의 다히고져
차라리 한강의 목멱[34]에 닿게 하고 싶구나
王왕程뎡이 有유限ᄒᆞᆫᄒᆞ고 風풍景경이 못 슬믜니
왕정[35]은 유한하고 풍경은 싫지 않으니
幽유懷회도 하도할샤 客ᄀᆡᆨ愁수도 둘듸 업다
유회[36]도 많기도 많구나 객수[37]도 둘 데 없다

---

32 홍장은 고려말엽의 강릉 명기로 강원도 안찰사로 온 박신朴信과 사모하는 사이였던 이야기.

33 요순시대 백성들이 모두 착해 집집마다 벼슬을 줄 만하였다는 것으로, 태평성대와 상통하는 말.

34 목멱木覓. 서울 남산의 본래 이름. 여기에서는 임금이 계신 곳.

35 왕의 명으로 행차하는 여정.

36 마음속 깊이 품은 생각.

37 객지에서 느낀 외로움이나 그리움 따위의 시름.

仙션槎사ᄅᆞᆯ ᄯᅴ워 내여 斗두牛우로 向향ᄒᆞ살가

신선의 뗏목 띄워 내어 두우[38]로 향해 갈까

仙션人인을 ᄎᆞᄌᆞ려 丹단穴혈의 머므살가

선인을 찾으려 단혈[39]에 머물거나

天텬根근을 못내 보와 望망洋양亭뎡의 올은말이

하늘 끝을 끝내 못 보아 망양정에 올라가니

바다 밧근 하ᄂᆞᆯ이니 하ᄂᆞᆯ 밧근 므서신고

바다 밖은 하늘인데 하늘 밖은 무엇인고

ᄀᆞ득 노한 고래 뉘라셔 놀내관ᄃᆡ

가뜩 성난 고래[40] 뉘라서 놀랬길래

블거니 ᄲᅮᆷ거니 어즈러이 구ᄂᆞᆫ디고

불거니 뿜거니 어지럽게 구는지고

銀은山산을 것거 내여 六뉵合합의 ᄂᆞ리ᄂᆞᆫ ᄃᆞᆺ

은산[41]을 꺾어 내어 육합[42]에 내리는 듯

五오月월 長당天텬의 白ᄇᆡᆨ雪셜은 므ᄉᆞ 일고

오월 드넓은 하늘에 백설은 무슨 일인가

져근덧 밤이 드러 風풍浪낭이 定뎡ᄒᆞ거ᄂᆞᆯ

어느덧 밤이 들어 풍랑이 가라앉거늘

扶부桑상 咫지尺쳑의 明명月월을 기ᄃᆞ리니

부상[43] 지척에서 명월을 기다리니

---

38 이십팔수 가운데 두성과 우성을 이르는 말.

39 남쪽의 태양 바로 밑.

40 파도를 은유.

41 흰 물결.

42 천지와 사방.

43 해돋는 동쪽 바다의 비유.

瑞셔光광 千쳔丈댱이 뵈ᄂᆞᆫ ᄃᆞᆺ 숨ᄂᆞᆫ고야
상서로운 빛 천 길이 보이는 듯 숨는구나
珠쥬簾렴을 고텨 것고 玉옥階계ᄅᆞᆯ 다시 쓸며
주렴을 고쳐 걷고 옥돌 층계를 다시 쓸며
啓계明명星셩 돗도록 곳초 안자 ᄇᆞ라보니
계명성[44] 돋도록 곧게 앉아 바라보니
白ᄇᆡᆨ蓮년花화 ᄒᆞᆫ 가지ᄅᆞᆯ 뉘라셔 보내신고
백련화[45] 한 가지를 어느 누가 보내셨는고
일이 됴흔 世셰界계 ᄂᆞᆷ대되 다 뵈고져
이리 좋은 세상 남에게 다 보이고 싶구나
流뉴霞하酒쥬 ᄀᆞ득 부어 ᄃᆞᆯᄃᆞ려 무론 말이
유하주[46] 가득 부어 달더러 묻는 말이
英영雄웅은 어ᄃᆡ 가며 四ᄉᆞ仙션은 긔 뉘러니
영웅은 어디 가고 사선은 그 누구인가
아ᄆᆡ나 맛나 보아 녯 긔별 뭇쟈 ᄒᆞ니
아무나 만나 보아 옛 기별 묻자 하니
仙션山산 東동海ᄒᆡ예 갈길히 머도 멀샤
신선의 산 동해에 갈 길이 멀기도 멀구나
松숑根근을 볘여 누어 픗ᄌᆞᆷ을 얼픗 드니
솔뿌리를 베고 누워 풋잠을 얼핏 드니
ᄭᅮᆷ애 ᄒᆞᆫ 사ᄅᆞᆷ이 날ᄃᆞ려 닐온 말이
꿈에 한 사람이 나더러 이르는 말이

44 새벽 동쪽 하늘에 뜬 금성.
45 달을 은유.
46 신선이 마신다는 좋은 술.

그ᄃᆡᄅᆞᆯ 내 모ᄅᆞ랴 上샹界계예 眞진仙션이라

그대를 내 모르랴 하늘에서 내려온 신선이라

黃황庭뎡經경 一일字ᄌᆞᄅᆞᆯ 엇디 그ᄅᆞᆺ 닐거 두고

황정경 한 자를 어찌 잘못 읽어 두고

人인間간의 내려와셔 우리ᄅᆞᆯ ᄯᆞᆯ오ᄂᆞᆫ다

인간에 내려와서 우리를 따르는가

져근덧 가디 마오 이 술 ᄒᆞᆫ 잔 머거보오

잠깐만 가지 마오 이 술 한 잔 먹어보오

北븍斗두星셩 기우려 滄창海ᄒᆡ水슈 부어 내여

북두칠성 기울여 푸른 바닷물 부어 내어

저 먹고 날 머겨ᄂᆞᆯ 서너 잔 거후로니

저 먹고 나를 먹이거늘 서너 잔 기울이니

和화風풍이 習습習습ᄒᆞ야 兩냥腋ᄋᆡᆨ을 추혀드니

봄바람 산들 불어 양 겨드랑이를 추켜올리니

九구萬만里리 長댱空공애 져기면 ᄂᆞᆯ리로다

구만 리 장공에 자칫하면 날겠도다

이 술 가져다가 四ᄉᆞ海ᄒᆡ예 고로 ᄂᆞᆫ화

이 술 가져다가 사해에 고루 나누어

億억萬만 蒼창生ᄉᆡᆼ을 다 醉취케 ᄆᆡᆼ근 後후의

억만 백성들을 다 취하게 만든 후에

그제야 고텨 맛나 ᄯᅩ ᄒᆞᆫ 잔 ᄒᆞ쟛고야

그제서야 다시 만나 또 한 잔 하자꾸나

말 디쟈 鶴학을 ᄐᆞ고 九구空공의 올나가니

말 끝나자 학을 타고 구공[47]에 올라가니

---

47 끝도 없이 높고 넓은 하늘.

空공中듕 玉옥簫쇼 소ᄅᆡ 어제런가 그제런가
공중 옥퉁소 소리 어제던가 그제던가
나도 ᄌᆞᆷ을 ᄭᆡ여 바다ᄒᆞᆯ 구버보니
나도 잠을 깨어 바다를 굽어보니
기픠ᄅᆞᆯ 모ᄅᆞ거니 ᄀᆞ인들 엇디 알리
깊이를 모르거늘 끝인들 어찌 알리
明명月월이 千쳔山산萬만落낙의 아니 비췬 ᄃᆡ 업다
명월이 천산 만락에 아니 비추는 데 없다

6. 축산별곡竺山別曲

① 작품명 : 축산별곡竺山別曲

② 작자명 : 정식(鄭湜, 1661～1731)

③ 출전 : 필사본 《선조가사先祖歌詞》

④ 해제

조선 후기 정식이 지은 가사 작품이다. 그 제목에 보이는 '축산'은 경상도 예천의 옛 지명으로, 내용은 축산 즉 용궁 지방의 산천 풍물과 이를 대하는 작자의 심회를 읊조린 것이다. 형식은 56행 112구다. 이 가사를 수록하고 있는 《선조가사》의 부록에 이이정李頤正이 쓴 〈용궁공행장〉을 보면 "당시 사람들은 〈축산별곡〉에 송강 가사의 유풍이 있다 하였다"고 했다. 실제로 작품의 내용에 정철의 〈성산별곡星山別曲〉과 〈관동별곡關東別曲〉의 의취를 연상케 하는 면이 있다.

⑤ 원문과 현대역

쇼듕화 졔일형이 하ᄂᆞᆯ삼긴 형승일다
우리나라[1] 제일 경개 하늘이 만든 형승이라
쳔튝산 ᄒᆞᆫ활기 ᄒᆡ동으로 버더오니
천축산天竺山[2] 한 줄기 해동으로 뻗어오니

1 중국을 중화라 한 것에 대하여 작은 중국이라는 뜻.

2 인도에 있는 산.

농비산 쌔친봉만 뛰어드러 알픠셧다

용비산龍飛山 뻗힌 봉우리가 뛰어들어 앞에 섰다

그ᄉᆞ이 ᄂᆞ린물이 호복쳔 되얏고야

그 사이 내린 물이 호복천虎伏川 되었구나

뉴리ᄅᆞᆯ 고잣ᄂᆞᆫᄃᆞᆺ ᄇᆡᆨ년을 다렷ᄂᆞᆫᄃᆞᆺ

유리를 꽂았는 듯 흰 연꽃을 다려놓은 듯

청상ᄒᆞᆫ 죠흔긔운 듀야의 뉴동ᄒᆞᆫ다

상쾌한 좋은 기운 주야로 흘러간다

쟝님은 은영ᄒᆞ고 ᄇᆡᆨᄉᆞᄂᆞᆫ 눈이로다

긴 숲은 은은하고 흰모래는 눈 같도다

이도곤 죠흔산쳔 또어듸 잇단말고

이보다 좋은 산천 또 어디 있으리오

인걸은 지령이라 졔남의 명ᄉᆞ하다

인걸은 지령地靈[3]이라 제남濟南[4]에 명사도 많다

졍ᄉᆞ의 두신밧귀 내보매도 여러ᄒᆡ라

정사에 몸을 둔 것 내 보기도 여러 해라

청원졍 도라드러 읍호ᄅᆞᆯ ᄇᆞ라보니

청원정淸遠亭 돌아들어 고을을 바라보니

청송 경졀은 지금의 죠영ᄒᆞ다

청송靑松의 굳은 절개 지금도 비춰온다

튱효도 ᄀᆞ졸시고 녈녀도 ᄒᆞ도홀샤

충효도 갖추었고 열녀도 많고 많다

셔하의 미쇽이오 추로의 유풍이라

서하西河[5]의 풍속이요 추로鄒魯의[6] 유풍이라

---

3 땅의 기운.

4 중국 양자강 남쪽 여기서는 한강 이남.

쇠옹이 셩은닙어 이ᄯᅡᄒᆡ 패부ᄒᆞ니
늙은이가 성은 입고 이 땅에 부임하니
유풍을 ᄇᆡ양ᄒᆞ랴 교화ᄅᆞᆯ 도솔ᄒᆞᆯ가
유풍을 배양할까 교화를 이끌까
냥셩이 아니라도 진시ᄂᆞᆫ 양셩ᄒᆞ다
양성이[7] 아니라도 진사는 양성한다
ᄇᆞ람을 슌히ᄒᆞ니 소ᄅᆡ를 ᄲᆞᆯ니ᄒᆞ랴
바람이 곱게 부니 소리를 빨리 하랴
엊그제 셥현비부 어ᄂᆞᄉᆞ이 삼년이고
엊그제 섭현 비부[8] 어느덧 삼 년인가
유산 음쥬ᄂᆞᆫ 못ᄒᆞᆯ시 올커니와
산천 유람 음주함은 못할 것이 옳거니와
문슉 관풍이야 아니코 엇디ᄒᆞ리
풍속을 살피기는[9] 아니하고 어찌하리
츈강의 ᄇᆡᄅᆞᆯᄯᅴ워 노룡연 ᄂᆞ려가니
춘강에 배를 띄워 노룡연老龍淵 내려가니
ᄉᆞ변의 솔ᄇᆞ람은 금곡을 화답ᄒᆞ고
모래밭 솔바람은 거문고에 화답하고
암간의 두견화ᄂᆞᆫ 녹파의 됴요ᄒᆞ니
바위 사이 진달래는 푸른 물에 비쳐온다
어부의 긴 그믈을 샹하의 ᄀᆞ로치니
어부의 긴 그물을 상하로 비스듬하게 치니

---

5 중국의 물 이름, 공자 제자 자하의 고향.
6 공자와 맹자의 고향.
7 성인을 양성함, 성품을 곱게 기름.
8 섭현은 현을 맡음, 비부는 나는 오리 곧 경쾌하게 지나감.
9 문숙은 문속問俗, 곧 풍속을 살핌.

은닌이 발쳑ᄒᆞ나 슈변의 소습ᄶᅱ니
은빛 고기 월척인데 물가로 솟아 뛰어
한니부 밤의보고 두습유 겨을희ᄂᆞᆫ
한이부韓吏部[10]는 밤에 읽고 두습유杜拾遺[11]는 겨울에 즐기고
이거동 견조오면 어ᄂᆞ야 낫단말고
이 거동 견줘보면 어느 것이 낫겠는가
남녀의 비겨안자 ᄇᆡᆨ셕경 올나ᄒᆞ니
가마에 기대앉아 백석정白石亭 올라가니
사ᄅᆞᆷ은 어ᄃᆡ가고 뷘터만 나맛ᄂᆞ니
사람은 어디 가고 빈 터만 남았는가
청풍이 완연ᄒᆞ여 노숑의 머므럿나
맑은 바람 완연하여 노송老松에 머물렀나
고쥬 소류ᄒᆞ야 영귀경 ᄂᆞ려안자
외로운 배 저어 올라 영귀정詠歸亭 내려앉아
숑님을 ᄇᆞ라보니 퇴도션ᄉᆡᆼ ᄉᆞ위로다
솔숲을 바라보니 퇴계선생 사우祠宇로다
ᄉᆞ경의 슉목ᄒᆞ여 신위를 쳠비ᄒᆞ니
마음이 숙연하여 신위를 우러르니
덕용을 뵈ᄋᆞᆸᄂᆞᆫᄃᆞᆺ ᄇᆡᆨ셰예 흥감ᄒᆞ다
그 모습 뵈온 듯 백세에 느껴온다
슈ᄉᆞᄂᆞᆫ 근원멀고 이락이 믈결ᄎᆞ니
수사洙泗[12]는 근원 멀고 이락伊洛[13]에는 물결 차니

---

10 《사설》을 지은 당송팔대가의 한유, 관직이 이부였음.
11 당나라 두보.
12 중국 산동성 공자 고향에 있는 물 이름, 수洙는 사수泗水의 지류.
13 중국 하남성에 있는 이수와 낙수 곧 이천 정이와 명도 정호 형제가 살았던 곳.

후흑이 예를보와 히동쥬즈 법바다라

후학이 옛길 따라 해동주자海東朱子[14] 본받으라

홍화도 볼셔지고 녹엽이 셩음ᄒᆞ니

붉은 꽃 벌써 지고 푸른 잎 우거지니

정ᄌᆞ의 날이거니 긱회를 둘듸업다

정자亭子의 날이 길어 객회를 둘 데 없다

슈월누 올라안자 옥경연 구버보니

수월루水月樓 올라앉아 옥정연玉頂淵 굽어보니

가셩은 청결ᄒᆞ야 벽운의 올나가며

노랫소리 깨끗하여 하늘 위로 올라가고

무슈ᄂᆞᆫ 편천ᄒᆞ야 녹슈를 쩔치ᄂᆞᆫ듯

소맷자락 나부끼며 푸른 물결 떨치는 듯

양왕의 됴흔일은 ᄭᅮᆷ의엇디 ᄉᆡᆼ각던고

양왕襄王[15]의 좋은 일은 꿈에 어찌 생각던가

가신의 이낙ᄉᆞᄂᆞᆫ 뉘라셔 주신것고

좋은 시절 이 즐거움 뉘라서 주신 건가

듕츄 십오야의 슈됴가 읕픈말이

팔월 중추 십오일 밤에 뱃노래 읊조리며

쳔츄를 즈음치니 심ᄉᆞ도 일반이라

천추[16]를 사이 하니[17] 심사도 일반이라

---

14 여기서는 퇴계 이황을 지칭.

15 중국 전국시대 초楚나라의 임금. 그가 송옥宋玉을 데리고 운몽雲夢의 누대에서 놀면서, 자신의 선왕인회왕懷王이 꿈에 무산巫山의 신녀神女와 운우지락雲雨之樂을 즐겼다는 옛 일을 회상한 적이 있다.

16 오랜 세월.

17 사이에 두니, 옛말 '즈음츠다'는 막히다, 격隔하다.

엄풍이 ᄡᅡ흘것고 밀셜이 훗날닐제
매운 바람 땅을 걷고 눈보라 흩날릴 제
명금각 깁흔밤의 쵹블을 ᄇᆞᆰ계혀고
명금각鳴琴閣 깊은 밤에 촛불을 밝게 켜고
공쥬 ᄀᆞ득부어 고온노래 드른말이
빈 술잔 가득 부어 고운 노래 듣노라니
인간의 오마영은 이밧긔 ᄯᅩ이실가
인간의 높은 영화[18] 이 밖에 또 있을까
ᄉᆞ미인 ᄒᆞᆫ곡됴의 단침이 격졀ᄒᆞ다
사미인곡思美人曲 한 곡조에 정성이[19] 절절하다
나라ᄒᆡ 허신ᄒᆞ야 ᄌᆞ목을 밧ᄌᆞ오니
나라에 헌신하여 고을 수령[20] 받자오니
삼부를 못밋ᄎᆞ나 오고애 젼일ᄒᆞ다
상등[21]에는 못 미쳐도 고과[22]에 전념한다
왕ᄉᆞ도 앙장ᄒᆞ고 쇠병이 침심ᄒᆞ나
공무도 번잡하고 노환이 깊었으나
옥누의 ᄃᆞᆯ닌ᄆᆞᄋᆞᆷ ᄌᆞᆷ든밧 니즐쏘냐
옥루玉樓에 닫는 마음 잠든 사이 잊을쏘냐
아ᄒᆡ야 술ᄒᆞᆫ잔다시치고 튝산별곡 불너ᄉᆞ라
아이야 술 한 잔 다시 따르고 축산별곡 불러봐라

---

18 수레를 다섯 필의 말이 끄는 것 같은 영화. 태수의 수레를 다섯 필의 말이 끈 데서 유래함.

19 단침丹枕이는 진정으로 우러나는 정성.

20 수령이 백성을 사랑하여 다스림.

21 조선 시대에 벼슬아치들의 근무 성적을 이년 반 동안 다섯 번 고과하였는데 그것을 '오고'라 하며, '삼부'는 그 다섯 번 중 세 차례에 걸쳐 높은 등급을 받는 것을 말함.

22 상동.

7. 낙지가樂志歌

① 작품명 : 낙지가樂志歌

② 작자명 : 이서(李緖, 1484～?)

③ 출처 : 《몽한영고夢漢零稿》

④ 해제

〈낙지가樂志歌〉는 조선시대 이서가 지은 전남권 가사의 효시 작품이다. 이 가사는 작자의 사우祠宇인 몽한각夢漢閣(지금의 담양군 대덕면 면소재지에 있음)에서 출간한 《몽한영고》에 수록되어 전한다.

이서는 양녕대군讓寧大君의 증손으로 중형 이과李顆의 왕위 추대 사건에 연루되어 무고로 명양현鳴陽縣(지금의 담양군 대덕면)에 유배되었다. 14년 동안의 귀양살이를 한 뒤 자유인이 되었으나 귀경하지 않고 담양의 산수와 벗하면서 일생을 마치었다. 따라서 부귀영화를 버리고 자연 속에서 욕심 없는 삶을 살고자 했던 정서를 담아서 표출한 가사가 곧 〈낙지가〉이다. 이서는 세속을 버리고 자연 속에서 처사로 살았던 중국의 중장통仲長統을 흠모하면서 〈낙지론樂志論〉이라는 그의 글을 즐긴 나머지 이에 담긴 물아일체의 삶을 모방하여 가사를 창작한 것이다.

⑤ 원문과 현대역

崑崙一脈 ᄯᅮᆨᄯᅧᆯ러저 小中華로 드러올제

곤륜산[1] 한 줄기 뚝 떨어져 조선 땅으로 들어와

1 해발 7167미터의 티벳 고원 북부 소재 산, 황하의 발원지.

唐堯曾祝 華山으로 夫子昔登 泰山되야

요임금[2] 축제하던 화산[3]으로 뻗어 공자 오르시던 태산이 되고

七百洞庭 나려오며 十二巫山 얼픗짓고

칠백 리 동정호[4] 흘러내려 무산[5] 열 두 봉을 슬쩍 짓고

秦始皇帝 萬里城을 天開地裂 헥터리며

진시황제 만리장성을 온 세상 벌려 헤쳐내며

乘彼白雲 구름속의 海東朝鮮 도라보니

백운 타고 구름 속에 해동 조선 돌아보니

天府金城 터이로다 萬世基業 지여보식

천부 금성[6] 터로구나 만세 기업 세워 보세

漢陽江水 멸리둘너 終南山이 되여셔라

한강물이 멀리 돌아 종남산[7]이 되었구나

左爲靑龍 右白虎로 直上五千 三角山이

좌 청룡 우 백호로 높이 오천 척 삼각산이

萬戶長安 터를지여 以竢當世 君子로다

만호 장안 터를 지어 당세 기다리는 군자로다

黃河之水 天上來라 千年一淸 물이말가

황하수는 천상에서 흘러 천년토록 물이 맑으니

請祝聖人 이아니며 九五龍이 飛龍이라

성인 축복[8] 이 아닌가 구오룡九五龍[9]이 비룡飛龍이라

---

2 중국 전설상의 임금, 도陶 땅에서 살다가 후에 당唐 땅으로 옮겨 삶.
3 중국 오악 중 하나, 서악, 요임금이 화산에 올라 축제를 올림.
4 호남성 소재 호수, 주변 길이가 700 리가 넘음.
5 중국 사천성에 있는 명산으로 12개의 산봉우리가 있음. 신선이 살고 있다는 성산.
6 물산이 풍요로운 곳, 여기서는 서울.
7 중국 왕유의 별장이 있는 산, 여기서는 서울 남산.
8 화봉인華封人이 요임금을 수복다남자壽福多男子로 축복했던 일.
9 구오九五는 둘 다 양수陽數로 《주역周易》의 괘卦에서 말하는 천자의 효상爻象.

粒我蒸民 모든百姓 水火中의 건지시고

입아증민粒我烝民[10] 모든 백성 고통에서 건지시고

向明南面 卽位ᄒᆞ시니 仙李乾坤 王春이라

임금으로 즉위하니 이 씨 세계 왕조의 시작이라[11]

西周文物 八百이요 東魯衣冠 七十이라

서주西周 문물은 팔백 년이요 공자 제자 칠십이로다[12]

唐虞太平 五百年의 湯武休治 一千載라

요순 태평 오백 년에 탕왕 무왕[13] 천 년이로세

聖子神孫 繼繼承承 於千萬年 無窮이라

성스러운 자손이 계승하여 천 년 만년 무궁하다

天佑神助 我東方의 八道處處 名山이라

천우신조 우리 동방 팔 도 곳곳 명산이라

京畿道는 王城이니 不可勝數 奇峯이오

경기도는 왕성이니 셀 수 없는 기봉들 있고

黃海道라 九月山은 年年歲歲 九月이오

황해도의 구월산은 세세 연년 구월이요

江原道라 金剛山은 一萬二千 諸峯이오

강원도의 금강산은 일만 이천 봉우리요

忠淸道라 俗離山은 雲外特立 高峯이오

충청도의 속리산은 구름 밖의 고봉이요

---

10 입아증민粒我烝民은 입아증민立我蒸民의 잘못, 백성을 먹여 살림,《시경》, 주송, 〈사문思文〉 시.

11 새로 시작한 조선조 임금의 봄.

12 중국 주나라 역사 팔백년과 공자 제자 72명을 지칭.

13 하나라 걸왕을 내쫓고 은나라를 세운 탕왕, 은나라 주紂왕을 내쫓고 주周나라를 세운 무왕.

平安道라 妙香山은 海上雄鎭 奇觀이오
평안도의 묘향산은 해상에 우뚝한 경관이라
慶尙道라 太白山은 矗天壓地 不老ᄒᆞ고
경상도의 태백산은 높고 넓어 불로不老하고
咸鏡道라 石荒山은 罷霧粧霞 春色이오
함경도의 석황산은 파무 장하罷霧粧霞[14] 봄빛이라
全羅道라 智異山은 萬八千年 青青ᄒᆞ고
전라도의 지리산은 만 팔천 년 푸르렀고
湖南千里 名區되여 五十三州 各고을의
호남 천리 명승되어 오십삼 주 각 고을이
星列棊布 버련ᄂᆞᆫᄃᆡ 秋月山이 潭州로다
별처럼 벌렸는데 추월산은 담양이라
千萬年之 主龍이오 十五面之 標準이라
천만 년의 주룡主龍이요 십오 면十五面의 표준이라[15]
往古來今 太守마다 郡中無事 高枕ᄒᆞ여
가고 오는 태수마다 무사하여 태평하고
化及萬家 仁聞이오 恩洽百姓 善政이라
교화가 펴지니 어질다는 소문이요 백성들은 선정 은혜 입었도다
推賢養老 美俗이오 愛民下士 厚禮로다
현자 쫓고 어른 봉양 아름다운 풍속이요 백성 사랑함은 도타운 덕이로다
北闕下의 良臣이오 南州中의 賢侯로다
궁궐에는 어진 신하요 남주南州에는 어진 관리라

---

14 안개를 헤치고 노을로 화장한 듯한 봄날의 경치.
15 지금의 담양은 1읍 11면이다.

瓜期六載 城主例를 更留五年 民願이라

임기 육 년은 관아 규정인데 다시 오 년은 백성들 소망이네

邑之以南 三十里의 一抹青山 矗矗ᄒᆞ여

고을 남쪽 삼십 리엔 한 줄기 청산 우뚝 솟아[16]

八鶴洞裏 지ᄂᆡ와셔 一脉鷹峯 되여셔라

팔학동을 지나와서 일맥 응봉鷹峯 되었구나

前對奇峯 得仁이오 左有名山 萬德이라

기봉 마주보니 득인산이요 좌측 명산은 만덕산이라

後繞錦城 三峯이오 右抱獐山 九區로다

뒤에 금성은 삼봉이요 우측 장산은 아홉 구역이라

鷹峰아릐 터를닥고 이ᄂᆡ人生 ᄉᆞᄅᆞ셔라

응봉 아래 터를 닦고 이내 인생 살아가리

主聖臣良 이世上의 ᄒᆞ욤업시 安土ᄒᆞ야

어진 임금 좋은 신하 세상에 근심 없이 편히 살며[17]

得仁山上 仁을어더 親親爲大 養親ᄒᆞ니

득인산 어짐으로 부모 중히 봉양하니

孝誠이야 至極ᄒᆞᆯ가 北堂安寧 바릐셔라

효성이 지극하여 어머님 안녕 바라도다

萬德山上 德ᄒᆞᆯ바다 明明爲道 教人ᄒᆞᆯ계

만덕산 덕을 받아 밝은 덕 밝히길 가르칠 때

草堂三間 지여노코 迎月掃石 閒暇ᄒᆞᄃᆞ

초가 삼 간 지어놓고 자연 속에[18] 한가롭다

---

16 촉촉은 우뚝 솟은 모양.

17 안토중천安土重遷의 줄임말, 고향을 편히 여겨 떠나기를 꺼림.

18 넓은 돌을 쓸고 앉아 발을 맞이함. 친 자연.

庭畔綠竹 猗猗홀제 淇澳詩를 吟誦ᄒᆞ니

뜰 가의 푸른 대 흔들릴 때 기욱시淇奧詩[19] 읊고 나니

우리大王 聖德이라 如切如磋 有斐로다

우리 임금 성덕이라 갈고 닦아 빛나도다[20]

谷中葛生 萋萋홀제 葛覃詩를 記誦ᄒᆞ니

산골 칡덩굴 무성하여 갈담시葛覃詩[21]를 읊고 나니

우리大妃 仁惠로 爲絺爲綌 無斁이라

우리 대비 어진 은덕 칡베 옷이 싫지 않다

土階三等 노피ᄊᆞ고 數株杏花 심어시니

토계土階 삼단 높이 쌓고 살구 몇 주 심었으니

太和元氣 孔夫子의 絃歌一曲 依依ᄒᆞ며

태화 원기太和元氣 공부자의 현악 한 곡 의의하며[22]

巡簷半夜 徘徊ᄒᆞ고 數點梅花 ᄉᆞᆯ펴보니

밤중 순찰 배회하고 매화 몇 점 살펴보니

安樂窩中 邵康節의 點易一卷 歷歷ᄒᆞ다

안락와安樂窩 소강절邵康節[23]의 주역 한 권 분명하다[24]

人皆堯舜 本然之心 操存不舍 ᄒᆞ여보시

모두 요순 본연의 마음 지키도록 하여보세

牛山伐木 모든ᄉᆞ름 伐木마소 伐木마소

나무 베는[25] 모든 사람 벌목 마소 벌목 마소

---

19 기오시라 쓰고 기욱시로 읽음. 오澳는 오奧의 잘못.

20 유비, 기욱시의 내용. 군자의 문채 나는 모습 형용.

21 《시경》, 국풍, 주남 편의 〈갈담시〉, 칡덩굴 노래.

22 《논어》, 양화 편, 공자 제자 자유가 거문고 소리에 맞춰 고을을 다스림.

23 소옹, 중국 송나라 학자, 시호는 강절, 또는 안락, 《주역》에 밝음.

24 《주역》을 읽고 중요한 곳에 붉은 점을 찍음.

25 《맹자》 고자 장, 상, 우산의 나무를 베어내 민둥산이 되고 말았다는 말이 있음.

嘉木森森 夜來ᄒᆞ니 虛明氣像 淡然ᄒᆞ다

나무 울창하여 야래夜來하니 허명虛明 기상 산뜻하다

仁義禮智 天賦之性 率而爲綱 ᄒᆞ여셔라

인·의·예·지 타고난 성품 삼강오륜 삼았구나

前溪擊水 모든아ᄒᆡ 擊水마라 擊水마라

앞내에 노는 모든 아이 물장난[26] 마라 물장난 마라

綠水洋洋 下逝ᄒᆞ니 順流形勢 美哉로다

푸른 물 흘러가니 잔잔한 형세 아름답다

小學之方 ᄇᆡ와ᄂᆡ여 灑掃應對 일윈後의

소학의 도 배워서 청소와 손님 접대 이룬 뒤에

大學之道 달나드러 窮理正心 ᄒᆞ여셔라

대학의 도 달려들어 궁리 정심窮理正心 하였어라[27]

舜何人也 余何人也 顔子말ᄉᆞᆷ 粹然ᄒᆞ며

순은 누구이고 나는 누구인가 안자 말씀 순수하며

文王我師 豈欺我哉 周公之道 大矣로다

문왕은 나의 스승 어찌 날 속일 건가 주공周公의 도 크도다

丘隅綿蠻 喚友鶯이 於止知其 所止ᄒᆞ니

언덕에서 우는 꾀꼬리 그칠 곳엔 그칠 줄 아니

天地中間 이ᄂᆡ生이 止善ᄒᆞᆯ줄 모롤소야

천지 사이 이내 인생 지선止善할[28] 줄 모를쏘냐

丹山夜月 墮卵鳳이 以德知其 覽德ᄒᆞ니

단산[29]의 달밤 알을 낳는 봉황 은혜로써 덕을 보니

---

26 《장자》, 소요편, 물을 치는 것은 장차 날기 위함.

27 이치를 탐구하고 마음을 바로 잡음.

28 《대학》에 나오는 말로 지어지선止於至善, 착한 데에 이르러 멈춰 섬.

29 신선이 산다는 상상의 산.

萬物之靈 이ᄂᆡ몸이 賢德ᄒᆞᆯ줄 모를소냐

만물의 영장 이내 몸이 덕 높일 줄 모를 쏘냐

臥龍先生 諸葛亮은 南陽ᄶᅡ의 밧슬갈며

와룡선생 제갈량은 남양 땅에 밭을 갈며

逐鷰處士 陶淵明은 北牕아ᄅᆡ 술을걸너

축연처사逐燕處士[30] 도연명은 북창北牕 아래 술을 걸러

各得其志 뜻을즐겨 不求聞達 조흘시고

뜻을 얻어 즐겨 살며 벼슬 좇지 않았으니 좋도다

陋巷簞瓢 자바다가 安貧이나 ᄒᆞ여보ᄉᆡ

시골 살림 누리면서 안빈낙도 하여 보세

平原食客 三千中의 毛遂自薦 우숩도ᄃᆞ

평원군[31] 식객 삼천 중에 모수의 자천自薦[32]이 우습구나

風簑雨笠 ᄲᅥᆯ쳐입고 負郭田을 가라ᄂᆡ니

도롱이 삿갓 걸쳐 입고 논밭[33]을 갈아내니

遊說六國 蘇季子의 腰佩黃金 불버ᄒᆞ랴

육국 유세하던 소진蘇秦의 허리에 찬 황금 부러워하랴[34]

竹裏獨坐 彈琴ᄒᆞ니 王摩詰이 故人이오

대밭에서 거문고 탔던 왕유王維[35]도 고인이오

川邊盡日 訪花ᄒᆞ니 程明道가 賢師로다

냇가에서 탐화探花하던 정이程頤는 현사賢師로다

---

30 도연명은 제비가 소인배처럼 양기운만 따라 다닌다면서 쫓아버렸다 함.

31 조나라 평원군의 식객 삼천 명 중 모수라는 자가 스스로를 천거하여 나라를 구함.

32 조趙나라가 진秦의 공격을 받자 평원군이 초楚에게 구원병을 청하려갈 때 종자從者로 식객인 모수毛遂가 자기를 스스로 추천하여 나라를 구함.

33 《사기》, 소진열전, 좋은 밭.

34 설금지의 〈영암시靈巖詩〉, 소진과 한신이 허리에 황금인대를 두른 것, 곧 출세함. 여기서는 입지立志하기 위해서 독서의 괴로움을 참고 이겨내어야 함을 말함.

35 당나라 왕유의 字, 호는 마힐거사.

書不盡意 圖不盡情 이ᄂᆡ事業 뉘알소냐
서불진의[36] 도불진정[37] 이 내 사업 누가 알랴
仲長統의 樂志論을 我亦私淑 ᄒᆞ여셔라
중장통仲長統[38]의 낙지론樂志論을 내 또한 사숙 하리라

---

36 《북제서》 문원전, 조홍욱祖鴻勖에 나옴, 글로는 뜻을 충분하게 전달하기 어려움.
37 그림으로는 정을 다 드러내기 어려움.
38 동한 말 철학자, 조조의 중용을 얻지 못하자 산림에 묻혀 〈낙지론〉을 지음.

8. 사미인곡思美人曲

① 작품명 : 사미인곡思美人曲

② 작자명 : 유도관(柳道貫, 1741～1813)

③ 출전 : 《곤파유고崑坡遺稿》

④ 해제

〈사미인곡〉은 조선 후기 곤파崑坡 유도관이 지은 가사 작품이다. 유도관의 《곤파유고》 초간본에 게재되어 전하는 이 가사는 정철의 〈사미인곡〉과 〈속미인곡〉, 김춘택의 〈별사미인곡〉, 이진유의 〈속사미인곡〉과 같은 계열의 사미인곡류에 속하는 연주지사戀主之辭이다. 그러나 이는 종전의 사미인곡류처럼 벼슬아치가 유배지나 낙향지에서 임금을 그리워하는 작품이 아니라, 서울에서 멀리 떨어져 초야에 묻혀 사는 한 선비가 임금을 그리워하는 마음을 노래한 것으로, 연군의 정이 매우 소박하고 순수하다.

길이는 총 78행 156구로서 4음보율을 기본으로하며 서사 · 본사 · 결사 등 3단 구성을 하고 있다. 본사는 다시 4단락으로 구분할 수 있으므로, 노래 전체는 6단락으로 구분할 수 있겠다. 이는 정철이 지은 〈사미인곡〉의 구조와 같다. 인맥(정철의 처가인 문화유씨)과 지연(전남 창평 연고)으로 보아 유도관은 정철의 작시 수법 등 그 영향을 받아 이 가사를 창작하였을 공산이 크다.

⑤ 원문과 현대역

天地 삼긴후의 (人)倫이 삼겨시니

천지 생긴 이후에 인륜이 생겼으니

君臣 大義도 夫婦와 一體로다

임금과 신하의 대의도 부부의 도리와 일체로다

傳說의 調羹은 殷宗의 主饋런가

부열傳說[1]의 국정 처리[2] 은나라의 아내런가

(蕭)何의 給餉은 (漢)帝의 良婦런가

소하蕭何의 향급餉給[3]은 한무제의 부인이던가

天生 고은바탕 내엇지 ᄇᆞ릴소냐

타고난 고운 바탕 내 어찌 버릴 것인가

窈窕ᄒᆞᆫ 淑態ᄅᆞᆯ 君子好逑 삼고지고

얌전한 맑은 자태 좋은 짝 삼았노라[4]

(北)方의 고은님이 (玉)樓의 계시ᄂᆞᆫᄃᆡ

궁궐의 고운 임은 옥루玉樓에 계시는데

玉ᄀᆞᆺᄐᆞᆫ 조흔양ᄌᆞ 하ᄂᆞᆯᄀᆞᆺᄐᆞᆫ 어진덕이

옥같이 고운 모습 하늘 같이 어진 덕이

곳ᄀᆞᆺ치 향긔롭고 ᄃᆞᆯᄀᆞᆺ치 두렷ᄒᆞᆫ말

꽃같이 향기롭고 달 같이 분명한 말

(엇)그제 잠간듯고 (ᄆᆞ)ᄋᆞᆷ의 걸려셔라

엊그제 잠깐 듣고 마음에 걸렸도다

---

1 중국 은나라 고보高宝의 어진 재상.

2 조갱은 국의 맛을 낸다는 뜻에서 국정 전반의 조화로운 처리에 비유함.

3 향급은 음식 제공.

4 《시경》, 국풍, 주남, 〈관저〉에 나오는 시.

삼ᄉᆡᆼ의 연분인가 ᄇᆡᆨ년을 뫼시과져
삼생[5]의 연분인가 평생을 모시고자
山河로 盟誓ᄒᆞ고 寤寐의 思服ᄒᆞ야
산천에 맹세하고 자나 깨나 생각하야
(轉)輾 反側ᄒᆞ니 (琴)瑟鍾鼓 어ᄂᆞ째오
전전輾轉 반측反側하니 부부 화락 어느 땐고[6]
宜家ᄒᆞᄂᆞᆫ 桃夭ㅇ ᄅᆞᆯ 標梅節의 을퍼시니
집안의 여인 혼기 지났음[7]을 노래하니
傾陽ᄒᆞᄂᆞᆫ 葵花忱(이) 相思子 되엿고야
해를 좇는 정성[8]으로 상사자相思子 되었구나
(景)星이 在東ᄒᆞᆯ제 (北)極을 ᄇᆞ라보니
별들이 비춰올 때 북극성을 바라보니
銀浦의 흘으ᄂᆞᆫ물 애ᄭᅳᆫᄂᆞᆫ 소ᄅᆡ로다
은하수 흐르는 물 애끓는 소리로다
어와 내일이(야) ᄉᆡᆼ각ᄒᆞ면 어리(석다)
어와 내 일이야 생각하니 어리석다
(壼)宮의 지극ᄒᆞᆫ德 (古)太妊과 今太姒오
왕비의 높은 덕 태임太妊과 태사太姒[9] 같고
三千宮 고은顔色 ᄀᆞᆺ〃시 仙女어ᄂᆞᆯ
삼천 궁녀 고운 얼굴 모두가 선녀 같은데
날ᄀᆞᆺᄐᆞᆫ 菲薄(女ᄅᆞᆯ) 도라나 보실넌(가)
나와 같은 못난 여자 돌아나 보실는가

---

5 삼생은 전생, 현생, 후생을 말함.
6 《시경》, 국풍, 주남, 〈관저〉에 나오는 시, 원문에는 종고낙지鍾鼓樂之임.
7 《시경》, 국풍, 주남, 〈도요〉에 나오는 시, 매실이 익어 떨어질 절기, 곧 혼기가 됨.
8 규화침은 태양을 동경하는 해바라기 같은 정성.
9 태임은 주나라 문왕의 어머니요, 태사는 문왕의 왕비.

(소)소은 혜염으로 (다)시음 ᄉᆡᆼ각ᄒᆞ니
쓸쓸히 헤아리며 다시금 생각하니
采葑 采菲예 下体ᄅᆞᆯ 보아쩐가
채봉采葑하고 채비采菲함[10]에 뿌리만 보았던가
色薄ᄒᆞᆫ 無藍女(야) 德이야 ᄂᆞᆺ돗던가
박색인 무람녀無藍女[11]가 덕마저 낮았던가
(公)孫后 깁픈忠誠 (顔)色으로 아니로다
공손후公孫后 깊은 충성 안색이 아니니라
내아모리 미쳔ᄒᆞᆫ들 님의은혜 져ᄇᆞ릴가
내 아무리 미천한들 임의 은혜 져버릴까
一生의 먹ᄂᆞᆫ거시 우리님의 밥이로다
평생 동안 먹는 것이 우리 임의 밥이로다
(一)生의 닙ᄂᆞᆫ거시 (우)리님의 옷시로다
일생 동안 입는 것이 우리 임의 옷이로다
하ᄂᆞᆯᄀᆞ튼 은덕을 涓埃나 갑프리라
하늘 같이 높은 은덕 조금이나[12] 갚으리라
갑플길 ᄉᆡᆼ각ᄒᆞ니 엇지ᄒᆞ야 도모ᄒᆞᆯ고
갚을 길 생각하니 어떻게 도모할까
(蓬)萊宮 깁픈소의 (만)날길 遙遠ᄒᆞ다
봉래궁 깊은 늪에 만날 길 멀고멀다
하고한 만긔즁의 宵衣ᄒᆞ고 旰食ᄒᆞ사
많고 많은 일 중[13]에 소의宵衣하고 간식旰食[14]하니

---

10 《시경》, 국풍, 패풍의 〈곡풍〉시에 나온 말, 봉과 비는 뿌리는 못 먹어도 잎은 쓸모 있으니 모두 버려서는 곤란하다는 말로 자신이 못 났지만 버리지 말아 달라는 하소연.

11 얼굴이 못난 여자.

12 연애는 아주 작은 것, 곧 물방울과 티끌.

氣候ᄂᆞᆫ 엇더시고 五色도 파려ᄒᆞᆯ샤

건강은 어떠신고 얼굴빛도 초췌하네

(忠)誠이 寒雅ᄯᆞᆯ아 (夕)陽日影 잠간띄니

정성은 까마귀 따라 석양 햇빛 잠깐 뜨니

ᄉᆞ랑ᄒᆞ온 겨울ᄒᆡ빗 ᄎᆞᆫ근심을 노겨낸다

사랑하는 겨울 햇빛 찬 근심 녹여낸다

東隣의 漆室女ᄅᆞᆯ 손쳐셔 불너와셔

이웃의 칠실녀漆室女[15] 손짓하여 불러 와서

(대)고리 엽페ᄭᅵ고 (미)나리 ᄏᆡ여내니

대바구니 옆에 끼고 미나리 캐어내어

ᄉᆞᆯ지고 연ᄒᆞᆫ마시 님의게 드리고져

살지고 연한 맛을 임에게 드리고자

밧들고 ᄇᆞ라보니 千里예 뉘젼ᄒᆞᆯ(고)

받들고 바라보니 멀리 계시니 누가 전하리

(싸고) 다시싸셔 (벼)마ᄐᆡ 노하두고

싸고 다시 싸서 베개 맡에 놓아두고

紗窓 지ᄂᆞᆫ(ᄃᆞᆯ의) 쳣ᄌᆞᆷ을 잠간드니

사창紗窓 지는 달에 첫잠을 잠깐 드니

蝴蝶(이) 青鳥되(여) 引導ᄒᆞ야 가고가니

나비가 청조青鳥[16]되어 인도해서 가고 가니

(玉)樓 놉픈곳의 (花)燭이 炫煌ᄒᆞᆫᄃᆡ

궁궐 높은 곳에 화촉이 찬란한데

---

13 만기萬機는 여러 가지 것과 일.

14 소의는 날이 밝기 전에 옷을 입음, 간식은 해진 뒤에 저녁밥을 먹음. 곧 침식을 잊고 나랏일에 열중함.

15 《열녀전》에 나오는 인물, 칠실우규, 곧 우국상인의 정이 강한 여인.

16 청조는 편지 또는 그 심부름꾼, 한무제와 서왕모 고사.

玉顔을 잠간열어 네로다 우으실식

옥안을 잠시 펴시어 너로구나 웃으시니

平生 ᄉᆡᆼ각던얼굴 츰일어 ᄒᆞ시던가

평생 그리던 얼굴이 정말 이러 하시던가

(精)誠을 (다)기우려 (말)ᄉᆞᆷ을 엿ᄌᆞ올제

정성을 기울여 말씀을 아뢰올제

心肝을 ᄊᆞ려내고 쌔아오로 다ᄀᆞᆯ아도

심간心肝을 떼어내고 뼈를 온통 다 갈아도

알픈쥴 젼혀몰나 무진무진 더ᄒᆞ도다

아픈 줄을 전혀 몰라 끝도 없이 더 하도다

(일)어ᄐᆞᆺ 깁픈정셩 (佳)約의 婉晩ᄒᆞ니

이렇게 깊은 정성 가약이 늦어가니

二八 青蛾眉가 半이나 愉色ᄒᆞᆫ다

이팔청춘 고운 눈썹 반쯤이나 시들었네

羅襦 玉珥에 香내가 漸〃젹다

비단 잠옷 옥침병에 향내가 점점 적으니

(ᄒᆞ)ᄆᆞᆯ며 셰모ᄒᆞᆯ제 (한)근심 더옥깁퓌

하물며 해 다할 때 많은 근심 더욱 깊어라

草木이 零落ᄒᆞᆫᄃᆡ 美人도 遲暮ᄒᆞᆯ샤

초목이 시드는데 미인도 늙어 가네[17]

盛年의 못만나고 歲暮後 서로본ᄃᆞᆯ

젊을 때 못 만나고 세모에 서로 본들

(가)ᄉᆞᆷ의 싸힌ᄆᆞᄋᆞᆷ (어)ᄂᆞ결의 다펼소냐

가슴속 쌓인 정을 어느 틈에 다 펼 것인가

---

17 지모는 《초사》의 〈이소〉에 나오는 말로 나이를 먹어감.

秋風이 漸〃ᄎᆞ니 닙으신 것 엇더ᄒᆞᆫ고
가을 바람 점점 차니 입으신 옷 어떠한고
이내눈 ᄇᆰ아신제 옷ᄉᆡ나 지어두쟈
이 내 눈 밝았을 때 옷이나 지어두자
(올)봄의 기ᄅᆞᆫ누에 (고)치ᄯᅡ 실ᄲᅧ내여
올 봄에 기른 누에 고치 따서 실을 내어
五色물 드린말이 我朱孔陽 더옥죠타
오색 물감 드렸더니 피륙 색깔[18] 더욱 좋다
필〃이 ᄭᅳᆫ허내(여) 五雲裳 지은(후의)
필필로 끊어내서 오색치마 지은 뒤에
(未)及禹 三寸腰의 (마)즐넌가 아닐넌가
세치도 못된 허리[19] 맞을런가 아닐런가
金箱의 너허두니 옷ᄒᆞᆫ갓 향긔롭다
금 상자에 넣어두니 옷이 정말 향기롭다
ᄀᆞ을밤 긴〃겨(울) ᄌᆞᆷ업시 ᄒᆞᆫ자누(어)
가을밤 긴긴 겨울 자지 않고 혼자 누워
(靑)灯을 겻ᄐᆡ두고 (帳幕)을 것은말이
푸른 등 곁에 두고 장막을 걷어내니
心懷도 潔淸ᄒᆞ고 혬가림도 하도할사
심회도 청결하고 헤아림이 많고 많아
다시곰 이러나셔 月下의 彷徨타가
다시금 일어나서 달빛 아래 거닐다가
(一)疊 謠徽琴을 (무릅)우희 빗기노코
한 첩 요휘금謠徽琴을 무릎 위에 빗겨 놓고

---

18 공양은 공단 종류, 피륙의 한 명칭.
19 우왕의 허리가 3촌에도 못 미쳤다 함. 작은 키를 형용.

長相思 ᄒᆞᆫ曲調ᄅᆞᆯ 羽調로 슬피ᄐᆞ니
장상사 한 곡조를 우조羽調로 슬피 타니
雙鳳이 넘노ᄂᆞᆫ듯 孤鶴이 우러녜ᄂᆞᆫ듯
쌍봉이 넘노는 듯 고학孤鶴이 울며가는 듯
(江)深 月高ᄒᆞ니 (한)울이 졈〃놉다
강은 깊고 달이 높아 하늘도 점점 높다
줄〃이 슬픈소ᄅᆡ 내心緖 일러낸다
줄줄마다 슬픈 소리 내 심정 말해준다
長風이 건듯부러 님계신ᄃᆡ 도라가면
장풍長風이 슬쩍 불어 임 계신 데 몰아가면
(三)更 벼개우희 (부)ᄃᆡ〃〃 늣기시리
한밤중 베개 위에 부디부디 느끼시리
답〃이 그리운제 하ᄂᆞᆯ을 ᄇᆞ라보니
답답하고 그리워서 하늘을 바라보니
너ᄅᆞ고 놉픈긔샹 이아니 님이신가
넓고도 높은 기상 이 아니 임이신가
(平)生에 仰望홈이 (진)실노 所天이라
평생에 우러름이 진실로 임인지라
두어라 天命과天時가 졍ᄒᆞᆫᄯᅢ 이시니
두어라 천명과 천시 정해져 있으니
秋塘의 晩芙蓉되여 守紅ᄒᆞ야 기ᄃᆞ리려 ᄒᆞ노(라)
추당秋塘에 부용되어 젊음[20]으로 기다리려하노라

※ 괄호 속의 글자는 판독하기 어려운 원전의 글을 유추하여 제시한 것임을 밝혀둔다. 참고문헌: 이상보의 《조선시대 시가의 연구》이다.

20 여인이 젊음을 지킴.

9. 경술가庚戌歌

① 작품명 : 경술가庚戌歌

② 작자명 : 유도관(柳道貫, 1741～1813)

③ 출전 : 《곤파유고崑坡遺稿》

④ 해제

〈경술가〉는 곤파崑坡 유도관이 나이 50세인 1790년에 지은 가사로, 정조正祖의 원자인 순조純祖의 탄생을 경축한 작품이다. 순조는 1790년 6월 18일 생으로 경술생庚戌生이다. 그의 모후는 청풍淸風 김시묵金時默의 따님인 효의왕후孝懿王后로 되어 있으나 생모는 수빈박씨綏嬪朴氏이다. 순조가 탄생한 해의 육갑이 공자 또는 주자 등과 같은 경술년이므로 유도관이 이 우연을 기이하게 여기고 송축하여 〈경술가〉를 지었다.

이는 총 77행 155구로서 서사·본사·결사 등의 3단 구성을 취하였다. 본사는 다시 기·승·전·결의 전개로 되어 있어 노래의 전체 내용은 담양권 대부분의 가사 형식 구조인 6단락의 짜임새이다.

⑤ 원문과 현대역

天地 삼기실졔 運氣임의 열어시니
천지가 생길 때에 운기 이미 열었으니
聖人이 나실져긔 運氣엇지 허ᄉᆡ리오
성인이 나실 때에 운기 어찌 허사리오

天開 於子ᄒᆞ시고 地闢 於丑ᄒᆞ시고

하늘은 자시에 열리고 땅은 축시에 열리는데

사ᄅᆞᆷ이 그직자로 寅會예 삼겨시니

사람은 다음으로[1] 인시에 태어나니

子丑寅 三奇會ᄂᆞᆫ 萬古에 第一이요

자축인 세 때는 만고에 제일이라

그후 죠흔運氣 어ᄂᆞ히 어ᄂᆞ히오

그후 좋은 운기는 어느 해 어느 해인가

堯님금 甲申年과 舜님금 甲子年과

요임금 갑신년과 순임금 갑자년과

禹湯의 甲辰戊辰 文王武王 壬寅癸丑

우왕 탕왕 갑진 무진 문왕 무왕 임인 계축

이런聖人 내시랴매 이런泰運 여러셔라

이런 성인 내시려고 이런 큰 기운 열었다네

그후 엇던히예 엇던聖人 내시건고

그 후에는 어떤 해에 어떤 성인 나신 건가

叔梁紇 至極ᄒᆞᆫ德 顔氏女로 ᄒᆞᆷ긔ᄒᆞ야

숙량흘 지극한 덕 안징재[2]와 함께 하여

尼丘山 놉푼峰에 聖人 비ᄅᆞ시니

이구산의 높은 봉에 성인[3] 탄생 비시니

天地 感動ᄒᆞ고 日月이 昭格ᄒᆞ샤

천지가 감동하고 일월이 바르게 떠서

---

1 그 직자로는 그 직차로 곧 그 다음으로.

2 숙량흘은 공자 부친, 안징재는 모친임.

3 여기서는 공자.

萬古 大聖人을 보야흐로 내시랴매

만고의 대성인을 바야흐로 내시므로

六十 甲子中에 凡他年運 다ᄇᆞ리고

육십 갑자 중에 다른 해 운 다 버리고

庚金이 소ᄅᆡᄒᆞ니 玉振ᄒᆞᆯ 징죄로다

경금庚金이 소리내니 옥진玉振할 징조로다[4]

戌土가 寄旺ᄒᆞ야 四行을 거ᄂᆞ리니

술토戌土[5]가 왕성하여 사행四行을 거느리니

이ᄒᆡ가 즁에죠타 吾夫子ᄅᆞᆯ 내여시니

이 해가 그 중 좋다 우리 부자[6] 내셨으니

生而知 큰道德이 天地로 ᄀᆞᆯ와셔라

생이지지[7] 큰 도덕이 천지와 같으셨다

祖舜 宗堯ᄒᆞ야 道統을 이으시고

요순을 조종 삼아 도통을 이으시고

秋陽曝 江漢濯에 浩〃乎 不可尙을

볕 쪼이고 물에 빠니 희고 희어 최상이라[8]

夕陽 乾坤에 吾道로 ᄇᆞᆰ켜시니

석양 천지에 우리 도를 밝혔으니

이아니 大聖인가 萬古의 第一이다

이 아니 대성인가 만고에 제일이라

---

4 연주할 때 종을 친 뒤에 옥을 울림, 곧 대 합주의 조화로움.

5 술은 오행 상, 토에 해당하여 술토라 함.

6 부자는 공자.

7 생이지지는 태어나면서 천문지리의 원리를 다 알아버림.

8 증자가 공자의 탁월한 덕행을 한수에 빨아서 가을볕에 말린 것처럼 희고 희어서 더 보탤 것이 없다고 했음.

그후 寂寞ᄒᆞ야 몃千年 지내건고

그 후 적막하야 몇 천 년 지냈는가

五季 風雨夜의 晦盲否塞 오래더니

말세[9]의 비바람에 운 막힌 지 오래더니

循環ᄒᆞᆫ 하ᄂᆞᆯ運數 無往不復 올흔말이

돌고 도는 하늘 운수 무왕불복[10] 옳은 말이네

建炎中 庚戌年에 朱夫子를 ᄯᅩ내시니

건염建炎의[11] 경술년에 주자를 또 내시니

海濶天高 큰道德과 泰山喬岳 노푼氣像

바다 같은 큰 도덕과 태산 같은 높은 기상

繼往 開來ᄒᆞ야 吾道를 븟잡어셔

과거 잇고 미래 여는 우리 도를 붙잡아서

漫〃ᄒᆞᆫ 밤즁세상 촉불잡어 ᄇᆰ키시니

길고 긴 어둔 세상 촛불 잡아 밝히시니

世遠 人亡ᄒᆞᆫᄃᆡ 再作聖道 다힝이오

세월 지나 망했는데 유학의 도 다시 일어 다행이오

ᄯᅩ다시 庚戌年이 더옥아니 신이ᄒᆞᆫ가

또 다시 경술년[12]이 더욱 아니 신기한가

我東方 禮義國을 하ᄂᆞᆯ도 알으실ᄉᆡ

우리 동방 예의국을 하늘도 아시므로

聖賢君 作興홈이 太祖부터 몃〃代오

성자 현군 일어남이 태조부터 몇 대인가

---

9 오계는 후량·후당·후진·후한·후주 등의 말엽.

10 무왕불복은 가는 것은 돌아오지 않은 것이 없다는 말.

11 건염중은 남송 고종 건염 4년 1130년에 주자가 태어났음을 지칭.

12 1790년 정조의 원자 순조가 태어난 해가 다시 경술년임.

聖子神孫 繼〃ᄒᆞ야 殿下ᄭᆞ지 미쳐시니
성자 신손 계속되어 전하까지 미치시니
이압 萬〃世ᄅᆞᆯ 손곱아 긔약ᄒᆞᆯᄉᆡ
이 앞으로 만만세를 손꼽아 기약할세
고이ᄒᆞᆯ선 우리聖上 嗣續이 더ᄃᆡ계샤
괴이하네 우리 성상 후손이 늦게 있어
璿甲은 漸〃놉고 春宮이 오래뷔니
성상 춘추 점점 높고 세자궁이 오래 비니
柒室에 깁픈근심 天心만 ᄇᆞ라더니
내전의 깊은 근심 천심만 바라더니
秋七月 갠날비셰 죠흔윤음 밧든말이
가을 칠월 갠 날에 좋은 말씀 받으시니
얼시고 우리聖上 元子가 나시도다
얼씨구 우리 성상 원자를 나시도다
鳳曆을 펴셔노코 今年이 무ᄉᆞᆫᄒᆡ뇨
달력을 펼쳐 놓고 금년이 무슨 해인가
얼시고 신이ᄒᆞ다 셰번채 庚戌이다
얼씨구 신기하다 세 번째 경술이다
이젼의 두 번庚戌 證驗이 ᄇᆰ아시니
이전에 두 번 경술 증험이 밝았으니
우리元子 이庚戌이 더옥아니 미더운가
우리 원자 이 경술이 더욱 아니 미더운가
黃河水 ᄆᆰ다더니 鳳凰鳥 이르도다
황하수 맑다더니 봉황새가 이르렀네
三十九年 이른말이 童謠도 마즐시고
삼십구 년 하신 말씀 동요도 맞는구나

그ᄉᆞ이 하고한ᄒᆡ 聖運이 아니런가

그동안 많은 해에 성인 운수 아니던가

漢太祖 光武皇帝 甲寅年 丙辰年과

한 태조 광무 황제 갑인년 병진년과

唐太宗 宋太祖의 丁巳年 丁亥年이

당 태종 송 태조의 정사년 정해년이

조키야 죠커니와 이젼증험 아니로다

좋기는 좋거니와 이전 증험 아니로다

冥冥ᄒᆞᆫ 하ᄂᆞᆯ쯧이 짐즛올흘 기ᄃᆞ려셔

어두운 하늘 뜻이 짐짓 금년을 기다려서

孔朱夫子 ᄀᆞᄐᆞᆫ德을 花甲에 내시도다

공자 주자 같은 덕을 회갑 때 내시도다

二龍五老 옛祥瑞가 宙庭彩虹 ᄢᅦ쳐셧고

공자 날 때 옛 상서가 오색 무지개 관통했고[13]

慶雲景星 남은긔운 大國瑞氣 ᄲᅦᆺ쳐셔라

서운[14] 서성 남은 기운 대국 서기 뻗쳤도다

龍鳳姿 天日表가 海口河目 ᄀᆞᄐᆞ신가

용봉 자태 천일표[15]가 성현 모습 아니신가

八彩眉 重瞳目이 荷珠敎雨 ᄯᅴ여ᄂᆞᆫ가

팔채미[16] 두 눈동자[17] 연잎 이슬 띄었는가

---

13 〈습유기〉에 공자가 태어날 때 두 마리 용과 다섯별 기운이 노인으로 변해서 나타났다 함.

14 경운은 서운瑞雲과 같음. 상서로운 구름.

15 천일표는 사해四海에 군림할 상.

16 팔채미는 여덟 가지 채색을 가진 눈썹.

17 중동목은 한 눈에 눈동자가 둘인 모습.

얼시고 우리元子 졀시고 庚戌이쇠

얼씨구 우리 원자 절씨구 경술일세

孔氏朱氏 두聖人이 친히안어 보내도다

공자 주자 두 성인이 친히 안아서 보냈도다

그러나 孔朱夫子 그러ᄒᆞᆫ 道德으로

그러나 공자 주자 그러한 도덕으로

君師位 못어더셔 以行政敎 못ᄒᆞ시고

임금 자리 못 얻어서 정치를 못 하시고

棲遑ᄒᆞᆫ 木鐸이요 遇遯ᄒᆞ신 身世시다

살 곳 없던 지도자요 떠도는 신세셨다[18]

天心이 嗟惜ᄒᆞ샤 王者의게 부러내여

천심이 한탄하여 왕자를 불러내어

이젼에 못行ᄒᆞᆫ道 東國에 行케ᄒᆞ고

이전에 못 행한 도 동국에서 행케 하고

이젼에 못편敎化 八路에 펴게홈이

이전에 못 편 교화 팔도에 펴게 함이

이아니 젹실ᄒᆞᆫ가 天意ᄅᆞᆯ 알니로다

이 아니 적실한가 하늘 뜻을 알리로다

玉体 언졔ᄌᆞ라 聖學이 셩취ᄒᆞ야

옥체는 언제 자라 성인 학문 성취하여

孔夫子 孝經論語 朱夫子 封事大全

공부자의 효경 논어 주부자의 봉사 대전[19]

날마다 읽고외와 心法을 体得ᄒᆞ야

날마다 읽고 외워 마음씨를 터득하여

---

18 서황한은 떠돌아다님, 우둔함은 피하여 다님의 뜻.

19 봉사대전은 《주자대전》.

堯舜 되어안자 憲章文物 ᄒᆞ시샤
요순 같은 임금 되어 규범 제도 베푸시어
東土 八路ᄅᆞᆯ 春台壽域 ᄆᆞᆫᄃᆞ시고
이 나라 팔도마다 춘대 수역 만드시고
平天下 큰德ᄭᆞ지 다시아니 볼게이고
천하 평정 큰 덕까지 다시 아니 볼 것인가
집〃마다 어린童子 小學大學 닑ᄂᆞᆫ소ᄅᆡ
집집마다 어린이들 소학 대학 읽는 소리
來頭에 協贊ᄒᆞ야 吁咈陶喩 긔약ᄒᆞ고
이제부터 협찬하여 훈도 개유[20] 기약하고
거리거리 늘근ᄇᆡᆨ셩 흙덩이ᄅᆞᆯ 어러ᄆᆞᆫ쳐
거리거리 늙은 백성 흙덩이를 미리 만져
져근ᄃᆞᆺ 康衢月에 擊壤歌 부르리라
잠깐 동안 태평한 때 격앙가를 부르리라
우리도 昌平셔 사오매 魯昌平
우리도 창평에서 살아가니 노나라 창평이니
옛敎化ᄅᆞᆯ 다시 입어볼가 ᄒᆞ노라
옛 교화를 다시 입어볼까 하노라

20 우불은 아차, 틀렸구나 하고 내는 소리, 훈도는 가르침, 개유는 고치고 깨우침.

10. 향음주례가鄕飮酒禮歌

① 작품명 : 향음주례가鄕飮酒禮歌

② 작자명 : 남극엽(南極曄, 1736~1804)

③ 출전 : 《애경당언행록愛景堂言行錄》

④ 해제

〈향음주례가〉는 〈충효가(忠孝歌)〉와 함께 《애경당언행록》 권5에 실려 전한다. 이는 4음량 4음보격의 가사로 정조 21년(1797)에 애경당愛景堂 남극엽이 나이 62세 때 향음주례에 참예하고서 제작하였다. 47행 93구의 비교적 짧은 가사로, 《애경당언행록》에 제작 경위와 배경이 소상하게 밝혀져 있다. 사대부가 향리에 살면서 고장의 미풍양속을 체험하고 그 감회를 억누를 수 없어 흥분하여 읊은 것으로, 이를 읽고 보면 신명 나는 노래 한 곡을 부른 기분을 느낄 수 있다. 물론 사대부 시각에서 읊은 노래인 만큼 모든 공을 임금의 덕으로 돌리고 있는 등 사실성보다는 관념적 사고가 지나치게 크게 반영, 작용하고 있다는 한계를 지녔지만, 그럼에도 불구하고 작품의 전반적인 정서는 전원적이며 토속적인 가풍을 느끼게 한다.

이 가사의 작자인 남극엽은 기묘명인己卯名人으로 이름난 지족당知足堂 남곤南袞의 후손으로, 넷째 아들 석하碩夏와 더불어 18세기 말 호남의 가사 문단을 화려하게 수놓은 가사 시인이다. 그는 〈향음주례가〉와 〈충효가〉 등 가사 작품 이외에도 〈애경당십이월가愛景堂十二月歌〉라는 월령체 시조 12수는 물론 주옥같은 한시문을 다수 남기는 등 호남 시가에서 빼놓을 수 없는 족적을 남긴 인물로 평가된다.

⑤ 원문과 현대역

粒我蒸民 들어서라 내놀내 들어ᄉᆞ라
이봐 백성[1] 들어서라 내 노래 들어보소
내놀내 조ᄒᆞᆫ말ᄉᆞᆷ 뉘덕의 조왓ᄂᆞᆫ고
내 노래 좋은 말씀 누구 덕에 좋았는가
康衢烟月 太平世에 唐虞堯舜 어ᄂᆡ째요
강구연월 태평세에 당우 요순 어느 때요
걸리아ᄒᆡ 들늘근이 다각〃 들겨ᄒᆞᆫ다
거리 아이 늙은이들 다 각각 즐겨한다
箕子朝鮮 千年國의 至今ᄀᆞ지 禮樂이다
기자 조선 천 년 국은 지금까지 예악이라
우리聖上 卽位ᄒᆞᆫ후 二十年 治國이라
우리 성상 즉위한 후 이십 년 치국[2]이라
王政의 治不治ᄂᆞᆫ 들을보면 잇ᄂᆞᆫ리라
왕정의 잘잘못은 들녘 보면 있느니라
들브아 모ᄋᆞ더든 風俗보면 아ᄂᆞᆫ이라
들 보아 모르거든 풍속 보면 아느니라
溫潤ᄒᆞ신 십항윤음 어ᄂᆡᄒᆡ에 업스실가
온화하신 임금 말씀[3] 어느 해에 없으실까
덕교을 ᄆᆞ저ᄒᆞ며 萬民을 慈愛ᄒᆞ샤
덕교를 맞이하며 만민을 사랑하여

1 입아는 이봐, 증민은 백성을 뜻함.
2 정조가 즉위한 지 20년 되던 1796년을 말함.
3 임금의 글을 십항, 임금의 말을 윤음이라 함.

停退ᄒᆞ며 代捧ᄒᆞᆯ제 凶年을 몰나닛고

정퇴停退[4]하며 대봉代俸할 때 흉년을 몰라 있고

賑恤ᄒᆞ여 사ᄋᆞ신이 樂歲을 로래ᄒᆞᆫ다

진휼하여 베푸시니 풍년을 노래한다

甲寅乙卯 어ᄂᆡᄒᆡ요 우리나라 聖年이라

갑인 을묘 어느 해요 우리나라 성년이라

至孝의 나문ᄉᆡᆼ각 老人을 권고ᄒᆞ샤

지효에 남은 생각 노인을 권고하여

鄕飮酒 이실졀의 春臺日月 도아왓다

향음주 이 시절에 과거 시절[5] 돌아 왔다

三綱을 ᄇᆞᆯ키시야 大義을 뉘몰ᄋᆞ야

삼강을 밝히시니 대의를 누가 모르랴

五倫을 ᄎᆞ례ᄒᆞ이 燦然ᄒᆞᆫ 文物이다

오륜을 차례로 가르치니 찬연한 문물이다

ᄒᆞᆫ잔먹고 百拜ᄒᆞ이 賓主은 禮을알고

한 잔 먹고 백 배하니 빈주[6]는 예를 알고

ᄆᆞᆫ저ᄒᆞ며 뒤에ᄒᆞ이 長幼은 法이닛다

먼저 하며 뒤에 하니 장유는 법이 있다

昭〃ᄒᆞᆫ 白髮老人 즐〃이 둘러안져

빛나는[7] 백발 노인 줄줄이 둘러앉아

德音을 하녜ᄒᆞ며 德教을 밧들적ᄋᆡ

좋은 말씀 하례하며 좋은 교훈 받들 적에

---

4 정퇴는 기한을 뒤로 연장해줌. 대봉은 꾸어준 금품이나 물건 대신에 다른 것으로 받음.

5 창경궁 춘당대에서 과거를 보던 때.

6 빈주는 주인과 손님.

7 머리 빛이 밝음 곧 백발이 무성함.

農民을 위노ᄒᆞ야 諄〃이 일ᄋᆞᆫ말ᄉᆞᆷ
농민을 위로하여 곡진히 하는 말씀
네부ᄃᆡ 힘을섯셔 農事을 근간ᄒᆞ면
네 부디 힘을 써서 농사를 힘써 하면
三夏의 괴오으ᄃᆡ 八月의 神仙이라
석 달 여름 괴로우나 팔월에는 신선된다
春酒을 몬져빗혀 父母게 헌수ᄒᆞᆯ졔
봄술을 먼저 빚어 부모께 헌수할 때
어린ᄌᆞ식 ᄇᆡ부ᄋᆞ고 병든아ᄒᆡ 소복ᄒᆞᆫ다
어린 자식 배부르고 병든 아이 소복한다
衣食이 족ᄒᆞᆫ후의 禮節을 졀로알어
의식이 족한 후면 예절을 절로 알아
兄弟에 友愛ᄒᆞ고 親戚에 敦睦ᄒᆞ야
형제에 우애하고 친척에 돈목하여
歲時伏臘 조흔ᄶᅢ예 烹羊炰羔 비즌술을
세시 복랍 좋은 때[8]에 팽양 포고烹羊炰羔[9] 빚은 술을
헌오쇼 아히오쇼 醉치말면 가지마소
형 오소 아우 오소 안 취하면 가지 마소
어졔날 ᄭᅳᆫ는ᄇᆡ을 賦稅을 밧처시이
어제 낮에 추수한 벼 세금으로 바쳤으니
그남은 싸ᄋᆞᆫ곡식 먹기야 념여ᄒᆞᆯ야
그 남은 쌓은 곡식 식량이야 염려할까
보리마당 치ᄂᆞᆫ술ᄋᆡ 昇平소쇼 여긔닛다
보리 마당 치는 소리 태평 통소[10] 여기 있다

---

8 여름의 복날, 겨울의 추운 날.
9 양을 삶고 구운 요리.

子弟아 閑暇ᄒᆞᆫ날 무슨글열 ᄆᆞ져ᄒᆞᆯ고

자제들아 한가한 날 무슨 글을 먼저 읽을까

小學의 실ᄋᆞᆫ말ᄉᆞᆷ 사ᄋᆞᆷ의 樣子로다

소학에 실린 말씀 사람의 본보기라

일을보고 일을ᄒᆞ면 오니ᄂᆞᆫ이 行實이요

일을 보고 일을 하면 오는 것이 행실이요

듣ᄂᆞᆫ이 行實이라 우리날라 우리임굼

듣는 것이 행실이라 우리나라 우리 임금

이글을 ᄆᆞ져ᄒᆞ샤 宮幃에 法니일고

이 글을 먼저 하야 집안[11]에 법이 일고

朝野에 化히흘려 이날 이잔지에

조야[12]에 교화 흘러 이 날 이 잔치에

醉ᄒᆞᆫ것도 성은이요 부은것도 셩은이라

취한 것도 성은이요 따른 술도 성은이라

비ᄂᆡ이다 비ᄂᆡ이다 우리셩언 비ᄂᆡ이다

비나이다 비나이다 우리 성은 비나이다

南山ᄀᆞ치 놉고놉고 北斗ᄀᆞ지 오래오래

남산처럼 높고 높고 북두처럼 오래 오래

溱獜ᄀᆞ치 진〃ᄒᆞ며 螽斯ᄀᆞ치 션〃ᄒᆞ여

기린[13]처럼 나타나며 베짱이처럼 수가 많아

나ᄂᆞᆫ이 聖人이요 닛ᄂᆞᆫ이 聖人이라

낳는 이 성인이요 잇는 이 성인이라

---

10 소소는 퉁소 소리.

11 궁위는 왕궁이나 집안.

12 조야는 조정이나 일반 백성의 삶터.

13 기린은 기린진진麒麟溱溱 곧 상서로운 동물들이 많이 나타남의 비유.

아마도 이잔치 이노래을 쳔셰만셰

아마도 이 잔치 이 노래를 천세 만세

히〃마다 노래ᄒᆞ여 비로이다

해마다 노래하길 비나이다

우이셩인 비로이다

우리 성인 비나이다

11. 충효가忠孝歌

① 작품명 : 충효가忠孝歌

② 작자명 : 남극엽(南極曄, 1736～1804)

③ 출전 : 《애경당언행록愛景堂言行錄》

④ 해제

〈충효가〉는 〈향음주례가〉와 함께 《애경당언행록》의 권8에 실려 전한다. 이는 4음량 4음보 격의 50행 100구로 된 가사로, 순조 3년(1803)에 애경당愛景堂 남극엽이 지은 가사이다. 제작 의도는 조상들의 충효 사적을 찬양하기 위한 것으로 판단된다. 남극엽의 아들 추담秋潭 남석하南碩夏의 문집인 《추담유고秋潭遺稿》에서는 〈애경당충효가愛景堂忠孝歌〉라 하여 남석하의 작품처럼 필사되어 있다. 그러나 이를 《애경당언행록》에 실린 것과 비교해 보면 아들인 추담이 아버지의 작품인 〈충효가〉를 아버지의 호와 곁들여 〈애경당충효가〉란 제목으로 필사한 것임을 확신할 수 있다. 남극엽은 석우碩宇·석관碩寬·석해碩海·석하碩夏 등의 네 아들을 두었다. 막내아들 석하는 아버지의 뒤를 이어 〈초당춘수곡〉·〈사친곡〉·〈원유가〉·〈백발가〉 등의 가사를 지어 19세기 호남 가사 문단의 대미를 화려하게 장식하였다.

⑤ 원문과 현대역

天地玄黃 상긴후의 萬古歷代 되단말가
천지 현황天地玄黃 생긴 후에 오랜 역사 되었구나[1]
日月은 有情ᄒᆞ야 四時을 맛더잇고
일월은 정이 있어 사시를 맡아 있고
山川은 無窮ᄒᆞ야 九州을 버려잇다
산천은 끝이 없어 천지에 벌여 있다
混沌ᄒᆞᆫ 太古時을 歷〃키 ᄇᆞ라보이
혼돈한 태고적을 하나하나 바라보니
地皇의 닥근터의 有巢氏 깁을기여
지황씨의 닦은 터에 유소씨[2] 집을 지어
唐虞 堯舜聖이 天下을 治平ᄒᆞᆯ제
당우 요순 성인이 천하를 다스릴 때
春臺烟月 壽域안의 康衢擊壤 로래로다
춘대 연월 수역 안에 강구 격양康衢擊壤 노래로다[3]
天運이 循環ᄒᆞ야 往〃 이 聖作ᄒᆞ니
천운이 순환하여 예로부터 성인 나니
夏商周 三代時ᄂᆞᆫ 禮樂文物 彬〃ᄒᆞ다
하상주夏商周 삼대 때는 예악 문물 무성하다
伊尹의 忠良으로 成湯의 阿衡되고
이윤伊尹의 충량忠良으로 성탕成湯의 아형阿衡[4]되고

---

1 만고역대는 오랜 역사가 이어짐의 뜻.
2 유소씨는 사람들에게 집 짓는 법을 가르쳐줌.
3 요임금이 강구에 갔는데 백성들이 배가 불러 땅을 치며 장단 맞춰 노래하고 있었음. 태평성대.
4 아형은 모든 살림을 책임진 자리 곧 지금의 국무총리 격.

周公의 聖德으로 成王의 冢宰로다

주공의 성덕으로 성왕의 총재冢宰[5]로다

周平王 十六年의 天縱大聖 ᄒᆞ단말가

주 평왕 십육 년에 공자 탄생 하였는가

昌平縣 闕里村의 宮墻을 노피녀려

창평현 선비 고을 담장을 높이 열어

洪鍾으로 베픈禮樂 木鐸으로 行ᄒᆞᆫ道德

큰 종으로 베푼 예악 목탁으로 행한 도덕

문로라 몃千年의 至今ᄭᆞ지 絃誦ᄒᆞ이

묻노라 몇 천 년에 지금까지 학문[6]하니

靑邱의 小中華ᄂᆞᆫ 鄒魯鄕의 遺風이다

청구[7]의 소중화는 학자 고향 유풍이다

檀君箕子 지낸후의 百濟高麗 되단말가

단군 기자 지낸 후에 백제 고려 되었고

漢陽都 朝鮮國은 繼〃承〃 聖王이다

한양 도읍 조선국은 계속해서 성왕 났다

源〃ᄒᆞᆯ샤 國運니아 山岳ᄀᆞ티 無疆ᄒᆞ이

끊임없는 국운이야 산악같이 끝없으니

人皇山 저ᄆᆡ우의 盛ᄒᆞᆯ시고 외얏나모

인황산 저 산 위에 성하도다 이 씨 조선[8]

五百年 ᄒᆞᆫᄲᅮ리의 가지가지 春光이라

오백 년 한 뿌리에 가지가지 봄빛이라[9]

---

5 총재 역시 아형과 같은 말로 모든 살림살이를 총괄, 책임진 자리.

6 현송은 악기를 퉁기며 노래하고 책을 소리 내어 읽는다는 뜻에서 곧 학교 교육.

7 청구는 우리나라.

8 이성계의 성이 이 씨이므로 오얏 李라 함.

9 춘광은 새싹, 희망 등.

億萬長安 都城안의 文蔭世族 몃집인가

억만 장안 도성 안에 문음文蔭[10] 세족 몇 집인가

公侯將相 조컨이와 忠臣烈士 貴홀시고

공후 장상 좋거니와 충신열사도 귀하도다

太平혼 니時節의 古今을 參論ᄒᆞ이

태평한 이 시절에 고금을 살펴보니

太祖의 龍興홀제 不事二君 ᄒᆞ쟈ᄒᆞ고

태조가 용흥할[11] 때 불사이군 하자 하고

紺岳山 石窟中의 被髮ᄒᆞ고 누은忠節

감악산 석굴 속에 머리 풀고 누운 충절

伯夷의 淸風으로 沙川伯의 다시보니

백이의 맑은 인품 사천백[12]에 다시 보니

愧君猶食 首陽薇눈 百世의 有光이다

부끄럽던 수양미[13]는 백 세의 빛남이라

孫枝가 漸長ᄒᆞ야 名賢이 踵武ᄒᆞ니

손자가 점점 자라 명현이 뒤이으니

己卯 士禍中의 明哲保身 ᄒᆞ쟈ᄒᆞ고

기묘사화 중의 명철보신 하자 하고

四十年 直提學을 일음으로 거러두고

사십 년 직제학을 이름으로 걸어 두고

---

10 문과에 합격하여 벼슬한 집안.

11 용흥은 나라를 세움.

12 사천백은 의령남씨 사천백파의 시조.

13 백이와 숙제가 주나라가 부끄럽다며 수양산에 들어가 고사리를 캐 먹으며 은거했는데, 그 고사리 또한 주나라 것이 아니냐며 되레 백이와 숙제의 행위를 부끄럽게 여겼다는 말.

八道의 名勝地을 脚下의 볼분후의

팔도의 명승지를 발밑에 밟은 후에

靑盲으로 病을삼어 知止로 號을ᄒᆞ야

청맹靑盲[14]으로 병을 삼아 지지知止[15]로 호를 하여

時淸ᄒᆞ이 眼亦淸ᄋᆞᆫ 氷玉의 志操로다

시절 좋아 눈 맑음은 부자간의 지조로다

져려ᄐᆞ시 노픈道德 이러ᄐᆞ시 볼근學業

저렇듯이 높은 도덕 이렇듯이 밝은 학업

鴟鴞의 ᄂᆞ래ᄒᆞᆯ제 鸞鳳이 ᄌᆞ옴ᄀᆞᆺ고

올빼미[16] 노래할 때 난봉[17]의 졸음 같고

雲雨가 濛〃ᄒᆞᆯ제 日月이 볼금ᄀᆞᆺ다

운우雲雨가 흐릿할 때 일월의 밝음 같다

忠節의 남은先訓 誠孝의 잇거고나

충절의 남은 선훈 성효에 있었구나

功名을 사직ᄒᆞ고 父母을 奉養ᄒᆞᆯ제

공명을 사직하고 부모를 봉양할 때

格天의 至孝로ᄂᆞᆫ 省齋公의 하나로다

격천格天의 지효로는 성재공[18]과 한가지라

親癠의 嘗糞ᄒᆞ며 親喪의 泣血ᄒᆞ이

친제親癠에 똥 맛 보며[19] 친상에 피를 토해

---

14 청맹은 청맹과니 곧 눈이 있으나 보지 못하는 눈, 세속에 무관심함.

15 지지당 의령남씨 곧 직제학을 지낸 남포 선생을 말함.

16 치효는 간악한 사람.

17 난봉은 영준한 선비.

18 여기서는 의령남씨 성재공 곧 남극엽의 증조부 남몽구.

19 《예기》에 친제상분 곧 어버이가 편찮으실 땐 똥을 맛보아 처방을 구한다 함.

無心이 ᄂᆞᆫᄭᅯᆼ이 절로와 祭需되고
무심히 나는 꿩이 절로와 제수되고
牛盜의 至愚ᄒᆞ미 化ᄒᆞ야 良民되이
소도둑 어리석음 변하여 양민되니
王祥의 躍鯉로도 이와엇지 달ᄋᆞᆯ쇠며
왕상의 잉어 고사[20] 이와 어찌 다를쏘며
孟宗의 泣筍이ᄃᆞᆯ 이와누긔 다ᄅᆞᆯ쉰가
맹종의 죽순 고사[21] 누가 이와 다를쏜가
朴巡相의 狀聞이며 元御史의 褒啓ᄒᆞ미
박순상朴巡相[22] 장문狀聞[23]이며 원어사元御史 포계褒啓하니[24]
至今ᄭᆞ지 百世後의 子孫의 遺業이다
지금까지 백세 후에 자손의 유업이다
그나문 忠孝르야 엇지다 의논ᄒᆞ랴
그남은 충효야 어찌 다 의논 하랴
不肖ᄒᆞᆫ 後裔되여 乃祖高風 ᄉᆡᆼ각ᄒᆞ니
불초한 후예되어 선조 유풍 생각하니
忠孝의 繼襲ᄒᆞᆷ을 千萬代나 보래노라
충효가 계속되길 천만대나 바라노라

20 왕상의 계모가 겨울에 생선을 먹고 싶어 하자 얼음 위에 누워서 얼음을 녹여 잉어를 잡아다 드렸다는 고사.

21 맹종이 어머니가 좋아하는 죽순을 한겨울에 구하여 드린 고사.

22 당시 전라감사 박우원을 지칭한 듯.

23 주인공의 효성 사실을 갖추어 써서 임금께 알린 글.

24 성재 남몽구의 효성을 기리어 알린 호남 별건 어사 원경하를 지칭한 듯.

12. 초당춘수곡草堂春睡曲

① 작품명 : 초당춘수곡草堂春睡曲

② 작자명 : 남석하(南碩夏, 1773~1853)

③ 출처 : 《추담유고秋潭遺稿》

④ 해제

〈초당춘수곡〉은 조선 후기 추담秋潭 남석하가 지은 4음량 4음보 격의 가사로서 총 172구의 중편이다. 가사의 제목이 시사하는 바와 같이 초가집에서 봄날에 낮잠을 자다가 일어나 상춘한 사연과 그에 따른 회포를 해박한 지식을 곁들여 진솔하면서도 핍진하게 그려낸 작품이다. 악양루·황강루 등 중국의 누정과 그와 관련된 승경 놀이를 끌어들여 봄날 자신의 고향에서 맛보는 상춘의 멋을 한껏 부풀려 놓은 점이 눈에 띈다. 내용상의 유형으로는 은일가사隱逸歌辭에 속한다. 이 〈초당춘수곡〉은 〈백발가〉·〈사친가〉·〈원유가〉 등과 함께 남석하의 수택본手澤本이다. 결실된 부분이 있어 안타깝다.

⑤ 원문과 현대역

草堂 느즛날의 지피든줌 계우ᄭᅵ여
초당 늦은 날에 깊이 든 잠 겨우 깨어
竹窓을 밧비열고 小庭의 彷徨ᄒᆞ니
대창문을 급히 열고 작은 뜰에 방황하니
시내우의 버들입은 春風을 몬저어더
시내 위의 버들잎은 봄바람을 먼저 얻어

渭城 아춤비의 遠客의 愁心이요

위성 땅 아침 비[1]에 원객의 근심이라

숩풀알ᄋᆡ 布穀새ᄂᆞᆫ 節序를 몬져알어

수풀 아래 뻐꾹새[2]는 계절을 먼저 알아

康衢烟月 郊의ᄂᆞᆫ 農夫를 ᄌᆡ촉ᄒᆞᆫ다

태평세월 들일에는 농부를 재촉한다

어자 내일이야 ᄌᆞᆷ을ᄭᆡ여 ᄉᆡᆼ각ᄒᆞ니

아아 내일이야 잠을 깨어 생각하니

世上의 一萬일이 다쓸어 虛浪ᄒᆞ다

세상의 모든 일이 모두가 허랑하다

功名의 ᄯᆡ가느져 白髮이 双鬢이요

공명이 때가 늦어 백발은 귀밑이요

産業의 ᄯᆡ가업서 白屋이 數間이라

산업에 꾀가 없어 초가집 몇 칸이라

百花酒 二三盃의 山水의 情이들어

백화주 두세 잔이면 산수에 정이 드네

紅桃碧桃 爛發ᄒᆞᆫᄃᆡ 青藜緩步 들어가니

홍도 벽도 난발한데 지팡이 짚고 들어가니

山은疊〃 奇峰이요 물은清〃 麗水로다

산은 첩첩 봉우리 신기하고 물은 청청 깨끗하다

안ᄀᆡ거더 구름된니 楚山秦山 多白雲이요

안개 걷어 구름 되니 남산 서산 백운이요

구룸거텨 안ᄀᆡ된이 稽山罷霧 杳嵯峨라

구름 걷혀 안개 되니 계산 안개[3] 봉이 높다

1 왕유의 〈송원이사안서〉의 시에 나오는 말. 이별의 아쉬움을 술로 위로하는 내용.

2 뻐꾹새.

안저보고 서셔본니 別乾坤이 여긔로다
앉아 보고 서서 보니 별천지가 여기로다
ᄯᅵ업ᄂᆞᆫ 두귀밋슬 石灘의 다시싯고
때 없는 두 귀 밑을 돌 시내에 다시 씻고[4]
濯纓臺 흘이쉬고 洗心臺로 올나간니
탁영대濯纓臺 잠깐 쉬고 세심대洗心臺로 올라가니
風抬의 ᄆᆞᆰ근ᄇᆞ람 心身이 瀟洒ᄒᆞ고
풍대風臺의 맑은 바람 심신이 시원하고
月榭의 ᄇᆞᆰ근ᄃᆞᆯ은 ᄆᆞᆰ근意味 一般이라
월사月榭의 밝은 달은 맑은 의미 별미로다
石逕의 홋텨날어 數層花階 올나간니
돌길에 빨리 달려 여러 꽃밭 올라가니
절로핀ᄭᅩᆺ 海棠花며 심귀핀ᄭᅩᆺ 躑躅薔薇
절로 핀 꽃 해당화며 심어 핀 꽃 철쭉 장미
李花桃花 杏花피고 翠竹蒼松 섯거ᄂᆞᆫᄃᆡ
이화 도화 행화 피고 취죽 창송 섞였는데
ᄒᆡᄇᆞᄅᆡ기 蜀葵花며 木丹花 暎山紅과
해바라기 접시꽃이며 모란화 영산홍과
蘭草蕙草 盂金芍藥 五色春菊 鳳仙花며
난초 혜초 화분 작약 오색 국화 봉선화며
다핀나무 덜핀나무 집을둘러 휘여진ᄃᆡ
다 핀 나무 덜 핀 나무집을 둘러 피였는데

---

3 오나라 부차와 월나라 구천의 와신상담 고사가 있는 회계산.
4 《세설신어》에 나온 말. 요임금이 허유와 소부에게 천하를 준다고 하자, 그 둘은 귀를 더렵혔다며 시냇물에 귀를 씻었다 함.

花中杜鵑 우는소릐 곳〃마당 봄이와라

화중 두견 우는 소리 곳곳마다 봄이 왔다

探香蝶舞 妙흔거동 片〃이 나라들고

탐향 접무[5] 묘한 거동 가볍게 날아들고

穿柳鶯歌 몰근소릐 쩌〃로 흘러온다

천류 앵가[6] 맑은 소리 때때로 흘러 온다

조흘시고 〃〃〃〃 風光도 조흘시고

좋을시고 좋을시고 경치도 좋을시고

胸衿이 洒落ᄒᆞ야 四方을 ᄇᆞ라본니

가슴 속이 시원하여 사방을 바라보니

岳陽樓의 조흔景은 洞庭水가 제格이요

악양루의 좋은 경치 동정호가 제격이요

黃崗樓의 조흔景은 月波樓가 제格이요

황강루의 좋은 경치 월파루가 제격이요

姑蘇台의 조흔景은 寒山寺가 제格이요

고소대의 좋은 경치 한산사가 제격이요

鳳凰台의 조흔景은 半落三山 제格이요

봉황대의 좋은 경치 반락 삼산[7] 제격이요

有美堂의 조흔景은 西湖水가 제格이라

유미당의 좋은 경치 서호수가 제격이요[8]

그도글어 ᄒᆞ거이와 내집치례 볼작시면

그도 그러 하거니와 내 집 치레 보자면은

---

5 향기를 욕심내는 나비들의 날개 짓.

6 버드나무 사이를 오가는 꾀꼬리의 날개 짓.

7 이백의 〈등금릉봉황대〉 시에 나오는 시구.

8 악양루부터 서호수까지는 모두 중국의 대와 호수를 인용한 것임.

草屋一間 얼거내여 萬里風光 마저든이

초가 한 칸 얽어 내여 만 리 풍광 맞이하니

高樓傑閣 조타훈덜 如斗蝸屋 換홀쇠야

높고 큰집 좋다한들 작은 집과 바꿀소냐

顔子의 어즘으로 陋巷의 살으실제

안자[9]의 어짊으로 시골에서 살았을 때

一單食 一瓢飮을 그도一生 못이우여

대그릇밥 표주박물 그도 평생 못 이루어

春風의 ○○훙야 安貧을 질기시고

봄바람의 ○○하여 안빈安貧을 즐기시고

石崇의 富훔으로 金谷의 집을지여

석숭의 부자 됨은 금곡에 집을 지어[10]

珊瑚구술 百石으로 靑樓美色 다사들여

산호 구슬 백석으로 청루 여자[11] 다 사들여

一時豪康 藉樂훙되 죽은후의 無用된니

한때 호강 즐거운들 죽은 후에 쓸 데 없다

商山의 숨은四皓 바둑판이 名節이요

상산에 숨은 사호[12] 바둑판이 명절名節이요

桐江의 낙는子陵 낙수대가 淸標로다

동강에서 낚던 엄광[13] 낚싯대가 청렴 징표로다

---

9 공자가 가장 아꼈다는 제자, 청렴결백, 안빈낙도의 주인공.

10 진나라 석숭이 금곡에서 호화롭게 생활했으나 나중 손자의 참소로 허망하게 죽임을 당함.

11 청루는 미인이 사는 집. 미색은 미인.

12 진나라 말년에 전쟁을 피해 은거한 네 인물, 나중에 한나라 혜제의 스승이 되었다 함.

13 후한 광무제의 친구, 호를 자릉이라 함, 광무제의 권유에도 불구하고 부춘산 칠리탄에서 낚시하며 여생을 마침.

나도ᄯᅩᄒᆞᆫ 그안이라 人生八歲 入學ᄒᆞ야
나도 역시 그 아니랴 인생 팔 세 입학하여
四書三經 ᄇᆡ와내여 科文六体 알어ᄒᆞ야
사서삼경 배워 내어 과문 육체科文六体 알아내어
靑雲의 洛水橋를 二十前의 올나가셔
청운의 낙수교[14]를 이십 전에 올라가서
紅塵의 鳳城月을 三十前의 보자던니
홍진의 봉성 달[15]을 삼십 전에 보렸더니
槐花나무 느즌뜻의 白面書生 못면ᄒᆞ니
과거 보기 늦어서[16] 풋내기 못면하니
○○○ ○○○을 어제날의 들어던이
○○○ ○○○을 옛날에 들었더니
○○○ ○○○을 오날ᄂᆞᆯ의 當ᄒᆡ거다
○○○ ○○○을 오늘에 당했구나
草堂의 盤桓ᄒᆞ야 봄날을 비겨안져
초당에 서성거려 봄날에 기대앉아
九重宮闕 ᄇᆞ라보고 風雲一會 ᄭᅮᆷ우던니
구중궁궐 바라보고 한 번 출세 꿈꾸더니
南陽處士 내못된니 三顧草廬 뉘잇슬고
남양처사 내 못되니 삼고초려 누가할까[17]

---

14 중국 낙양에 있는 다리 곧 출세로 가는 길목.
15 한양에 있는 궁궐의 달, 곧 출세 길.
16 음력 칠월에 회나무가 꽃이 핀다 하여 과거 상징, 여기서는 과거 볼 나이가 지났다는 뜻.
17 제갈량이 남양 땅에서 재주를 숨기고 농사를 짓다가 유비의 삼고초려를 만나 뜻을 펼침.

怳惚ᄒᆞᆫ 莊子園의 東風蝴蝶 ᄲᅮᆫ이로다
황홀한 장자 동산 동풍 호접 뿐이로다[18]
淸風明月 조흔景을 不用一錢 사서낸다
청풍명월 좋은 경치 돈 없이도 살 수 있네
富貴ᄂᆞᆫ 뉘主人고 溪山은 내ᄎᆞ지라
부귀 주인 누구인가 산천은 내 차지라
萬壑千峰 집픈곳제 千思萬念 다이즌니
만학천봉 깊은 곳에 온갖 생각 다 잊으니
神仙이 神仙인가 내가 一定 神仙이라
신선이 신선인가 내가 정말 신선이라
桃花流水 흘너간덜 漁舟엇지 차자오며
도화 유수 흘러간들 어부[19] 어찌 찾아오며[20]
雲深不知 집퍼ᄶᅥ던 松下問童 어이알이
구름 깊어 모르거든 송하 문동松下問童[21] 어이 알까
壁上의 걸인洞簫 王子이 부다간가
벽 위에 걸린 통소 왕자가 불다 갔나[22]
새줄연즌 거문고ᄂᆞᆫ 流水曲 옛音律로
새 줄 끼운 거문고는 유수곡[23] 옛 음률로

---

18 장자가 낮잠을 자다가 꿈에 나비가 되어 즐기다가 나비와 자신을 구분하지 못했다는 고사.

19 도연명의 〈도화원기〉에 나오는 말, 무릉도원과 관련된 고사.

20 어부가 복숭아꽃 핀 곳, 무릉도원을 표시해 두었다가 다시 찾으려 했지만 못 찾았다는 고사.

21 가도의 〈방도자불우〉 시에 나온 말로, 도사를 만나고자 도사를 모시는 아이에게 도사의 계시는 곳을 물었지만 깊은 산 속에 계시므로 어딘지 모른다고 했다 함.

22 황학루 건립과 술집 주인 신 씨와의 낭만적인 고사.

23 지음 고사의 주인공 종자기와 백아의 이야기.

鐘期업시 혼자탄니 山水ᄆᆞᆫ 峨山羊 이라

종자기 없이 혼자 타니 산수만이 우뚝구나[24]

烟霞의 집피든병 獨樂의 다늘써다

연하에 깊이 든 병 독락[25]으로 다 늙는다

달리우의 져ᄂᆞᆫ나귀 孟浩然이 살라온가

다리 위에 저는 나귀 맹호연[26]이 살아온가

ᄭᅩᆺ밧게 저근수리 邵康節를 다시본ᄃᆞᆺ

꽃 밖의 작은 수리 소강절[27]을 다시 본 듯

月下의 술마신니 酒中謫仙 내안인가

달 아래 술 마시니 주중 적선[28] 내 아닌가

溪上의 ᄭᅩᆺ시은니 詩中聖人 그뉘신고

시내 위에 꽃 씻으니 시중 성인[29] 그 누군고

梧桐의 ᄇᆞᆯ근ᄃᆞᆯ을 鳳凰과 戲弄ᄒᆞ고

오동의 밝은 달을 봉황과 희롱하고

秋江의 ᄆᆞᆯ근興을 白鷗와 和答ᄒᆞ니

가을 강의 맑은 흥을 백구와 화답하니

明沙十里 紅蓼洲의 漁笛數聲 더욱조타

명사십리 홍료주에 어부 피리 더욱 좋다

그모르ᄂᆞᆫ 俗士덜은 一時繁華 願치마라

그 모르는 속세 사람 한때 번화함 원치마라

---

24 백아가 자신의 연주를 알아준 종자기가 죽자, 거문고 줄을 끊고 다시는 연주하지 않았다 함.

25 사마광의 〈독락원기〉에 나오는 말, 성인을 스승으로 삼고 예악을 탐색하며 홀로 즐긴다는 뜻.

26 맹호연의 〈부명도중봉설〉 시에 나오는 말.

27 송나라 때의 역리 학자 소옹, 시호가 강절.

28 술에 취하여 채석강에 달을 잡으러 뛰어들었다는 이백.

29 두보 지칭.

滔〃ᄒᆞᆫ 宦海風波 聖恩이 집퍼시되
도도한 환해풍파[30] 성은이 깊었으되
一身이 漂泊ᄒᆞ면 이안이 奔走ᄒᆞᆯ가
한 몸이 떠돌며는 이 아니 분주할까
榮辱의 몸이늘거 薤露歌 ᄒᆞᆫ曲調로
영욕에 몸이 늙어 상여 소리[31] 한 곡조로
丹旐을 압폐셰고 北邙으로 도라갈제
명정을 앞세우고 북망으로 돌아갈 때
功名富貴 浮雲이요 鍾鼎玉帛 塵埃로다
공명부귀 부운이요 종정옥백鐘鼎玉帛[32] 티끌이라
天地無窮 이江山은 늘글ᄯᅵ 업서거던
천지 무궁 이 강산은 늙을 때가 없었거든
碧海桑田 變ᄒᆞᆫ後덜 다ᄒᆞᆯᄯᅵ 이슬된야
상전벽해 변한 후인들 다할 때가 있을쏘냐
이내溪山 조흔景을 任意로 主張ᄒᆞ야
이내 산천 좋은 경치를 멋대로 상대하며
秋月春風 벗슬삼어 百年終老 ᄒᆞᆯ리로다
추월 춘풍 벗을 삼아 평생 동안 누리리라
아ᄒᆡ야 ᄭᅩᆺ샨노와라 醉코놀가 ᄒᆞ노라
아이야 꽃 산[33] 놓아라 취해 놀까 하노라

30 벼슬길의 험난함.
31 사람의 목숨이 풀잎에 맺힌 이슬 같다는 의미로 곧 만가輓歌를 지칭함.
32 종을 쳐서 집사람들에게 밥 때를 알릴 정도로 식구가 많은 부잣집.
33 꽃을 넣어 부친 부침개.

13. 백발가白髮歌

① 작품명 : 백발가白髮歌

② 작자명 : 남석하(南碩夏, 1773~1853)

③ 출전 : 《추담유고秋潭遺稿》

④ 해제

〈백발가〉는 조선 후기 추담秋潭 남석하가 제작한 총 222구의 장편 가사이다. 작품의 중간에 한시는 물론 달거리 형식을 취하는 등 그 구성에 시가 장르의 융·복합 모습을 보이는 것이 주목된다. 역대 훌륭한 인물들이 모두 백발을 이겨내지 못하고 북망산으로 돌아갔음을 아쉬워하며, 인생이 늙어지면 미인이나 맛있는 음식 등도 모두 허사이므로 늙기 전에 삶을 허송하지 말 것을 권유한 내용의 노래이다.

⑤ 원문과 현대역

白髮이야 〃 〃 〃 〃 네워이 白髮인야
백발이야 백발이야 그대 어이 백발인가
少年이 白髮되니 白髮보기 더욱셥디
소년이 백발 되니 백발 보기 더욱 싫다
白髮아 네짐작ᄒᆞ야 더듸남이 엇더ᄒᆞᆫ냐
백발아 너 짐작하여 더디 남이 어떠하냐
大丈夫 삼긴후의 매양장성 점고지거
대장부 생긴 후에 매양 장성 젊고지고

검문머리 검어익고 볼근눈이 볼가시면
검은 머리 검어 있고 밝은 눈이 밝았으면
赤松子 丹丘生을 게누긔 불어ᄒᆞ며
적송자赤松子 단구생丹丘生[1]을 그 누가 부러워하며
西王母 東方朔을 내워이 ᄉᆡᆼ각ᄒᆞᆯ가
서왕모 동방삭[2]을 내 어이 생각할까
애도롭다 白髮이야 少年行樂 어제로다
애처롭다 백발이야 소년 모습 어제더니
貴人頭上 不曾宥를 내즘관 알어신니
귀인 머리도 그러함을 내 이미 알았으니
自古英雄 盡白頭를 一定이 글어ᄒᆞ다
자고自古 영웅 백발됨은 한결같이 그러하다
孟嘗君의 狐白裘와 平原君의 玳瑁簪이
맹상군孟嘗君의 호백구狐白裘[3]와 평원군平原君의 귀한 비녀[4]
一時繁華 저러ᄒᆞ되 白髮을 못禁ᄒᆞ리
일시 영화 저러하되 백발은 못 금하리
孔夫子의 道德이며 孟夫子의 仁義로도
공부자의 도덕이며 맹부자의 인의로도
萬古聖賢 저러ᄒᆞᆫ되 白髮을 못면ᄒᆞ고
만고 성현 저러하되 백발은 못 면하고
이거시 뉘탓선가 白髮의 네타시라
이것이 누구 탓인가 백발의 네 탓이라

---

1 신선 이름.
2 서왕모는 여자 신선, 동박삭은 서왕모의 복숭아를 훔쳐 먹고 삼천갑자를 장수함.
3 전영의 아들인 맹상군이 호백구로 목숨을 건진 고사.
4 평원군이 아꼈다는 열대 지방 바다거북 가죽인 대모玳瑁로 만든 비녀.

절문이 늘거지고 늘근이 죽어지면
젊은이 늙어지고 늙은이 죽어지면
朝鮮宝物 내것신ᄃᆞᆯ 엇듸다가 쓰ᄌᆞᆫ말가
조선 보물 내 것인들 어디다가 쓴단 말인가
萬古英雄 秦始皇도 이白髮을 禁ᄒᆞ랴고
만고 영웅 진시황도 이런 백발을 금하려고
童男童女 五百으로 不老草를 求ᄒᆞ다가
동남 동녀 오백으로 불로초를 구하다가
沙丘平㙜 月黃昏의 驪山의 葬事ᄒᆞ고
사구沙丘 언덕 월 황혼에 여산驪山에 장사하고[5]
千秋豪傑 漢武帝도 이白髮을 禁ᄒᆞ랴고
천추 호걸 한무제도 이 백발 금하려고
栢梁㙜 承露盤의 不死藥을 求ᄒᆞ다가
백양栢梁 누대 구슬 쟁반 불사약을 구하다가[6]
汾水秋風 점문날의 武陵을 닷어신니
분수汾水 추풍 저문 날에 무릉에 닿았으니[7]
이거시 뉘탓선냐 白髮의 네탓시라
이것이 누구 탓인가 백발의 네 탓이라
白髮보고 ᄉᆡᆼ각ᄒᆞ니 富貴功名 虛事로다
백발보고 생각하니 부귀 공명 허사로다
白髮아 무ᄉᆞᆷ일로 英雄豪傑 다늘거다
백발이야 무슨 일로 영웅호걸 다 늙도다

5 불로장생을 원했던 진시황이 사구에서 죽자 여산에 장사 지냄.
6 한무제가 장수하려고 감로甘露를 받기 위해 구슬로 만든 쟁반.
7 한무제의 무덤이 있는 곳, 분수 강가 무릉 땅.

伴山落月 淚不止ᄂᆞᆫ 齊景公의 白髮이요
반산 낙월 나는 눈물 제경공齊景公의 백발이요[8]
今日垂楊 生左肘ᄂᆞᆫ 李廣利의 白髮이요
금일 수양 왼 팔꿈치 이광리李廣利[9]의 백발이요
杖節歸漢 謁武陵은 蘇子卿의 白髮이요
돌아와서 무릉 배알 소무蘇武[10]의 백발이요
披甲上馬 示可用은 廉將軍의 白髮이요
말 위에서 능력 자랑 염廉장군[11]의 백발이요
老年花似 霧中看은 杜工部의 白髮이라
노년에 꽃 무중霧中 구경 두자미[12]의 백발이라
이거시 뉘탓신가 白髮의 네탓시라
이것이 누구 탓인가 백발의 네 탓이라
노새〃〃 ᄆᆡ양노새 늘기전의 ᄆᆡ양노새
놀세 놀세 항상 놀세 늙기 전에 항상 놀세
青春의 못논興이 白髮의 다시날가
청춘에 못난 흥이 백발에 다시 날까
詩中天子 李謫仙도 이白髮을 마다ᄒᆞ고
시의 천자 이태백도 백발을 마다하고[13]

---

8 불분명함, 반산 낙월은 산에 달이 지는 모습을 말한 듯.

9 이광이란 장수가 늙자 팔꿈치에 수양버들이 난 것처럼 잘 움직여지지 않음을 한탄한 고사.

10 한나라 소무가 무제와의 의리를 지켜 흉노에게 설복당하지 않고 19년 뒤에 고국에 돌아와 보니 무제는 죽고 없어 그 무덤 앞에 벼슬 관인을 놓고 배알 했다는 고사.

11 염파 장군 고사, 늙었다고 무시당할까 봐 한 끼에 열 근의 고기와 열 그릇의 밥을 먹었다 함.

12 두보의 〈소한식주중작〉 시에 늙어 가니 꽃이 안개 속에 본 것처럼 흐릿하다는 말이 있음.

13 이백의 〈장진주〉에 나오는 말.

葡萄酒 半醉ᄒᆞ야 少年行을 지여ᄂᆡ고

포도주 반쯤 취해 〈소년행〉을 지어내고

行年七十 老萊子도 이白髮을 슬퍼ᄒᆞ야

나이 칠십 노래자도 백발을 슬퍼하여

五色斑衣 몸의입고 嬰兒戱弄 ᄒᆞ여신니

색동옷 몸에 입고 아이 놀음 하였으니[14]

이거시 뉘탓신냐 白髮의 네탓시라

이것이 누구 탓인가 백발의 네 탓이라

머리희여 白髮되고 귀밋희여 白髮되면

머리 희어 백발 되고 귀밑 희어 백발되면

萬盤珎羞 맛시업고 絕代佳人 情이업ᄂᆡ

만반萬盤 진수 맛이 없고 절대가인 정이 없네

君臣父子 永離別도 白髮의 네탓시요

군신 부자 영영 이별도 백발의 네 탓이요

夫婦兄弟 永離別도 白髮의 네탓시라

부부 형제 영영 이별도 백발의 네 탓이라

이러ᄒᆞ나 저러ᄒᆞ나 白髮이 원수로다

이러하나 저러하나 백발이 원수로다

半넘어 늘근몸이 다시점덜 못ᄒᆞ여도

반 넘어 늙은 몸이 다시 젊지는 못하여도

日後에나 늙지말게 오ᄂᆞᆫ白髮 禁ᄒᆞ랴고

지금 후나 늙지 말게 오는 백발 금하려고

扶桑 萬年枝의 日月을 잡어ᄆᆡ면

부상扶桑의 나뭇가지 해와 달을 잡아매면

---

14 노래자는 나이 칠십에도 부모님을 기쁘게 해 드리려고 색동옷 입고 아이처럼 춤을 췄다 함.

飛射 光陰인ᄃᆞᆯ 제워이 가리마ᄂᆞᆫ

화살 같은 세월인들 제 어이 가랴마는

天皇氏 萬八千年 與草木 同歸로다

천황씨 팔만천 년 초목으로 돌아가니

슬푸다 이人生이 白髮을 禁ᄒᆞᆯ숀야

슬프구나 이 인생이 백발을 금할쏘냐

먹어설라 〃 〃 〃 〃 절머실제 먹어서라

먹어서라 먹어서라 젊었을 때 먹어서라

龍복기 鳳의湯이 맛돗타 ᄒᆞ건이와

닭볶음 자라탕이 맛좋다 하거니와

이내人生 죽어지면 맛됴은줄 워이알며

이내 인생 죽으면 맛좋은 줄 어찌 알며

甘紅醪 桂棠酒가 술조타 ᄒᆞ건이와

감홍료甘紅醪 계당주桂棠酒가 술 좋다 하거니와

이내人生 죽어지면 술조흔줄 워이알가

이내 인생 죽어지면 술 좋은 줄 어찌 알까

七山바ᄃᆞ 씌ᄂᆞᆫ고기 ᄉᆞᆯ찐놈 가려내여

칠산 바다 뛰는 고기 살진 놈 가려내어

銀長刀 놋長刀로 細〃이 회를치고

은장도 놋장도로 가늘게 회를 치고

千斤大牛 더운간을 맛찐ᄃᆡ 베여내여

천 근 큰 소 더운 간을 맛 있는 곳 베어내어

靑銅火火戶 白炭숫세 벗석지저 적을구어

청동화로 백탄 숯에 바삭바삭 구어 내어

밧비걸어 밧비오라 物色조흔 저酒母야

바삐 걸어 바삐 오라 인물 좋은 저 주모야

醉케먹고 醉케노쟈 態度조흔 저酒母야

취케 먹고 취케 놀자 태도 좋은 저 주모야

莫惜床頭 沽酒錢을 내즘관 알어신이

상머리에 술살 돈[15]을 내 이미 알았으니

娼家少婦 不須頻을 네워이 몰를쇤야

술집 여인 주름 폄을 그대 어이 모를손가

唐明皇의 楊貴妃도 늘거지면 쓸듸업고

당명황의 양귀비도 늙어지면 쓸데없고

楚覇王의 虞美人도 늘거지면 쓸듸업다

초패왕의 우미인[16]도 늙어지면 쓸데없다

먹고노새 〃〃〃〃 절머실제 먹고노새

먹고 놀세 먹고 놀세 젊었을 때 먹고 놀세

내것두고 못먹는게 王將軍의 庫子로다

내 것 두고 못 먹는 것 왕장군의 창고로다[17]

哀吾生之 須臾ᄒᆞ야 羨長江之 無窮이라

슬픈 인생 순간이요 크고 긴 강 무궁이라[18]

朝露ᄀᆞᄐᆞᆫ 이人生이 안이놀고 무숨ᄒᆞ리

이슬 같은 이 인생이 아니 놀고 무엇하리

正月上元 조흔佳節 一年明月 今宵多라

정월 보름 좋은 시절 일 년 명월 오늘 밤[19] 풍성하다

---

15 남조 시대 송나라의 포조와 관련된 말. 시 〈의행로난십팔수〉에서 책상에 늘 술 살 돈이 있으니 공명 따위로 이름을 새기는 것은 관심사가 아니라고 함.

16 양귀비, 우미인은 중국 4대 미인으로 꼽힘.

17 전국시대 조나라 장수 왕승변을 가리킨 듯하나 불분명함. 창고에 무기가 있어도 쓰지 못하면 소용없다는 말인 듯.

18 소동파의 〈전적벽부〉에 나오는 말. 인생무상을 말함.

19 한유의 〈팔월십오야증장공조〉 시에 나온 말.

近水樓䑓 노픈고졔 望月ᄒ고 노ᄂ少年

근수近水 누대 높은 곳에 달을 보고[20] 노는 소년

거문머리 白髮되면 望月ᄒ기 머러지고

검은 머리 백발 되면 달을 보기 멀어지고

二月淸明 조흔佳節 青旆高出 杏花村을

이월 청명 좋은 시절 술집 깃발 행화촌杏花村[21]을

綠水青山 景조흔ᄃ 登山ᄒᄂ 少年덜아

녹수청산 좋은 경치 등산하는 소년들아

거문머리 白髮되면 登山ᄒ기 머러지고

검은 머리 백발 되면 등산하기 멀어지고

三月上巳 조흔佳節 投蘭羣賢 來此亭을

삼월 상사 좋은 시절 어진 선비[22] 이곳 와서

長安大道 新豊市의 挾彈ᄒᄂ 少年더라

장안대도 신풍시新豊市에 협탄하는 소년들아[23]

거문머리 白髮되면 挾彈ᄒ기 머러지고

검은 머리 백발 되면 협탄하기 멀어지고

四月初八 조흔佳節 綠樹陰濃 夏日長을

사월 팔일 좋은 시절 녹음 짙어 긴 여름날

億萬長安 八萬戶의 觀燈ᄒᄂ 少年덜아

억만 장안 팔만 호에 관등하는 소년들아

---

20 〈청야록〉에 나오는 말로 범중엄과 소린의 고사, 줄이 있어 출세를 잘 한다는 말.

21 이와 관련한 여러 사람의 시가 있으나 여기서는 임유후의 〈춘강범주〉 시를 소개한다. 청패는 술집에 걸어놓은 푸른 깃발, 행화촌은 술집.

22 왕희지의 〈난정기〉에 나온 말. 어진 선비들이 난을 던지면서 계제사를 지냄.

23 이백의 〈소년자〉 시에 금수저 소년들이 탄궁을 끼고 호화롭게 노닌다고 풍자한 내용이 있음.

거문머리 白髮되면 觀灯ᄒᆞ기 머러지고

검은 머리 백발 되면 관등하기 멀어지고

五月端午 조흔佳節 綠陰芳草 勝花時라

오월 단오 좋은 시절 녹음방초 좋은 때라

長〃彩繩 줄을ᄆᆡ여 秋千ᄒᆞᄂᆞᆫ 少年덜아

긴 동아줄 줄을 매어 그네 뛰는 소년들아

거문머리 白髮되면 秋千ᄒᆞ기 머러지고

검은 머리 백발 되면 그네뛰기 멀어지고

六月流頭 조흔佳節 憂國ᄒᆞ니 願年豊을

유월 유두 좋은 시절 나라 걱정 풍년 기원

含哺鼓腹 擊壤歌로 里中社宴 出少年아

태평성세 격양가[24]로 마을 잔치 노는 소년

거문머리 白髮되면 社宴ᄒᆞ기 머러지고

검은 머리 백발 되면 잔치하기 멀어지고

七月七夕 조흔佳節 天上牛女 喜相逢을

칠월 칠석 좋은 시절 견우직녀 기쁜 상봉

一年一度 만날저긔 乞巧ᄒᆞᄂᆞᆫ 少年덜아

일 년 한 번 만날지니 걸교하는 소년들아

거문머리 白髮되면 乞巧ᄒᆞ기 머러지고

검은 머리 백발 되면 걸교하기[25] 멀어지고

八月秋夕 조흔佳節 田家便作 稻花仙을

팔월 추석 좋은 시절 집 앞들[26]에 익은 벼로

---

24 배가 불러서 배를 북처럼 두드리고 막대기로 땅을 치면서 평안함을 노래함.

25 칠월칠석에 바늘귀에 실을 꿰면 손재주가 좋아진다 하여 부녀자들이 행했던 풍습.

26 전가田家는 전가前家인 듯.

屠蘇酒 비저노코 以介眉壽 ᄒᆞᄂᆞᆫ少年
도소주屠蘇酒 빚어 놓고 장수하기 비는 소년[27]
검문머리 白髮되면 獻壽ᄒᆞ기 머러지고
검은 머리 백발 되면 헌수하기 멀어지고
九月九日 조흔佳節 九秋何日 不重陽가
구월 구일 좋은 시절 구월 언제 중구 아니랴
黃花酒 醉케먹고 丹楓귀경 ᄒᆞᄂᆞᆫ少年
황화주 취케 먹고 단풍 구경하는 소년
거문머리 白髮되면 丹楓귀경 머러지고
검은 머리 백발 되면 단풍 구경 멀어지고
十月佳節 업다마ᄂᆞᆫ 黃葉城邊 蕭瑟墜라
시월 가절 없다마는 누런 낙엽 쓸쓸히 진다
報本追遠 집〃마다 時祀參예 ᄒᆞᄂᆞᆫ少年
보본報本 추원追遠[28] 집집마다 시사 참예 하는 소년
거문머리 白髮되면 參祀ᄒᆞ기 머러지고
검은 머리 백발 되면 참사參祀 하기 멀어지고
至月至日 조흔佳節 天意初占 新曆頭라
동짓달 동지 좋은 시절 계절 따라 새 해 시작
家〃의 豆鬻으로 除厄ᄒᆞᄂᆞᆫ 少年덜라
집집마다 팥죽으로 액을 쫓는 소년들아
검문머리 白髮되면 除厄ᄒᆞ기 머러지고
검은 머리 백발 되면 액을 쫓기 멀어지고
臘月臘日 조흔佳節 霜鬢明朝 又一年을
섣달그믐 좋은 시절 새해맞이 또 한 해를

---

27 도소산, 도라지, 방풍, 육계 등을 넣어 빚은 장수 주.
28 자신을 있게 한 조상에 대한 추모의 예.

烹羊炰羔 술얼비저 除夜ᄒᆞ고 노ᄂᆞᆫ少年
양을 잡고 술을 빚어 밤을 새워 노는 소년
거문머리 白髮되면 除夜ᄒᆞ기 머러진다
검은 머리 백발 되면 밤새우기 멀어진다
이러ᄒᆞ나 저러ᄒᆞ나 白髮이 원수로다
이러하나 저러하나 백발이 원수로다
天地萬物 ᄉᆞᆷ긴後의 世間公道 白髮이라
천지 만물 만든 후에 입을 모아 백발 얘기
白髮이야 〃 〃 〃 〃 白髮이 너안이면
백발이야 백발이야 백발 너 아니면
내머리 희여지며 내 노래 일어ᄒᆞᆯ가
내 머리 희어지며 내 노래 이러할까
어와 벗님네야 白髮歌 들어서라
어와 벗님네야 백발가 들어서라
世上事 虛浪ᄒᆞᆷ을 白髮의 부치로라
세상사 허랑함을 백발에 부치노라

14. 사친곡思親曲

① 작품명 : 사친곡思親曲

② 작자명 : 남석하(南碩夏, 1773~1853)

③ 출전 : 《추담유고秋潭遺稿》

④ 해제

추담秋潭 남석하는 앞에 든 〈초당춘수곡〉과 〈백발가〉를 비롯하여 〈사친곡〉과 〈원유가〉 등 4편의 가사를 제작한 이름난 가사 시인이다. 그중 〈사친곡〉은 총 162구의 구성으로, 돌아가신 부모님에 대한 그리움을 내용으로 하였다. 남석하는 〈사친곡〉에서 부모님이 오래 사시지 못한 원한이 바다와 같이 깊고, 태산과 같이 높다면서 그 원통한 마음으로 비극적 서정을 고조시킨 뒤, 장수하고자 애를 썼지만 결국 죽어간 진시황, 한무제 등 중국의 인물들을 끌어들여, 인간 스스로 정해진 천명은 어쩔 수 없다는 체념으로 비탄의 심정을 누그려 뜨렸다. 또한 생전에 베풀어주신 부모님의 은혜를 자식의 교육과 노복의 경계, 나아가 임금께 충성으로 보답한 뒤 천당으로 불려 가면 다시 만나 뵙고 자신의 원통함을 아뢰겠다는 뜻으로 작품을 마무리 지었다.

⑤ 원문과 현대역

어ᄌᆞ 내일이야 ᄉᆡᆼ각ᄒᆞ니 버이업다
아 아 내 일이야 생각하니 짝이 없다
人間이 예잇신이 天堂이 어ᄃᆡ런고
인간이 예 있는데 천당이 어디런가

人間의 우리父母 天堂으로 가겨신니
인간의 우리 부모 천당으로 가 계시니
問로라 天堂길이 千里런가 萬里런가
묻노라 천당 길이 천 리인가 만 리인가
가신길이 이슬진대 오실길이 워이업셔
가신 길이 있을진대 오실 길이 왜 없을까
父母를 永訣훈후 歲月이 悠〃훈니
부모와 이별한 뒤 세월이 흘러 흘러
丹蓂의 옛가지예 光陰이 몃히런고
단명丹蓂[1]의 옛 가지에 세월이 몇 해 갔나
白雲은 慘淡훈야 肝腸을 석키는둧
흰 구름은 참담[2]하여 간장을 썩히는 듯
綠水는 嗚咽훈야 血淚를 쑤리는둧
녹수는 울고 울어 피눈물을 뿌리는 듯
罔極훈 이내셔롬 天地가 茫〃훈다
끝없는 이내 설움 천지가 아득하다
돌아〃〃 불근돌아 往來無窮 불근돌아
달아 달아 밝은 달아 왕래 무궁 밝은 달아
寂寞훈 草堂압페 눌과돌여 노자훈고
적막한 초당 앞에 누구와 놀려고
두렷시 거울깃치 저리대지 불가는다
뚜렷이 거울같이 저렇게도 밝았는고

---

1 요임금 때 조정의 뜰에 심은 상서로운 풀, 초하루부터 한 잎씩 자라다가 열엿새부터 다시 한 잎씩 떨어짐, 달력을 만들게 한 풀.

2 엷고도 높음.

峨嵋山月 半輪秋를 내좀관 알어신니

아미산월峨嵋山月 반쪽 달을 내 잠깐 알았으니[3]

江南風月 閒多年이 一定이 그러ᄒᆞ다

강남 풍월 여러 해 한결 같이 그러하다

懷中의 三年恩과 膝下의 百年功을

품속의 삼 년 은혜 슬하의 백 년 공을

王祥의 躍鯉로도 얼음속의 貴타ᄒᆞ딕

왕상의 잉어 고사[4] 얼음 속이 귀하지만

이恩惠를 이룰진대 엇지다 갑풀쇠며

이 은혜를 말할진대 어찌 다 갚을 것이며

子路의 負米로도 百里밧긔 困타ᄒᆞ되

자로의 부미負米 고사[5] 백 리 밖이 멀다 하되

이德澤을 늑길진대 엇지다 갑풀쇤야

이 덕택을 느낄진대 어찌 다 갚을쏘냐

終身의 慕父母는 大舜의 羹墻이요

종신토록 부모 생각 순임금의 공경할 일

七十의 嬰兒戲는 老萊子의 彩服이라

칠십 나이 아이 놀이 노래자의 색동옷[6]이라

人間의 人子되여 저러ᄐᆞ시 못ᄒᆞ나마

인간의 자식 되어 저렇게는 못하나마

造物조차 사얌쌜라 永訣終天 덧업고나

조물주도 시샘 빨라 영영 이별 덧없구나

---

3 백낙천의 〈장한가〉에 당 현종이 양귀비를 그리는 심정인 양 묘사한 내용.

4 주 132) 참조.

5 《공자가어》에 자로가 어버이를 위하여 백 리 밖에서 쌀을 짊어지고 가서 봉양했다 함.

6 칠십 먹은 노래자가 어버이를 기쁘게 해 드리고자 색동옷 입고 재롱을 부렸다는 고사.

心神이 散亂ᄒᆞ야 東山의 올나간니
심신이 산란하여 동산에 올라가니
山花ᄂᆞᆫ 灼〃ᄒᆞ고 野草ᄂᆞᆫ 萋〃ᄒᆞᆫᄃᆡ
산 꽃은 활짝 피고 들풀은 무성한데
슬피운다 杜鵑鳥ᄂᆞᆫ 望帝의 靈神으로
슬피 운다 두견새는 망제[7]의 영혼으로
三巴 古國城의 못가ᄂᆞᆫ 셔롬이요
촉나라 고국 땅에 못 가는 설움이요
반가올사 漢濱梅ᄂᆞᆫ 庾伶의 靈魂으로
반갑구나 매화꽃은 유령庾伶[8]의 영혼으로
東風 一枝花의 돌라오ᄂᆞᆫ 消息이다
봄바람에 꽃 한 가지 돌아오는 소식이다
ᄋᆡ고〃 〃 셜운지거 天地ᄀᆞᆺ튼 우리父母
애고 애고 설운지고 천지 같은 우리 부모
소ᄅᆡ업시 어ᄂᆡ곳세 杜鵑鳥를 벗ᄒᆞᄂᆞᆫ고
소리 없이 어느 곳에 두견새와 벗하는고
자취업시 어ᄂᆡ짜의 漢濱梅를 겻ᄒᆞᄂᆞᆫ고
자취 없이 어느 땅의 매화를 짝하는가
못ᄇᆡ와 恨이된이 恨이집퍼 河海ᄀᆞᆺ고
못 뵈어 한이 되니 한이 깊어 바다 같고
못이서 願이된이 願이놉파 泰山ᄀᆞᆺ다
못 계셔 원이 되니 원이 높아 태산 같다

7 촉나라 망제의 이름이 두우다. 나라를 빼앗기고 타국에서 죽었는데 혼이 두견새가 되었다 함.

8 유령의 넋이 됨.

이고〃〃 셜운지게 우리父母 어듸볼고
애고 애고 설운지고 우리 부모 어디서 볼까
乾坤은 有意ᄒᆞ야 人生을 내여신이
건곤은 뜻이 있어 사람을 내었으니
日月은 무ᄉᆞᆷ일로 光陰을 ᄌᆡ촉ᄒᆞᆫ고
일월은 무슨 일로 세월을 재촉하는고
自古 英雄덜도 이셜룸 마자ᄒᆞ고
예부터 영웅들도 이 설움 마다하고
萬里城 阿房宮의 秦始皇의 號令으로
만리성 아방궁에 진시황의 호령으로
三神山 不死藥을 몃날의 求ᄒᆞ다가
삼신산 불사약을 몇 날 동안 구하다가
沙丘 점은날의 驪山의 塵土되고
사구沙丘 저문 날에 여산驪山의 먼지 되고
栢梁坮 承露盤은 漢武帝의 氣具로셔
백량栢梁 누대 받은 이슬 한무제의 기구로서
白雲峰 萬歲號를 거의일너 만나던니
백운봉 만세 소리 거의 일러 만나더니[9]
汾水의 ᄀᆞ을바람 武陵을 닷어신이
분수汾水의 가을바람 무릉에 닿았으니
萬乘家 帝王덜도 이러ᄐᆞ시 도라간이
만승가萬乘家 제왕들도 이렇게들 돌아가니[10]

---

9 백운봉은 천자의 거처, 만세호는 한무제가 태산을 오를 때에 만세 소리가 세 번 났다는 데서 장수 기원의 의미.

10 주 174-176) 참조.

내ᄒᆞᆫ몸 私情으로 天命을 워이ᄒᆞᆯ이
내 한 몸 개인으로 천명을 어이 하리
父母의 恩德으로 文學의 자라나셔
부모의 은덕으로 글과 학문 자라나서
式年科의 進士ᄒᆞ고 謁聖科의 及第ᄒᆞ야
식년과에 진사하고 알성과에 급제하여
綠楊 春三月의 御賜花를 놉피ᄭᅩᆺ고
녹양 춘삼월에 어사화를 높이 꽂고
우리父母 奉養키를 榮光으로 ᄇᆞᄅᆡ면이
우리 부모 봉양하기 영광으로 바랐더니
榮光은 날이업고 父母를 永訣ᄒᆞᆫ이
영광된 날은 없고 부모를 이별하니
흐르ᄂᆞᆫ이 눈물이요 나ᄂᆞᆫ이 셜움이다
흐르나니 눈물이요 나는 것이 설움이라
어ᄂᆡ날의 다시ᄇᆡ와 이눈물 멋고디니
어느 날에 다시 뵈어 이 눈물 멎고지고
어ᄂᆡᄣᆡ의 다시뫼셔 이셜움 그치고져
어느 때에 다시 뫼셔 이 설움 그치려나
ᄌᆞᆷ들어 三更밤의 宛然ᄒᆞᆫ 父母顔面
잠들어 한밤중의 완연한 부모 얼굴
반겨ᄇᆡ와 ᄭᅮᆷ을ᄭᆡᆫ니 벼개우의 虛事로다
반겨 뵈어 꿈을 깨니 베개 위에 허사로다
私情의 지픈셜움 大義로 푸러내여
개인 정에 깊은 설움 대의로 풀어내어
子息을 敎訓ᄒᆞ고 奴僕을 경계ᄒᆞ야
자식을 가르치고 노복을 경계하여

上平田 下平田의 뉘역삭갓 밧슬갈고
윗 들 논 아래 들 논 누역 삿갓 밭을 갈고
或山而樵 或水漁로 淡泊生涯 足흔後의
풀 베고 고기잡고 담박한 삶 만족한 후
天皇氏 地皇氏로 史記를 가라치고
천황씨 지황씨로 사기를 가르치고
孔子日 孟子日로 經傳을 외야신이
공자 왈 맹자 왈로 경전을 외웠으니
ᄇᆞ룸풍 ᄃᆞᆯ월ᄌᆞᄂᆞᆫ 風月의 벗시되고
바람 풍 달 월 자는 풍월의 벗이 되고
글시 술주字ᄂᆞᆫ 詩酒의 主人이라
글 시에 술 주 자는 시주詩酒의 주인이라[11]
文明世界 우리날라 顔曾思孟 못되나마
문명 세계 우리 나라 안·증·사·맹顔曾思孟[12] 못되나마
學不厭 敎不倦을 庠舍의 法을세워
학불염學不厭 교불권敎不倦[13] 학교의 법을 세워
遏人欲 存天理를 家庭의 本을바ᄃᆞ
욕심 막고 천리 지켜[14] 가정의 본을 받아
三綱五倫 重이ᄒᆞ고 四端七情 ᄉᆞᆯ펴ᄒᆞ면
삼강 오륜 중시하고 사단 칠정 살핀다면
百行之源 一孝子ᄂᆞᆫ 求忠臣의 根本이라
백행지원 으뜸 효자 충신 찾기 근본이라

11 이백과 맞먹는 시인.
12 유학의 대학자인 안자, 증자, 자사, 맹자.
13 공자가 한 말. 배우기를 싫어하지 않고 가르치기를 게을리 하지 않음.
14 사람의 욕심을 막고 하늘의 이치를 잘 보존함. 맹자의 말.

世間公道 이슬진댄 腐儒寒士 可憐ᄒᆞ다
세상 공도 있을진대 부유한사腐儒寒士[15]가련하다
聖上이 알으시면 丹梅一枝 ᄋᆡ길쉰가
임금이 아신다면 나라 충성[16] 아낄쏘냐
窮八十 姜太公도 文王을 만나잇고
팔십 다 한 강태공도 주문왕을 만났었고
五羔皮 百里奚도 穆公을 섬겨신이
오고대부五羖大夫 백리해百里奚[17]도 진 목공을 섬겼으니
思親의 病든몸이 愛君의 쯧시집퍼
부모 생각 병든 몸이 임금 사랑 뜻이 깊어
悲歎窮廬 하직ᄒᆞ고 功名을 크게ᄃᆞᆨ겨
궁한 집 하직하고 공명을 크게 닦아
玉堂金馬 밧비ᄆᆞᆯ아 紅塵紫陌 볼분후의
옥당 금마[18] 바삐 몰아 서울 거리 밟은 후에
玉皇님 불을날의 天堂을 急피ᄎᆞᄌᆞ
옥황님 부를 날에 천당을 급히 찾아
우리父母 ᄃᆞ시뫼셔 이冤情을 알외리라
우리 부모 다시 모셔 이 원망을 아뢰리라
物格知至 알어ᄒᆞ면 修齊治平 절로되리
격물치지格物致知 알려 하면 수제 치평[19] 절로 되리
江湖遠處 憂其君은 一片丹忠 뉘알쉰가
강호 먼 곳 임금 걱정 일편 단충丹忠을[20] 누가 알까

---

15 정신이 썩고 생각이 비루한 선비 행색의 남자들.
16 임금께 바치는 충성스러운 마음.
17 진나라 목공이 백리해가 어짊을 알고 암양 다섯 마리 가죽값을 치르고 포로가 된 그를 사서 나중에 재상으로 삼아 춘추오패의 기틀을 닦음, 곧 오고대부.
18 홍문관의 벼슬아치가 되어 좋은 말을 탐.
19 수신·제가·치국·평천하 곧 유학의 공부하는 차례와 순서.
20 한 조각일지라도 나라를 위하고 임금을 위하는 간절한 마음.

15. 원유가願遊歌

① 작품명 : 원유가願遊歌

② 작자명 : 남석하(南碩夏, 1773~1853)

③ 출전 : 《추담유고秋潭遺稿》

④ 해제

〈원유가〉는 추담 남석하가 제작한 가사로서, 총 156구로 된 3단 구성의 노래이다. 인생이란 항상 젊은 소년이 아니므로 허송세월하지 말고 놀아보자는 말로써 시작하여, 웬만큼 벼슬한 뒤 욕심내지 않고 자연과 더불어 질병 없이 평생 즐거움을 누리겠다는 소망적 주제를 내용으로 하였다. 특히 가사의 제2단에서는 경국제민을 모토로 한 조선시대 선비의 책임과 포부를 말하였는데, 대화체 수법으로 자신의 입신양명이 늦은 것에 대한 합당한 선례들을 나열하면서, 출사가 늦었지만 자신은 직신直臣이요, 충신임을 은근히 강조한 점이 이색적 서술이라 할 수 있다. 곧 임금과의 대화를 통해 요순 시대의 태평성세를 바라는 강력한 의지를 드러낸 가사로 파악된다.

⑤ 원문과 현대역

어와 벗님네야 百年虛送 마러서라
어와 벗님네야 일생 허송 하지 마라
窮達이 有時ᄒᆞ니 疾病은 므ᄉᆞᆷ일고
궁달이 때 있으니 질병은 웬일인가

人生不得 恒少年를 내잠관 알어신이

인생부득人生不得 항상 소년을 내가 이미 알았으니

東園桃李 片時春을 그듸워이 몰를쇤가

동원 도리 잠깐 봄[1]을 그대 어이 모를쏜가

秋風의 病欲蘇를 一念의 거러신니

추풍에 병 나을 듯[2] 일념으로 걸었으니

古人의 노든ᄌᆞ취 ᄃᆞᆯᄀᆞᆺ치 볼가잇다

옛사람 놀던 자취 달같이 밝아 있다

水辺終日 會簪纓은 王逸少의 노림이요

물가 종일 고관 모아 왕희지[3]의 놀음이요

樂夫天命 復奚意ᄂᆞᆫ 陶淵明의 노림이요

천명 믿고 의심 않는 도잠[4]의 놀음이요

借問吹簫 向紫烟은 王子晉의 노림이요

통소 부니 이는 연기 왕자진[5]의 놀음이요

笑坐雕鞍 歌落梅ᄂᆞᆫ 李青蓮의 노림이요

안장 앉아 부는 낙매落梅 이백[6]의 놀음이요

春來花鳥 莫深愁 杜子美의 노림이요

봄날의 꽃과 새로 근심 풀이는 두보[7]의 놀음이요

一日看盡 洛陽花ᄂᆞᆫ 孟浩然의 노림이요

종일 보는 낙양화는 맹호연[8]의 놀음이요

---

1 이백의 〈기원〉 시와 잠삼의 〈춘몽〉 시에 봄날의 짧음을 표현한 위의 내용이 있음.
2 두보의 〈강한〉 시에 나오는 말.
3 왕희지의 〈난정기〉에 나오는 말. 유상곡수와 비슷함.
4 도잠의 〈귀거래사〉에 나오는 말.
5 주나라 왕자진과 관련한 고사.
6 이백의 〈양양가〉에 나오는 말.
7 두보의 〈강상치수여해세료단술〉에 나오는 말.
8 맹교의 〈등과후〉 시에 나오는 말, 여기서는 맹호연으로 착각함, 낙양화는 원시에

訪花隨柳 過前川는 程夫子의 노림이요
꽃 옆에 버들 따라 시내를 넘음은 정호[9]의 놀음이요
除是人間 別有天은 朱先生의 노림이라
이곳 외에 별천지는 주회암[10]의 놀음이라
그도그러 ᄒᆞ건이와 醉ᄒᆞᆫ노림 더욱조타
그도 그러하거니와 취한 놀음 더욱 좋다
龍山의 빗긴사모 竹林의 몰근ᄇᆞᄅᆞᆷ
용산에서 떨군 모자[11] 대숲의 맑은 바람
孟嘉야 네이슨이 阮籍이 내안인가
맹가[12]여 너 있으니 완적[13]이는 내 아닌가
畢吏夫의 甕間飮과 歐陽修의 亭上醉도
필이부畢吏部의 술 항아리[14] 구양수의 정자[15]에서 취한 것도
繁華ᄒᆞᆫ 百代士의 다各〃 질겨잇다
번화한 여러 선비 다 각각 즐겨 있다
그도그러 ᄒᆞ건이와 名區의 노던ᄌᆞ취
그도 그러하거니와 명승에서 놀던 자취
이날밤 블근ᄃᆞᆯ의 歷〃키 ᄇᆞ라본이
이날 밤 밝은 달에 또렷히 바라보니

장안화長安花임.

9 송나라 정호의 〈춘일우성〉에 나오는 말, 방화수류傍花隨柳가 옳음.

10 주희의 〈무이구곡가〉 중 구곡에 나오는 말.

11 소동파의 〈용산보망〉에 나오는 말.

12 용산에 모였을 때 바람이 불어 맹가의 모자를 떨어뜨린 고사. 위의 〈용산보망〉 참조.

13 죽림칠현 가운데 완적을 말함.

14 진나라 필탁 고사. 다섯 항아리의 술을 훔쳐 먹고 그 속에서 잠을 잤다고 함.

15 구양수의 〈취옹정기〉에 나오는 말.

畵棟朝飛 南浦雲은 滕王閣의 勝景이요
누각 위에 남포 구름 등왕각[16]의 승경이요
三山半落 靑天外는 鳳凰臺의 勝景이요
하늘 밖에 삼산이 솟아 봉황대[17]의 승경이요
夜半鐘聲 到客船은 姑蘇坮의 勝景이요
밤 종소리 객선에 들려 고소대[18]의 승경이요
夏宜急雨 瀑布聲은 黃崗樓의 勝景이요
여름에는 폭포 소리 황강루[19]의 승경이요
巴陵勝賞 洞庭湖는 岳陽樓의 勝景이라
파릉 경치 동정호는 악양루[20]의 승경이라
옌날노림 이러ᄒᆞ니 내안이 다시놀가
옛날 놀음 이러하니 내 아니 다시 놀까
張子房의 玉洞簫와 蘇子瞻의 沙棠舟로
장량의 옥통소와 소식의 사당주沙棠舟로
春服이 旣成ᄒᆞ니 六七童子 너도가자
봄옷이 완성되니 육칠 동자[21] 너도 가자
覇橋의 저ᄂᆞ나귀 이날의 빗기타고
패교의 저는 나귀 이날에 흥겹게 타고[22]
綠水靑山 집푼ᄃᆡ로 골〃이 들어간이
녹수청산 깊은 데로 골골 찾아 들어가니

---

16 왕발의 〈등왕각서시〉에 나오는 말.
17 이백의 〈등금릉봉황대〉시에 나오는 말.
18 장계의 〈풍교야박〉에 나오는 말.
19 왕우칭의 〈황주죽루기〉에 나오는 말.
20 범중엄의 〈악양루기〉에 나오는 말.
21 《논어》 선진편에 나오는 아름다운 봄날의 놀이.
22 앞의 맹교와 소동파의 시 참조.

三間草堂 精洒ᄒᆞᆫᄃᆡ 一片柴門 닷어두고

삼간 초당 엄숙한데 작은 사립 닫아 두고

香火戶의 내가쉬고 夕陽이 在山ᄒᆞᆫᄃᆡ

향로에 연기 사라지고 석양이 저무는데

杜鵑黃鸝 슬피울고 鸚鵡孔雀 넘느ᄂᆞᆫᄃᆡ

두견 꾀꼬리 슬피 울고 앵무 공작 넘나드는데

層岩絕壁 數千丈의 瀑布淸波 ᄯᅥ러진니

층암절벽 수천 길에 폭포 물살 떨어지니

흘르난이 桃花로다 武陵이 예안인가

흐르느니 도화로다 무릉도원이 여기 아닌가

안저보고 서셔본이 나도ᄯᅩᄒᆞᆫ 神仙이다

앉아보고 서서 보니 나도 또한 신선이다

謝眺의 驚人句로 長進酒 노ᄅᆡᄒᆞᆯ제

사조謝眺[23]의 명시구와 장진주[24] 노래할 때

花前亂舞 蜂三夏요 雲外孤聲 雁九秋라

꽃 앞에 춤 석 달 여름[25] 구름 밖에 울고 간 가을 기러기

有酒酙矣 無酒沽ᄒᆞ니 淸簫一曲 坐深幽라

술 다 마셔 술 없으니[26] 통소 한 곡 깊은 데 앉았네

이노림 다ᄒᆞᆫ후의 功名을 期約두고

이 놀음 다한 후에 공명을 기약하고

銀鞍繡轂 盛繁華로 紅塵紫陌 ᄎᆞᄌᆞ간니

안장 수레 치장하여 서울 거리 찾아가니

---

23 제나라 시인.

24 장진주將進酒의 잘못, 이백의 장진주가 유명함.

25 꽃을 찾아 석 달 간 춤추는 벌들.

26 백거이의 〈효도잠체〉 16수 중 8번째 시에 나오는 말.

張三李四 少年輩가 반겨마저 ᄒᆞᄂᆞᆫ말이
장삼 이사張三李四 소년들이 반겨 맞아 하는 말이
青雲이 저러ᄒᆞᆫᄃᆡ 더듸옴은 무슴일고
출세가 저러한데 늦게 옴은 웬일인고
綠樹秦京 洛水橋의 부르ᄂᆞᆫ이 자ᄂᆡ로쇠
경치 좋은 서울 다리 부르나니 자네로세
風雲의 晼晩홈을 欣然이 對答ᄒᆞ되
풍운이 늦은 것을 기쁘게 대답하되
伊尹의 耕莘野도 成湯을 만나잇고
이윤伊尹의 신야莘野 농사[27] 탕임금을 만나 있고
呂尙의 釣渭濱도 文王을 셤겨신이
여상呂商의 위빈渭濱 낚시 문왕[28]을 섬겼으니
나도쏘ᄒᆞᆫ 그안이라 忠臣烈士 後裔로셔
나도 또한 그 아니랴 충신열사 후예로서
一片靈抬 腔子裏의 忠孝二字 볼가신이
작은 마음 가슴 속에 충효 두 자 밝았으니
보ᄅᆡᄂᆞᆫ이 聖君이요 ᄉᆡᆼ각ᄂᆞᆫ이 明主로다
바라나니 성군이요 생각하니 명주로다
汲黯의 臥淮陽도 그도쏘ᄒᆞᆫ 直臣이요
급암汲黯의 와회양淮陽 정치[29] 그도 또한 직신이요
魯蓮의 蹈東海덜 이안이 義士런가
노중련魯仲蓮의 동해 죽음[30]은 이 아니 의사런가

---

27 신야 땅에서 농사짓던 이윤을 탕왕이 모셔와 도움을 받음.
28 강여상(태공)이 문왕을 만나 선정을 펼침.
29 한나라 때 누워서 회양 땅을 다스렸다는 급암.
30 전국시대 제나라의 유세가, 진나라를 황제로 부른 것이 부끄럽다며 스스로 바다에 뛰어듦.

黃河水 ᄒᆞᆫ변ᄆᆞᆯ가 우리聖主 나겨시니
황하수 한번 맑아 우리 성상 나계시니
하ᄂᆞᆯ ᄀᆞᆺᄐᆞᆫ 九重안의 이노ᄅᆡ 들으시면
하늘 같은 궁궐 안에 이 노래 들으시면
三顧草廬 漢昭烈과 桃園結義 宋太祖가
삼고초려三顧草廬 한의 유비 도원결의桃園結義 송 태조[31]가
諸葛亮을 ᄃᆞ시본니 趙普야 ᄯᅩ안인가
제갈량을 다시 보니 조보야 또 아닌가
翰林園의 特敎ᄒᆞ야 議政府의 承召ᄒᆞ냐
한림원에 특교하여 의정부에 불러 모아
三堂上 入侍時의 諄〃이 下敎ᄒᆞ되
세 당상관 입궐할 때 곡진하게 하교하되
唐虞 無爲治를 내ᄇᆞᆯ셔 ᄒᆞ려ᄒᆞ나
당우[32]의 태평성대 내 벌써 하려 하나
皐陶稷契 못어더셔 夢得良弼 보ᄅᆡ던이
고요 직설皐陶稷契[33] 못 얻어서 어진 신하 바랐더니
草野의 숨은臣下 이날의 만나신이
초야의 숨은 신하 이날에야 만났으니
五絃琴 南風詩ᄂᆞᆫ 問로라 어ᄂᆡ ᄣᅵᆫ요
오현금 남풍시[34]는 묻노라 어느 때인고
靑丘의 다시ᄒᆞᆷ이 一定이 맛당ᄒᆞ다
우리나라 다시 함이 일정이 마땅하다

---

31 송나라 태조와 조보가 맺은 결의.
32 요임금과 순임금.
33 요임금과 순임금을 모신 어진 신하, 고요, 직기와 설.
34 순임금이 오현금을 타면서 부른 노래.

雨露의 집픈恩惠 四拜ᄒᆞ고 알왼말숨

큰 은혜 깊은 은혜에 네 번 절하고 아뢴 말씀

君臣有義 至重ᄒᆞ니 補闕拾遺 마올잇가

군신유의 지중하니 보궐 습유補闕拾遺[35] 마오리까

功名을 크게닥고 乞骸表 알온후의

공명을 크게 닦고 벼슬 그만 아뢴 후에

范蠡의 五湖舟로 漢江水 건네와셔

범려의 오호주五湖舟[36]로 한강수 건너와서

疏廣의 千鎰金을 秋城府의 흣터두고

소광의 천일금千鎰金[37]을 담양군에 흩어두고

感君恩 ᄒᆞᆫ曲調로 太平酒 비저신이

감군은感君恩 한 곡조로 태평주 빚었으니

兄오쇼 ᄋᆞ의오쇼 栗里情話 더욱조타

형 오소 아우 오소 시골 인심[38] 더욱 좋다

그도글러 ᄒᆞ건이와 左右班列 보라보니

그도 그러하거니와 좌우 사람 바라보니

勝友ᄂᆞᆫ 如雲ᄒᆞ고 高朋은 滿座로다

좋은 벗 구름 같고 훌륭한 벗 자리 가득

勸君更進 一盃酒로 但願長醉 不願醒을

그대에게 권한 한 잔[39] 오래 취해 깨지 마오[40]

---

35 빠진 것을 보충하고, 천자가 알지 못한 잘못을 바로잡아줌.

36 춘추시대 초나라 사람. 월왕 구천을 도와 오나라를 멸망시킨 뒤 배를 타고 가 은둔함. 범려편주.

37 한나라 선제 때 태자의 스승 소광과 소수 형제, 선제가 많은 돈을 주자 그것을 고향 사람들에게 다 나누어 줌.

38 도연명이 귀거래하여 살았던 고향, 시골.

39 왕유의 〈송원이사안서〉시에 나오는 말. 이별을 아쉬워하며 권하는 술잔.

40 이백의 〈장진주〉에 나오는 말. "다만 길게 취하되 깨지 말기를".

ᄋᆞ흐아 ᄯᅩ술부어라 天下萬事 三笑罷라

아이야 술 부어라 천하 만사 한바탕 웃음이다[41]

일ᄒᆞᆫ노림 절ᄒᆞᆫ노림 ᄭᅮᆷ이건야 ᄌᆞᆷ이건냐

이런 놀음 저런 놀음 꿈 결인가 잠 결인가

光明ᄒᆞᆫ 이世上의 大丈夫 되야내셔

광명한 이 세상에 대장부 되어서는

疾病업시 살어ᄒᆞᆷ을 진실로 ᄇᆞ리로라

질병 없이 살아감을 진실로 바라노라

41 호계삼소虎溪三笑의 준말. 진나라 혜원 법사, 도연명, 육수정과 관련한 고사.

16. 석촌별곡石村別曲

① 작품명 : 석촌별곡石村別曲

② 작자명 : 정해정(鄭海鼎, 1850~1923)

③ 출전 : 《역대가사문학전집歷代歌辭文學全集》

④ 해제

〈석촌별곡〉은 조선조 말 석촌石村 정해정이 지은 가사다. 총 282구에 이르는 장편의 가사로서 조선시대 가사문학이 이미 쇠퇴해가던 조선조 말에 이 같은 장편 가사가 출현하였다는 것은 크게 주목된다. 송강 정철의 10대손인 석촌이 선조의 노래를 좋아한 나머지 그 영향을 받아 이러한 가사를 이루게 되었는데, 여기서는 특히 정철의 〈성산별곡〉에서 보는 작풍을 짙게 느낄 수 있다. 〈성산별곡〉의 유적지를 대하는 감회와 무등산의 수려한 승경을 유람한 흥취가 주된 내용으로 되어 있어, 이는 무등산권 시가유적을 찬미한 노래의 대표작으로 손꼽힌다.

정해정은 한시의 제작에도 능하였다. 한시는 그의 친필 유고집으로 알려진 《석촌만흥石村漫興》, 《회명대만초懷明臺漫草》 등에 전한다. 〈석촌별곡〉의 원문은 〈민농가〉와 함께 김형주金炯珠가 소장한 단권으로 된 한장본 《석촌별곡石村別曲》에 줄글체의 필사본으로 전한다.

⑤ 원문과 현대역

뎌손의 셧는돌이 瑞石(셔셕)인가 立石(입셕)인가
저 산에 섰는 돌이 서석瑞石인가 입석立石인가
悠然(유연)이 보는눈이 주셰도 몰올씨고
유연悠然히 보는 눈이 자세히는 모르겠네
夕日(셕일)이 曚曨(몽농)흔듸 구름은 무순일고
석양빛이 몽롱한데 구름은 웬 일인고
긔뉘르셔 주셰알아 놀드려 일알숀가
그 누가 자세히 알아 나에게 말해줄 지
葛巾(갈건)을 기우씨고 芒鞋(망혜)를 뵈야신어
갈건葛巾을 비뚜로 쓰고 미투리 신 재촉해 신고
樵路(쵸노)을 겻틔눗코 溪石(계셕)를 볼바올나
나뭇길 곁에 두고 시냇돌 밟아 올라
歐公(우공)의 行跡(힝젹)으로 東山(동산)의 彳亍(쳑쵹)흐니
구양수歐陽修의 모습으로 동산을 잔걸음으로 가니[1]
山人은 傴摟(굴루)흐고 林鳥(임조)는 間關(간관)흔듸
산인은 굽실하고[2] 숲새들은 지저귄다
完然(완연)흔 潺〃水(잔〃수)가 六七里(룩칠리)를 빗겨시니
완연한 잔잔수潺潺水는 육칠 리를 흘렀으니
아믹도 몰올씨고 峰回路轉(봉회노전) 分明(분명)흐다
아마도 모르겠다 봉회노전峰回路轉[3] 분명하다

1 척촉은 좌우로 잔걸음하며 걷는 것.
2 구루傴僂의 잘못, 공경함.
3 산을 빙돌아서 옴.

滁山(뎨산)의 六〃洞(륙〃동)이 여긔런가 져기런가

중국 저산滁山[4] 육륙동이 여기인가 저기인가

林壑(림흑)은 蔚然(울연)혼듸 景槩(경기)도 가틀씨고

임학林壑[5]은 무성한데 경치도 같을시고

今韓愈(금혼류)은 어듸가고 山林(산임)만 닌는고야

지금 한유韓愈 어디 가고 산림만 남았구나

醉亭(취졍)은 말아두고 石逕(셕경)의 막듸집퍼

취정醉亭 구경 그만두고 돌길에 막대 짚고

鍾山(종산)의 고든길로 屛嵓(병음)를 마죠보와

종산鍾山의 곧은 길로 병풍바위 마주보며

龍湫地(용츄디) 돌아들어 瀑布臺(폭포듸) 올나ᄒᆞ니

용추龍湫 못 돌아들어 폭포대를 올라보니

廬山(여산)의 眞面目(진면목)이 가틀씨고 여긔로다

여산廬山의 참된 모습[6] 같을시고 여기구나

이도곤 가존景(경)이 쏘어듸 닛듯말가

여기보다 갖춘 경치 또 어디 있단 말인가

卜居(복거)ᄒᆞ던 白樂天(빅락쳔)은 어듸가 消息(쇼식)업고

복거卜居하던 백낙천[7]은 어디 가서 소식 없고

種杏(종힝)ᄒᆞ던 董奉이는 仙跡만 나마닛다

살구 심던 동봉董奉[8]이는 신선 자취 남겼구나

醉興(취흥)을 못다이겨 以今視昔(이금시셕) ᄒᆞ올져긔

취흥을 못 다 이겨 옛 일을 다시 볼 때에

---

4 북송의 구양수가 놀았던 산.

5 산림이 깊숙하고 으슥한 곳.

6 중국 강서성 구강시에 있는 산. 늘 안개에 싸여 있어 그 참모습을 보기 힘듦.

7 백낙천이 여산에서 복거했던 일.

8 신선 동봉이 여산에 살면서 살구나무를 심어 병을 다스렸다 함.

廬山謠(요)을 불너ᄂᆡ니 謫仙詩(적션시) 아닐런가
여산廬山 노래 불러내니 이백李白의 시[9] 아니던가
披閱古蹟(피열고적) ᄒᆞ온후의 져景槩(경기) 글를지여
고적을 살핀 후에 저 경치 글에 담아
거문고로 ᄐᆞ아ᄂᆡ여 ᄡᅦ파의 올니고져
거문고로 노래하며 비파에 올리고저
神(신)仙臺 ᄎᆞᄌᆞ고져 泉石(천셕)를 길을사마
신선대를 찾으려고 천석을 길을 삼아
次第(ᄎᆞ제)로 발바올나 樹陰(슈음)으로 가ᄌᆞᄒᆞ니
차례로 밟아 올라 숲속 그늘 속으로 가려 하니
武峽(무협)가ᄐᆞᆫ 뎌絕頂(절정)의 三聲猿(ᄉᆞᆷ셩훤) 슬을씨고
무협武俠 같은 저 절경엔 원숭이 소리 슬프구나
그아ᄅᆡ 石壁(셕벽)우의 捿鶻鳥(셔골조) 놀ᄅᆡᄂᆞᆫ다
그 아래 석벽 위에 서골조棲鶻鳥가 놀래도다
松檜(송회)은 森鬱(삼울)ᄒᆞᆫᄃᆡ 藤蘿(듼나)만 얼켜닛다
송회松檜[10]는 울창한데 등나무만 얽혀 있다
雲山(운ᄉᆞᆫ)은 疊〃(쳡〃)ᄒᆞ고 万壑(ᄆᆞᆫ ᄒᆞᆨ)른 谷谷(곡곡)이라
운산은 첩첩하고 만학은 골골이라
鷗(구)峰은란 저만두고 嵓上(ᄋᆞᆷ ᄉᆞᆼ)의 ᄌᆞ리보아
구봉은 저만 두고 바위 위에 자리를 보아
저근덧 안ᄌᆞ씨니 松間(송ᄀᆞᆫ)의 우ᄂᆞᆫ물결
잠시 동안 앉았으니 송간에 우는 물결
完然(완연)ᄒᆞᆫ 바돌솔ᄅᆡ 丁〃ᄒᆞᆫ 落子로다
완연한 바둑 소리 쩌렁쩌렁 울리도다

---

9 이백이 여산에서 〈망여산폭포〉시를 지은 사실을 말함.
10 소나무와 전나무.

白鶴觀이 어ᄃᆡ관ᄃᆡ 바돌솔ᄅᆡ 무ᄉᆞᆫ일고

백학관[11]이 어디건대 바둑소리 무슨 일인고

고쳐올나 안ᄌᆞᆫ말리 今世間의 靈境이라

다시 올라 앉으니 이 세상의 영경[12]이다

登東皐而 舒嘯ᄒᆞ고 臨清流而 賦詩ᄒᆞ여

동쪽 언덕 휘파람 불고[13] 시내에선 시를 짓고[14]

多事이 好古ᄒᆞᆯ졔 이ᄂᆡ心懷 어이ᄒᆞᆯ가

바쁘게도 호고好古 할 제 이내 심사 어이 할꼬

뎌鍾岳 ᄆᆡ웃층의 翩선裙屐 언듯올나

저 종악鐘岳 맨 위층에 날랜 발걸음[15] 사뿐 올라

ᄒᆞᆫ졍업시 블ᄋᆡ오니 曠遠ᄒᆞ다 뎌湖山니

한정 없이 바라보니 아득하다[16] 저 강산이

여긔와 다뵈ᄂᆞᆫ다 ᄃᆞ일너 무ᄉᆞᆷᄒᆞᆯ가

여기 오니 다 보인다 다 말하여 무엇할까

뎌긔가ᄂᆞᆫ 六七詩隊 星山別曲 불의면서

저기 가는 노래꾼들[17] 〈성산별곡〉 부르면서

息影亭 올의야고 瀟灑園 ᄌᆞᆷ간취코

식영정을 오르고서 소쇄원에 잠깐 취해

環碧堂 竹林밧긔 釣臺의 올나서셔

환벽당 죽림 밖에 조대에 올라서서

---

11 소식이 바둑 두며 놀던 곳.
12 신령스러운 모습, 경치.
13 등동고이서소, 임청류이부시.
14 도잠의 〈귀거래사〉에 나오는 말.
15 선군극, 바지와 신을 들고.
16 광원하다, 저 호산이.
17 육칠 명의 노래꾼.

鸕鶿嵓 紫薇灘을 有意켜 귀경ᄒᆞᆫ가
노자암 자미탄을 뜻을 두고 구경한가
어와 뎌君子야 뉘긔뉘긔 왓단ᄆᆞᆯ고
어와 저 군자야 누구누구 왔다더냐
긔노림 죠켜이와 언위제나 ᄎᆞᆷ예ᄒᆞᆯ가
그 놀음 좋거니와 언제나 찾아갈까
靑眸을 다시씃고 瑞鳳옛쎠 ᄉᆞᆯ펴보니
밝은 눈을[18] 다시 씻고 서봉[19] 옛터 바라보니
雲林은 慘淡ᄒᆞᆫᄃᆡ 層嵓만 헛터닛다
운림은 참담한데 층층 바위 흩어져 있다
어ᄃᆡ셔 부ᄂᆞᆫ발ᄋᆞᆷ 璇風이 아닐런가
어디서 부는 바람 선풍이 아니던가
思慕庵 건너보니 仙人臺 일어셰라
사모암 건너보니 선인대가 되었구나
松壇의 徘徊타가 烏枝峰 반겨보아
송단松壇에 배회타가 오지봉 반겨보고
雲門의 通刺ᄒᆞ여 仙翁를 ᄎᆞ지오니
신선 집에 뵈려 가[20] 선옹仙翁을 찾으니
靑厖은 吠雲ᄒᆞ고 童子ᄅᆞᆫ 出門ᄒᆞᆫ다
청방은 짖어대나[21] 동자는 맞이한다[22]
松下의 갓가이셔 殷懃이 물르오니
소나무 가까이서 은근히 물어보니

18 밝은 눈, 맑은 눈.
19 서봉사 절터.
20 신분을 밝히고 면회를 청하는 것.
21 삽살개가 공중에 떠도는 구름만을 보고 짖어댐.
22 손님이 찾아갔는데 주인은 간데 없고 동자만 맞이함.

뎌童子 일ᄂᆞᆫ말리 仙翁이야 계시오나
저 동자 하는 말이 선옹이야 계시지만
슐취ᄒᆞ여 ᄌᆞ시오니 ᄌᆞᆷ간지졍 ᄒᆞ옵쇼셔
술 취하여 주무시니 잠깐 진정 하옵소서
돌씰고 누어씨니 나도ᄯᅩᄒᆞᆫ 곤하고야
돌을 쓸고 누었으니 나도 또한 곤하여서
픗ᄌᆞᆷ을 얼픗듸니 碧霞帳이 玲瓏ᄒᆞᆫᄃᆡ
풋잠을 얼풋 드니 푸른 휘장[23] 영롱한데
어ᄃᆡ셔 오난仙翁 白髮蒼顔 됴흰威儀
어디서 오는 선옹 쇠한 얼굴 좋은 위엄
헌ᄉᆞ토 헌ᄉᆞ홀샤 이ᄂᆡᄭᅮᆷ ᄭᆡ와ᄂᆡᆫ가
분주하고 어수선타 이내 꿈 깨었는가
甚偉ᄒᆞᆫ 뎌衣冠이 綺里翁과 엇더ᄒᆞᆫ고
기특하다 그 의관이 기리계綺里季[24]와 어떠한고
ᄂᆞᆯ다려 닐온말리 엇지ᄒᆞ야 이江山을
나에게 하는 말이 어찌하여 이 강산을
가지록 나히너겨 들고아니 나ᄂᆞᆫ고야
갈수록 좋게 여겨 들고 아니 나오는가
昇平聖世 더뎌두고 靑雲를 下直ᄒᆞ야
태평 성세 버려두고 벼슬과도 하직하야
樂夫天命 ᄒᆞ올뎌긔 彷徨코 棲遲ᄒᆞ여
천명만을 즐길 적에 서성대며[25] 노닐면서

---

23 벽하장.
24 진나라 난리 때 화를 피해 상산에 살았던 인물.
25 방황.

날곳식면 ᄒᆞ는닐리 采藥ᄒᆞ여 療饑ᄒᆞ고
날이 쇠면 하는 일이 약을 캐서 요기[26]하고
飮水ᄒᆞ고 著書ᄒᆞ며 ᄌᆞᆼ긔바돌 무ᄉᆞᆫ일고
물 마시고 책을 쓰며 장기 바둑 웬일인고
雲山의 主人도여 管領ᄒᆞ니 헌ᄉᆞ롭다
운산의 주인 되어 도맡은 일 분주하다
董生의 桐栢이며 李愿의 盤谷인가
동중서董仲舒의 동백이며 이원李愿의 반곡盤谷[27]인가
考槃歌을 닐을ᄉᆞ마 叢桂曲 읠픠오니
은사 노래[28] 일을 삼아 총계곡叢桂曲[29]을 읊으오니
徐孺子의 持操런가 韓伯休의 清標로다
서유자의 지조던가[30] 한강[31]의 기품이네
蜀道詩 외오면셔 獨樂園 됴히네겨
촉도시 외우면서[32] 독락원[33]을 좋게 여겨
綠竹으로 울를삼고 黃花로 버슬ᄒᆞᆫ가
대숲으로 울을 삼고 황국으로 벗했는가
無情ᄒᆞ다 뎌歲月아 이네白髮 무ᄉᆞᆫ일고
무정하다 저 세월아 이네 백발 웬 일인고
城市囂塵 멀리ᄒᆞ고 鍾山月의 지피들여
번화함[34]을 멀리하고 종산에 깊이 들어

26 채약 요기.
27 한유의 〈송이원귀반곡서〉에 반곡은 태항산 양지녘에 있다 함.
28 《시경》〈위풍衛風〉편 은사의 노래, 〈고반가〉.
29 송사宋詞의 일종, 총계곡.
30 동한 시대 지조의 인물 서치徐穉.
31 동한 시대 한강, 장안에서 약을 팔다가 패릉 산중으로 도망함.
32 이백이 촉도의 험난함을 말한 시, 〈촉난도〉.
33 송나라 사마광이 벼슬을 그만두고 지은 정원.

是非피코 遯跡ᄒᆞᆫ가 그일ᄂᆡ 알아고져

시비 피해 은둔한가 그 일을 알고 싶어

어와뎌 神仙翁아 이ᄂᆡ말 ᄌᆞ셰듯쇼

어와 저 신선이여 이내 말을 자세히 듣소

朋友親戚 다발리고 故園兄弟 멀리ᄒᆞ니

벗과 친척 다 뺏기고 고향 형제 멀리 하니

이ᄂᆡ마ᄋᆞᆷ ᄆᆡ친실음 긔뉘ᄅᆞ셔 알ᄋᆞᆯ숀가

이내 마음 매친 시름 그 누가서 알 것인가

退翁의 闕里귀경 이졔와 거더두고

이황의 궐리가[35] 구경 이제 와서 그만두고

陶山景 써어ᄂᆡ여 외로안ᄌᆞ 본노라니

도산 경개 써내어서[36] 홀로 앉아 보았더니

어ᄃᆡ셔 오ᄂᆞᆫ벗님 辨誣疏 외온말리

어디서 오는 벗님 변무소를 외운 말이

크거나 뎌큰經綸 月翁의 度畧이라

크고도 저 큰 경륜 이정구[37]의 도략이라

北征ᄒᆞᄌᆞᆫ 大老의논 긔아니 壯ᄒᆞᆯ숀가

북벌하잔 송시열이 그 아니 장하던가

於焉星霜 二百年의 寒潭秋月 흔젹업ᄂᆡ

어언 세월 이백 년에 가을 달이 흔적 없다

昏衢의 後生들은 羣賢論難 어ᄃᆡ볼고

거리[38]의 후생들은 군현 의론 어디서 볼까

---

34 성시효진, 곧 번화한 시가지.

35 퇴계 이황이 지은 〈궐리가〉.

36 이황이 지은 〈도산기〉, 〈도산십이곡〉 등.

37 월사 이정구가 쓴 변론문으로 명나라 정응태가 조선이 왜군을 끌어들여 중국을 치려한다는 무고의 글에 대해 변론함. 이로써 정응태가 파직되었음.

紛紜ᄒᆞ다 近日消息 날다려ᄂᆞᆫ 말치마오

분운하다 가까운 날 소식 나에게는 말을 마오

太白山이 어ᄃᆡᄆᆡ오 處士詩나 외오고져

태백산은 어디인고 처사시[39]나 외우고저

控訴 홀ᄃᆡ 전히업셔 山水間의 부치고져

항소할[40] 곳 전혀 없어 산수 간에 붙이고저

엇그졔 風雨中의 일업시 行裝썰쳐

엊그제 비바람에 일없이 행장 떨쳐입고

青篛笠 綠簑衣로 漁父ᄯᆞᆯ아 가노나니

삿갓 쓰고 우장 입고[41] 어부 따라 가노라니

姑蘇臺 어듸메요 臨皐亭이 여긔로다

고소대[42]는 어디인고 임고정[43]이 여기구나

黃精圃 구버보니 學心堂이 거긔런가

황정포[44]를 굽어보니 학심당은 거기던가

窈窕庵 ᄎᆞ자랴고 碧落洞 들어가니

요조암을 찾으려고 벽락동에 들어가니

春夢婆은 간ᄃᆡ업고 塵外亭만 셧난고야

봄꿈 노파 간 곳 없고 진외정만 서 있구나

孤舟을 解纜ᄒᆞ여 中流의 ᄯᅳ워ᄂᆡ니

외로운 배 풀어놓고 물 가운데 띄워 내니

---

38 혼구.

39 명나라 태백거사 보연의 시.

40 공소.

41 청약립 녹사의.

42 강소성 소주에 있었던 대臺.

43 소동파가 중국 황주에 세운 정자.

44 황정포, 학심당, 요조암, 벽락동, 진외정 등은 각각, 대의 뿌리, 배우고자 하는 마음, 행동이 얌전함, 푸른 하늘, 속세를 벗어난 곳 등을 싱징함.

江우의 ᄯᅥ난白鷗 鶴가치 오난고야
강 위에 나는 백구 학처럼 오는구나
뭇노라 져白鷗야 天地間의 壯ᄒᆞᆫ긔별
묻노라 저 백구야 천지간에 장한 기별
英雄蹤跡 ᄎᆞᄌᆞ야고 星稀月明 발ᄋᆡ보니
영웅 종적 찾으려고 별과 달을 바라보니
浮雲가탄 三國일력 더옥닐너 무슴ᄒᆞᆯ니
부운 같은 삼국 일들 더욱 말해 무엇하리
滿江舳艫 간ᄃᆡ업고 橫槊賦詩 나마닛ᄂᆡ
강에 뜬 배[45] 간 곳 없고 읊은 시[46]만 남아있네
寂〃ᄒᆞᆫ 武昌비의 烏鵲만 지〃괸다
쓸쓸한 무창 비에 오작만 지저귄다
烏林腥塵 시치야고 謫下文章 긔뉘런가
비린내를 씻으려고[47] 글 쓴 적선[48] 누구인고
前後賦 써어ᄂᆡᆯ제 水調歌 불너ᄒᆞ니
전후 〈적벽부〉를 써서 낼 제 수조가[49]로 불러보니
忠誠은 카니와 辭意도 간졀ᄯᅥ라
충성은 물론이요 글 뜻도 간절하다
엇지ᄒᆞ야 畏口ᄒᆞᆫ고 不畏文字 불법ᄯᅩ다
어찌 하여 꺼리는고 글 지음이 부럽구나
長公은 어ᄃᆡ가고 東山月만 걸여고야
소동파[50]는 어디 가고 동산 달만 걸렸는가

---

45 만강축로.
46 조조가 말 위에서 창을 뉘어놓고 시를 지음. 횡삭부시.
47 조조와 주유의 적벽대전 때 흘린 피비린내를 씻음. 오림성진.
48 소동파를 가리킴.
49 악부의 곡명, 수양제가 지었다 함.

二客의 부ᄂᆞᆫ洞簫 嫠婦만 우돗썬가

두 손님[51]이 부는 통소에 과부[52]만이 울었던가

千年往蹟 뭇노나니 긔아니 슬를숀야

천년 행적 묻고 보니 그 아니 슬플쏘냐

간ᄂᆞᆫᄃᆡ로 ᄇᆡ를노와 滄浪江 들리달라

가는 대로 배를 띄워 창랑강[53]에 빨리 들어

淸流의 ᄀᆞᆺ을싯고 濁流의 ᄇᆞᆯ를씻쳐

맑은 물에 갓끈 씻고 흐린 물에 발을 씻어

太守臺 고쳐올나 孺子歌 불르오니

태수대 다시 올라 유자가孺子歌[54]를 불러보니

물결은 ᄎᆡᄌᆞ난ᄃᆡ 心神도 漠然ᄒᆞ다

물결은 잔잔한데 심신은 막연하다

滄翁亭 가난길로 石程의 倦步ᄒᆞ여

창옹정[55] 가는 길로 돌길을 더디 걸어

松林을 헤텨가니 죠흘시고 뎌精榭

송림을 헤쳐가니 깨끗하다 저 정사는

거동도 그지업고 景物도 ᄒᆞ도홀샤

거동도 그지없고 경물도 풍성하다

輞川의 別業인달 여와엇지 견돌숀가

망천의 별장[56]인들 이와 어찌 견줄 건가

---

50 소동파의 자字.

51 이위와 양세창.

52 이부, 곧 과부.

53 굴원이 〈어부사〉를 지은 곳.

54 굴원의 〈어부사〉에 나오는 〈창랑가〉.

55 창주 나무송.

56 당나라 왕유의 별장.

죠흠도 됴흘씨고 前後의 두른翠屛
깨끗하고 좋을시고 앞뒤로 두른 병풍
天孫의 雲錦紋을 뉘나셔 가자다가
천손이 짜낸 비단[57] 누가 나서 가져다가
구ᄇᆡ구ᄇᆡ 베혀ᄂᆡ여 八疊雲屛 ᄆᆡᆫ가난고
굽이굽이 베어내어 팔 첩 병풍 만드는가
눈아ᄑᆡ 혜친景을 歷〃히 혜여고져
눈앞에 펼친 경치 역력히 헤아리고자
엇던고 다시보니 天公의 호ᄉᆞ로다
어떤가 다시 보니 조물주의 호사로다
일어ᄐᆞᆺ 됴흔世界 남ᄃᆡ도 뵈오고져
이러틋 좋은 세계 남에게도 보이고자
奚囊을 펴혀ᄂᆡ여 到處景 써어너니
시 주머니[58] 펼쳐놓고 여러 경치 써서 넣으니
一部山川 아닐런가 ᄀᆞ지록 호ᄉᆞ롭다
일부 산천 아닌가 갈수록 호사롭다
望月의 집픈골착 樵童불너 길을물어
보름달에 깊은 골짝 초동 불러 길을 묻고
鰲山은 외로두고 夕陽의 집의드니
오산은 멀리 두고 석양에 집에 드니
庭花은 向笑ᄒᆞ고 廳鳥른 解嘲ᄒᆞᆫ다
정원의 꽃 웃어 대고 집안의 새 지저귄다
山窓을 비겨시니 怊悵ᄒᆞᆷ도 怊悵ᄒᆞ다
산가의 창 비겼으니 아쉽고도 섭섭하다

57 운금문.
58 해낭, 시를 지어 넣어두는 주머니.

遭變흔 뎌曆數은 淈灘이 重回로다

굴러 변한[59] 저 역수는 다시 오는[60] 갑신 해[61]라

嗚乎라 小大輿情 風泉悲感 아닐숀가

오호라 정겨운 일 풍천[62] 비감 아니던가

我東偏壤 저긘封疆 僅存遺物 무셔신고

동쪽의 적은 땅에 남은 유물 무엇인고

廣袖麗帶 죠흰거동 皇明舊制 긔아닌가

광수廣袖여대麗帶[63] 좋은 거동 옛 제도[64]가 아니던가

이제와 블려두니 羅麗陋俗 어이흘가

이제와 보려 하니 나려羅麗[65] 풍속 어이할까

燦然흔 先王法服 어딕가 쏘볼숀가

찬연한 선왕 법복 어디 가서 볼 것인고

雙明律 갈마두고 憫農詩 외오고져

대명률 간직하고 민농 시를 부르고저

어딕셔 부난狂飄 瑞石의 쓰난구름

어디서 부는 광풍 서석에 뜨는 구름

一時의 거더가니 太古顔面 긔아닌가

일시에 거둬가니 태고 모습 그 아닌가

分明ᄒ다 뎌瑞石아 긔아니 불벌숀야

분명하다 저 서석[66]아 그 아니 부러운가

---

59 전변.

60 군탄.

61 1644년, 〈석촌별곡〉은 1884년에 지어짐.

62 《시경》, 〈회풍〉과 〈조풍〉에 나오는 말. 나라가 쇠망함.

63 폭이 넓은 소매와 고운 허리띠.

64 황명은 임금의 총명함. 곧 좋은 정치나 제도.

65 신라와 고려 풍속, 나려누속.

66 광주와 담양, 화순에 위치한 무등산의 옛 명칭.

말업고 是非업시 啞昔聾今 ᄒᆞ여닛다

말도 없고 시비 없이 예부터 농아 됐네

나도엇지 너와갓치 脫屣今世 ᄒᆞ여셔라

나도 어찌 너와 같이 금세 영욕[67] 벗었도다

---

67 탈사, 이 세상과의 하직, 왕위에서 물러남.

17. 민농가憫農歌

① 작품명 : 민농가憫農歌

② 작자명 : 정해정(鄭海鼎, 1850～1923)

③ 출전 : 한장본 《석촌별곡石村別曲》

④ 해제

〈민농가〉는 조선조 말 석촌石村 정해정이 〈석촌별곡〉을 제작한 같은 해 동짓달에 지은 가사다. 총 110구로 구성한 장편의 가사로서 조선조 가사문학이 이미 쇠퇴해가던 조선조 말에 이 같은 장편 가사가 출현하였다는 것은 크게 주목된다. 송강 정철의 10대손인 석촌은 선조의 노래를 좋아한 나머지 그 영향을 받아 이와 같은 가사체를 익혀 창작하게 되었다. 그러나 〈민농가〉는 나라의 심한 과세와 어려운 농사일에 시달리는 농민을 안타깝게 여겨, 노래 제목이 뜻하는 바와 같이 민농의 심정을 형상화한 것이라는 데에 그 특색이 있다.

⑤ 원문과 현대역

뎌긔가난 뎌老農아 이ᄂᆡ農謳 ᄉᆞᆯ펴듯쇼

저기 가는 저 노농老農아 이내 농가農歌[1] 살펴 듣소

國家의 밋난근본 우리黎民 긔아니며

나라의 믿는 근본 우리 백성[2] 그 아니며

---

1 농사 노래, 농부가.

2 백성.

우리黎民 밋난근본 이ᄂᆡ農務 아릴숀야

우리 백성 믿는 근본 이내 농사 아니겠나

크거나 뎌큰事業 天下大本 이ᄲᅮᆫ이라

크고도 저 큰 사업 천하 대본 이뿐이라

稷降播谷 됴흰져씨 徂隰徂畛 地理ᄉᆞᆯ펴

밭이랑에[3] 좋은 씨앗 일궈 묵힐[4] 자리 살펴

破塊燒菑 이暮春의 不違其旹 先務로다

농사 준비[5] 이 모춘에 때 지키기 급선무라

粒我烝民 우리聖主 南郊의 親耕ᄒᆞᆯ제

백성 살릴[6] 우리 성군 남쪽 교외 경작하니

六曹役官 農夫도여 載芟載柞 ᄒᆞ올져긔

나라의 벼슬아치[7]도 농부 되어 풀 베고 벌목할[8] 적

井田法 고쳐두고 豳風詩 외오난다

정전법井田法을 다시 보며 옛 빈풍시豳風詩[9] 외는구나

六府三事 允治ᄒᆞ니 万世永賴 이공이라

육부삼사六府三事[10] 다스리니[11] 만세토록[12] 이 공이라

子貢의 문난정샤 宣尼말ᄉᆞᆷ 足食이라

자공子貢의 묻는 정사 공자[13] 말씀 족식足食이라

---

3 밭이랑에 메기장을 뿌림.

4 일굴 땅과 묵힐 땅.

5 농사를 준비함.

6 입쌀밥을 먹여 백성을 배불리게 하여 살림.

7 관리들.

8 재삼재책,《시경》, 주송,〈재삼〉, 풀 베고 벌목함.

9《시경》, 국풍,〈빈풍〉.

10 육부는 수, 화, 금, 목, 토, 곡을, 삼사는 정덕, 이용, 후생.

11 정성으로 다스림.

12 만세영뢰, 오래토록.

13 공자에게 한 나라 선제가 내린 시호.

于嗟옵다 뎌保介야 不可緩也 民事로다
슬프도다 저 보개保介[14]야 불안함[15]은 민사로다
農家의 克敏ᄒᆞᆫ릴 旣항酒事 ᄒᆞ자서라
농가에 힘써 할 일 준비하여[16] 시작하세
火耕水耨 모든百姓 疏通溝塍 ᄒᆡᆷ써ᄒᆞ니
농사짓는[17] 모든 백성 밭둑 소통[18] 힘써 하니
南畝의 迎陽ᄒᆞ여 荒穢를 理去ᄒᆞ고
남쪽 밭에 해맞이요 더러움을 다 없애고
旣庭旣碩 ᄒᆞ온후의 不稂不莠 ᄒᆞ여서라
곧고 크게 길러낸 뒤 잡초 없이 여물게[19] 하세
厭〃ᄒᆞᆫ 뎌碩苗를 ᄀᆡ엇지 헐후ᄒᆞᆯ가
무성한 저 묘목[20]을 그 어찌 가벼이[21] 하랴
提鋤ᄒᆞ잔 모든의논 辛苦타 말치마쇼
일 하자[22]는 모든 의논 괴롭다고 말을 마오
이ᄂᆡ公田 오월ᄆᆡ고 이네私田 ᄂᆡ릴ᄒᆞᄉᆡ
이내 공전公田 오늘 매고 이내 사전私田 내일 하세
언듯野日 當午ᄒᆞ니 汗翻漿 괼로말쇼
들일 언뜻 낮이 되니 초장된다[23] 괴로워 마소

14 중국 주나라 때 농사를 장려하던 벼슬, 《시경》, 주송, 〈신공지십〉.
15 편치 않음.
16 준비를 잘 함.
17 수도 재배 기술, 농사지음.
18 도랑물과 밭두둑을 잘 소통시킴.
19 오곡이 잘 여묾.
20 넉넉하고 큰 묘목.
21 대수롭지 않다.
22 농사 일을 함.
23 땀이 흘러 초장이 됨.

이귀뎌귀 빈듸업시 第一大關 討草로다
여기저기 빈 곳 없이 제일 큰일 잡초 토벌
今日곳 奪時ᄒᆞ면 周箱魏箘 어ᄃᆡ볼고
오늘 곧 때 놓치면 주상 위균周箱魏菌[24] 어디서 볼까
竭力勸耕 슬어말쇼 一家之風 淳厚터라
힘써 권농 싫어 마오 집안 풍속 순후터라
麥飯藜羹 이ᄂᆡ午饁 鼓腹歌로 擊壤ᄒᆞᆫ다
밥과 국[25] 들 점심[26]에 태평성대[27] 노래로다[28]
술이야 ᄒᆞ건마난 無巡이 亂酌ᄒᆞᆯ가
술이야 많건마는 난잡하게 오고가랴
田家의 困苦ᄒᆞᆫ릴 稼穡艱難 몰올숀야
전가의 괴로운 일 농사 간난[29] 모를 쏘냐
撙儉節用 ᄭᅵ친聖訓 우리邦家 先政이라
절약 검용[30] 끼친 성훈聖訓 우리나라 선조 정치
뭇노나 東方貢稅 三代와 엇더ᄒᆞᆫ고
묻노라 나라 조세 하·은·주와 어떠한고
五十而貢 七十助은 夏殷의 遺法이요
공법貢法조법助法 조세제[31]는 하·은 때에 끼친 법이라
百畝之徹 周人政은 什一之稅 긔아닌가
주 나라 철법徹法[32]은 십일지세什一之稅 그 아닌가

24 주상위균, 미상.
25 아주 검소한 음식.
26 점심밥.
27 부른 배를 북삼아 두드리며 부르는 노래. 태평성대.
28 지팡이로 땅을 치며 노래함.
29 농사의 어려움.
30 절약함.
31 50묘 땅에서 5묘의 수확 세금. 70 묘의 땅에서 7묘의 수확 세금.

일어탓 씨친定制 列聖朝의 쎤을바다
이렇듯 끼친 제도 역대 성조 본을 받아
薄斂輕賦 ᄒᆞ오실제 富而其鄰 됴흴시고
가볍게 부과함[33]은 이웃까지 좋을시고
엇디타 少人用事 肥瘠高下 못正ᄒᆞ니
어찌하여 권세부려 세금 고하[34] 못 정하니
稅外加稅 무ᄉᆞᆫ릴고 用又讐斂 어니홀가
더할 세금 무슨 일인고 가렴苛斂은 어이 할꼬
小東大西 어ᄃᆡᄆᆡ요 抒抽其空 今日이라
여러 나라[35] 어디인고 길쌈 허탕[36] 오늘이라
二月新絲 몬져팔고 五月新谷 다시ᄂᆡ니
봄엔 새 실 먼저 팔고 여름 곡식 다시 내니
重嚴ᄒᆞ다 뎌貢賦를 엇디아이 둘려홀가
중엄하다 저 조세를 어찌 아니 두려울까
어와 農夫덜아 失農곳 ᄒᆞ여두면
아 아 농부들아 실농 곧 하게 되면
이ᄂᆡ重稅 어이홀고 勤勞타 ᄉᆞ양말쇼
이내 중세重稅 어이 할꼬 번거롭다 사양 마오
이ᄉᆡ니 져ᄉᆡ이예 섯거섯난 뎌惡草를
이 사이 저 사이에 섞어 핀 저 악초를
엇디ᄒᆞ야 容舒홀가 一切이 去根ᄒᆞᄉᆡ
어찌하여 용서 할까 모든 뿌리 제거하세

---

32 10분의 1 세금 징수법.
33 박렴 경부.
34 땅의 비옥에 따른 세금의 고하.
35 소동대동의 잘못, 크고 작은 동방의 여러 나라.
36 저축기공杼軸其空의 잘못, 길쌈이 없어짐.

못제ᄒᆞ면 어이ᄒᆞᆯ리 宋人揠苗 이탓시라

제거 못 하면 어이 하리 송인 알묘宋人揠苗[37] 이 때문이라

傷苗도 ᄒᆞᆯ여이와 種下生種 苛政이라

상한 새싹 물론이요 종하 종생種下種生 가정苛政[38]이라

今年의 못다ᄒᆞ면 明年鋤草 뉘나ᄒᆞᆯ가

금년에 못 다 하면 명년 제초 누가 할꼬

苗而不秀 〃不實은 이풀ᄐᆞᆺ시 긔아닌가

새싹 패도 안 여무니[39] 악초의 탓 그 아닌가

若苗之 有莨莠른 奸臣과 엇더ᄒᆞ며

묘苗 논에 있는 낭유莨莠 간신과 어떠하며

如粟之 有糠秕은 玁狁과 엇더ᄒᆞᆫ고

조 밭에 있는 강비糠粃[40] 오랑캐[41]와 어떠한고

風雨뒤의 뎌蝗虫은 群賊ᄀᆞᆺ치 나ᄂᆞᆫ고야

풍우 뒤에 저 누리[42]는 도적떼처럼 생기는구나

孑〃ᄒᆞᆫ 뎌嘉禾른 君子ᄀᆞᆺ치 困苦ᄒᆞᆫ고

빼어난 저 대화大禾는 군자처럼 곤고困苦하다

이ᄂᆡ野人 아일랴면 우리君子 긜울숀야

이내 농부 아니라면 우리 군자 기를손가

ᄒᆞ자셔랴 이ᄂᆡ農本 더옥ᄇᆡ비 ᄒᆞ자셔라

하자꾸나 이내 농사 더욱 바삐 하자구나

---

37 《맹자》, 공손추 상, 싹을 잡아당겨 빨리 자라게 해줌, 무지의 소치.
38 가혹한 정치.
39 묘이불수, 수불실.
40 쭉정이.
41 오랑캐.
42 메뚜기, 벌레.

輸貢도 ᄒᆞ연이와 輔賢인달 아일손가
세금도 내려니와 현인 보필 않을 손가
黜少人 陟君子은 王家의 政이요
소인 쫓고 군자 등용[43] 왕실의 큰 정치라
除惡草 培嘉禾은 田家의 急務로다
악초 제거 좋은 벼[44] 재배 전가의 급무로다
어와 뎌農夫아 고쳐힘써 ᄒᆞ자서라
아 아 저 농부야 다시 힘써 하자구나

---

43 출소인 척군자, 소인은 쫓고 군자는 등용함.
44 좋은 벼를 배양함.

18. 효자가孝子歌

① 작품명 : 효자가孝子歌

② 작자명 : 전우창(全禹昌, 1691~1751)

③ 출전 : 《산음세고山陰世稿》

④ 해제

〈효자가〉는 효를 주제로 한 도덕가사의 하나이다. 총 198구 10단락으로 구성한 비교적 장편이다. 여타의 효자가가 도덕론적 입장에서 효행의 일반적 윤리규범을 노래함에 대하여, 이는 아곡莪谷 전우창이라는 실존 인물의 효행을 사실적으로 들면서 그의 지극한 효도를 기린 서사 구조를 지녔다는 데에 특색이 있다.

가사 속에서 칭송되고 있는 아곡은 담양군 가사문학면(옛 남면) 산음동에서 살아온 인물이다. 산음동은 잘 아는 바와 같이 그의 중시조가 되는 서은瑞隱 전신민全新民이 고려 말에 독수정을 짓고 은거해오던 유서 깊은 곳이다. 〈효자가〉의 작자와 제작 연대는 확실하지 않으나, 구전에 의하면 이웃 마을인 지실에 사는 정방(鄭枋, 1707~1789)이 가사의 제작을 통해 구송할 정도로 아곡의 효행담은 오랫동안 인구에 회자되었던 것으로 알려져 있다.

⑤ 원문과 현대역

無무等등山산 一일枝지脈맥이 孝효子자峰봉이 되야셔라

무등산 한 갈래 맥이 효자봉孝子峰이 되었구나

그아래 뉘집인고 山산陰음洞동이 村촌名명이다
그 아래는 누구 집인고 산음동[1]은 촌명村名이라
峰봉巒만은 秀수麗려하고 泉천石석도 淨정潔결하야
산봉우리 수려하고 천석도 정결淨潔하여
人인傑걸 鍾종生생하니 地지靈령의 淑숙氣기라
큰 인물이 많이 나니 지령地靈의 맑은 기운이라
人인王왕全전字자 姓성이요 禹우字자昌창字자 일름이다
인人과 왕王의 전全자 성에 우禹자 창昌자 이름이다
稟자品품도 좋거니와 世세德덕인들 埋매沒몰할가
자품도 좋거니와 세덕인들 묻혀질까
栢백軒헌先선生생 文문孝효公공이 所소蒙몽의 名명賢현으로
백헌栢軒선생[2] 문효공은 은혜 입은 명현인데
尙상書서는 中중祖조되고 參참奉봉은 近근代대로다
상서공[3]은 중시조요 참봉공[4]은 근대로다
갓나서 穎영悟오하야 孝효親친이 天천性성이라
갓 나서 영오穎悟하여 효친이 천성이요
能능言언하야 글을배워 小소學학書서를 通통達달할제
능언하여 글을 배워 소학을 통달했네
그家가勢세 도라보니 淸청寒한이 世세業업이라
그 가세 돌아보니 청한 함이 대대로다
봄뫼에 우난꿩은 절로죽기 무삼일고
봄들에 우는 꿩은 절로 줍기 웬일인고

---

1 담양군 가사문학면(옛 남면) 연천리 소재.
2 전우창의 12대 조, 전신仝信.
3 전우창의 9대조, 전신민, 독수정 건립자.
4 전우창의 고조, 전경연, 정릉참봉.

가을밭에 들닌모게 주어오면 親친粮량이다

가을 밭에 놓인 이삭 주워오면 양식된다

슬프다 董동生생이여 徵증租조索색錢전 어이할고

슬프다 연약한 삶 관가 징세[5] 어찌할꼬

官관슈령이 至지嚴엄하야 老로親친을 囚수禁금하내

관가 명령 지엄하여 노친을 수금囚禁하네

奴노僕복도 젼혀없어 自자請청하야 代대囚수하니

노복도 전혀 없어 자청하여 대신하니

그나이 몃이런고 九구歲세童동子자 되엿으라

그 나이 몇 이던고 구세 아이[6] 의젓하다

다官관門문을 初초見견커던 撻달楚초는 무삼일고

관가 들기 처음인데 매질은 웬 일인고

至지情정間간 이말듣고 獄옥門문밖에 往왕問문하니

친척들 이 말 듣고 옥문 밖에 찾아오니

눈물흔적 젼혀없고 泰태然연히 笑소語어하니

눈물 흔적 전혀 없고 태연히 말을 하네

孝효子자로다 孝효子자로다 이아이 孝효子자로다

효자로다 효자로다 이 아이는 효자로다

國국穀곡도 重중커니와 大대名명日일을 어이하리

나라 곡식 중하지만 대명절[7]을 어찌하리

初초三삼日일로 다짐하고 獄옥囚수를 放방送송하니

초삼일로 정해 놓고 옥의 죄수 풀었으니

---

5 관가에서 세금으로 조세 대신 돈을 요구하는 것.

6 전우창의 아버지가 학질에 걸려 힘들어 하자, 우창이 아버지 대신 옥에 갇힘.

7 설이나 추석 등 큰 명절.

官관門문에 나온後후에 省성親친이 時시急급하야
관문에서 나온 뒤에 부친 뵙기 시급하다
눈좇아 비올적에 날저문데 길이멀다
눈과 비 내리고 해 저물고 길은 먼데
挽만留류하니 아니듣고 사람비러 越월천하네
만류해도 아니 듣고 사람 빌려 시내 건너
二이更경末말 三삼更경初초에 艱간辛신이 到도家가하니
이경 말 삼경 초에 간신히 집에 오니
一일실이 歡환喜희하야 名명日일을 잘쇠겠다
온 집안 기뻐해서 명절은 잘 쇴도다
親친病병을 當당하여서 至지誠성으로 侍시湯탕하니
부친 병 당하여선 지성으로 시탕하고
問문醫의하고 問문藥약할재 感감天천誠성孝효 보아서라
의원 찾아 약을 물을 때 감천 성효 보였도다
無무知지한 반딧불은 昏혼夜야에 引인도하고
무지한[8] 반딧불은 어두운 밤 인도하고
鬼귀神신이 傳전한말이 聖성藥약을 쓰라하네
귀신이 알리는 말 성약聖藥[9] 써라 하지마는
病병中중의 適적口구한 것 非비時시라 어이할고
병환 중에 맞는 것은 때 아니니 어찌 할꼬
어름위에 뛰는거북 王왕祥상의 鯉이魚어런가
얼음 위에 뛰는 거북[10] 왕상王祥[11]의 잉어든가

8 미물도 무엇을 아는지.

9 효과 좋은 약.

10 전우창이 아버지 등창을 치료하기 위해 겨울에 얼음을 깨고 두 마리 자라를 구해옴.

11 효자 왕상이 겨울에 어머니께 어렵게 잉어를 잡아다 드린 고사.

文문魚어문 저가마귀 鳥조中중의 曾증子자로다

문어 문 저 까마귀[12] 새 중에 증자曾子[13]로다

嘗상糞분禱도天천 못다하야 斷단指지用용血혈 하는구나

상분 도천嘗糞禱天[14] 못 다 하고 단지斷指 수혈 하였구나

死사病병이 回회春춘하니 孝효感감일시 丁정寧영하다

죽을 병에 회춘하니 효행 감동 분명하다

그마누라 張장夫부人인은 天천定정이 配배匹필이다

그의 처 장씨 부인[15] 천정의 배필이다

本본家가에 있을적에 親친病병에 斷단指지하니

본가에 있을 때는 부친 병에 단지[16]하니

怪괴異이하고 奇기異이하다 年년月월日일이 같단말가

괴이하고 기이하다 연월 일이 같단 말인가

孝효夫부집에 孝효妻처되야 舅구姑고를 奉봉養양하니

효부 집에 효처孝妻되어 시부모 봉양함에

親친年년은 已이高고하고 艱간難난은 그지없다

어버이 연세 많아 어려움이 그지없다

물기르며 밭맬적에 勞노苦고를 이를손가

물 기르며 밭 맬 적에 그 노고를 다 이르랴

孝효子자로다 孝효子자로다 家가長장 孝효子자로다

효자로다 효자로다 그 가장이 효자로다

親친喪상을 두 번만나 六육年년居거廬여 하는구나

친상을 두번 만나 육년 거려居廬[17] 하는구나

---

12 곧 새끼가 자라 어미에게 먹이를 갖다 드리는 까마귀의 효심.

13 효자로 이름난 노나라의 증삼.

14 부모님의 병환에 똥 맛을 보도 증상을 파악함.

15 화순 동복 장우성의 따님.

16 손가락을 깨물어서 피를 내어 병자에게 드림.

靑청山산에 뿌린눈물 墓묘草초도 枯고死사하내

청산에 뿌린 눈물 묘의 풀도 말라 죽네

廬여幕막에 깃든제비 너조차 喪상人인인가

여막에 깃든 제비 너조차 상인인가

거문빛 어디두고 흰새가 되엿느뇨

검은 빛깔 어디 두고 흰 새가 되었느냐

侍시墓묘라 洞동名명하야 隣인里리가 傳전稱층하네

시묘동 이름 붙여 이웃들이 칭송하네

平평生생에 남은서름 孝효養양을 못다컷다

평생에 남은 설움 효행 못한 일이라네

南남山산의 져白백石석은 樵초歌가를 지어두고

남산의 저 흰 돌은 나무꾼노래 지어두고

北북闕궐의 聖성人인壽수를 詩시句구로 讚찬祝축하니

북궐의 성인 장수 시구로 기렸으니

예부터 이른말이 以이孝효事사君군 則측忠충이라

예로부터 하는 말이 이효 사군以孝事君 충성인데

애달플사 이이런孝효子자 때를만나 立입揚양트면

애달프다 이런 효자 때 만나 입양立揚하면

致치吾오君군 堯요舜순하고 使사吾오民민 堯요舜순하여

우리 임금 요순 되고 우리 백성 요순 되어

집마다 孝효子자나고 사람마다 孝효子자되여

집집마다 효자 나고 사람마다 효자 되어

一일國국이 興흥孝효하야 三삼代대之지治치 하올것을

온 나라가 효 일으켜 삼대지치三代之治[18] 했을 것을

---

17 부모님의 상을 거듭 당하여 3년씩 모두 6년의 시묘 살이를 함.

18 하·은·주 삼대의 태평시대.

聞문達달을 不불求구커든 擧거薦천하리 그누일런고

문달을 불구커든[19] 거천擧薦할 이 누구인고

孝효名명이 절로나니 聖성恩은이 罔망極극하사

효도 명성 절로 나니 성은이 망극하여

이孝효子자 이孝효婦부를 一일體체復복戶호 하압시니

이 효자 이 효부를 한 몸으로 복호復戶[20]하니

鄕향隣인이 稱칭嘆탄하되 爲위子자當당孝효 하리로다

향리 사람 칭탄하되 자식 되어 당연하다

可가憐련하다 이孝효子자여 困곤窮궁함도 困곤窮궁할사

가련하다 이 효자여 곤궁함도 곤궁하다

原원憲헌의 것은집은 上상漏누下하濕습 하는구나

원헌原憲[21]의 거친 집은 위아래로 누습하나

陋누巷항의 一일簞단瓢표는 不불改개其기樂락 하였더라

누항의 단사표음簞食瓢飮[22] 그 즐거움 한결같네

行행年년六육十십 考고終종할세 孝효子자家가訓훈 다시보소

연세 육십 고종考終[23]하되 효자 가훈 다시 보오

두아들 손을잡고 申신申신히 永영訣결하되

두 아들 손을 잡고 거듭거듭 말씀하되

人인道도의 귀한 것이 孝효友우밖에 또있느냐

인도 지켜 커온 것이 효우 밖에 또 있느냐

---

19 불구문달, 세상에 이름 떨치기를 바라지 않음.

20 충신, 열녀, 효자에게 여러 것을 면제해 줌. 경종 1년에 전우창 부부에게 복호를 내림.

21 공자 제자 자사子思, 또는 원사原思.

22 공자 제자 안자의 소박하고 청빈한 생활, 안자는 그런 삶의 방식을 바꾸지 않았다 함.

23 고종명, 곧 죽음.

先선墓묘를 守수護호하고 香향火화를 不불絕절하면
선조 묘 수호하고 제사를 계속하면
이아비 눈을감아 遺유恨한이 없으리라
이 아비 눈을 감고 유한은 없으리라
祠사堂당門문 열라하고 衣의冠관하야 拜배謝사하너
사당 문 열라 하고 의관 갖춰 사례하네
돗을다시 바로펴고 悠유然연히 長장逝서하니
돗자리 다시 펴고 유연히 숨 거두니
全전而이生생 全전而이歸귀에 이길은 全전孝효子자라
전 씨로 태어나 전 씨로 죽으니 이 길은 전 씨의 효자로다
遠원近근上상下하 老노少소들이 訃부音음듣고 驚경歎탄하되
원근 상하 노소들이 부음 듣고 경탄하되
全전孝효子자 죽은後후에 다시孝효子자 어이볼고
전씨 효자 죽은 뒤에 다시 효자 어찌 볼까
그아들 거동보고 孝효子자門문의 孝효子자로다
그 아들 거동 보니 효자 집에 효자로다
兄형이며 안이되여 듣고본이 孝효道도로다
형들도 아이 때에 듣고 봄이 효도였네
斷단指지하고 廬여墓묘할재 世세業업으로 相상傳전하니
단지하고 여묘廬墓 함을 가업으로 이어오니
아름답다 全전氏씨家가에 代대代대로 孝효子자로다
아름답다 전 씨 집안 대대로 효자로다
집마다 人인子자로되 孝효子자되기 어렵도다
집마다 사람 자식 효자 되기 어렵도다
孝효子자되리 있건마는 이런孝효子자 어렵도다
효자 될 분 있건마는 이런 효자 어렵도다

十십室실邑읍 작은昌창平평 孝효子자도 함도할사
열 집 고을 적은 창평昌平 효자도 많고 많다
芬분香향里리 曺조孝효子자는 生생旌정門문도 하여잇고
분향리[24]의 조曺 효자는 생정문生旌門하여 있고
山산底저村촌 禹우孝효子자는 鄕향祠사宇우를 하엿도다
산저촌의 우禹 효자[25]는 향사우鄕祠宇 지어 있다
어이하야 이世세上상에 公공議의도 업어던고
어찌하여 이 세상에 여러 의논 없었던고
生생復복戶호 死사旌정門문이 國국典전의 常상事사어늘
살아 복호復戶 죽어 정문旌門 나라 예우 상사거늘
狀장聞문이 體체重중타함은 營영門문例예題제 쓸대업다
장문狀聞[26]은 중하여서[27] 감영 판결 쓸데없다
久구遠원타 勿물施시함은 禮예曺조復복啓계 더욱外외다
오래됐다 물시하는 예조禮曺 답장 더 그르다
人인心심世세道도 이러하니 忠충孝효勸권勉면 하올소냐
세상인심 세상 도리 이러하니 충효 권면하겠는가
내노래 한곡조를 지어내여 불러보니
내 노래 한 곡조를 지어내어 불러보니
荊형山산의 늙은돌을 寶보玉옥인줄 어이알리
형산荊山의 오랜 돌[28]을 보옥인 줄 어찌 알리
古고谷곡의 바린난초 캘사람이 젼혀업다
골짜기에 버린 난초 캘 사람이 전혀 없다

---

24 담양군 고서면 분향리 창녕 조 씨 집성촌, 삼청당 조부가 대표적 효자.
25 산저촌의 우유일.
26 임금께 직접 바친 보고의 글.
27 지위가 높고 중함.
28 현량한 사람.

효우하신 우리聖성上상 찰방을 광임하사
효우하신 우리 임금 팔방 널리 임하시어
日일月월같이 밝으시니 어디아니 비칠소냐
일월처럼 밝으시니 어디 아니 비치리오
이노래 이事사蹟적을 뉘라서 자시알려
이 노래 이 사적을 누가 있어 자세 알려
聖성上상께 登등聞문하야 孝효子자褒포揚양 하올소냐
임금께 여쭤서[29] 효자 포상[30]할 것인가
秋추風풍에 다저문날 匹필馬마로 지내갈제
추풍에 해 저문 날 필마 타고 지나갈 적
나무하는 저아이야 山산陰음村촌이 어디매뇨
나무하는 저 아이야 산음 마을 어디인고
孝효子자墓묘에 찾아올라 一일杯배酒주를 부어놓고
효자 묘를 찾아 올라 한 잔 술을 부어놓고
執집玉옥같이 빛난尊존靈영 한순위로코저 하노라
옥처럼 빛난 존영尊靈 잠시 위로 하자구나

29 임금께 아룀.
30 칭찬하여 장려함.